SV

Band 483 der Bibliothek Suhrkamp

Inhalt

Hermann Kasack, Hermann Hesses Verhältnis zur Musik 7

»Atmen in vollkommener Gegenwart...«
Betrachtungen und Gedichte 23
    Alte Musik 25
    Orgelspiel 31
    Musik 37
    Konzert 44
    Aus dem »Steppenwolf« 45
    Die Zauberflöte am Sonntagnachmittag 49
    Virtuosen-Konzert 50
    Neid 58
    Othmar Schoeck 59
    Aus den Erinnerungen an Othmar Schoeck 60
    Symphonie 73
    Mozarts Opern 74
    Mit der Eintrittskarte zur Zauberflöte 76
    Bei einer Musik von Schumann 77
    Valse brillante 78
    Klassische Musik 79
    Das Glasperlenspiel (Gedicht) 84
    Vom Musizieren 85
    Für Ilona Durigo 89
    Dreistimmige Musik 90
    Nicht abgesandter Brief an eine Sängerin 91
    Feierliche Abendmusik 101
    Eine Konzertpause 103
    Ein Satz über die Kadenz 112
    An einen Musiker 114
    In Sand geschrieben 120

»Wo Ratio und Magie eins werden...«
Eine Dokumentation aus Briefen,
Selbstzeugnissen, Rezensionen und Gedichten
über Musik-Erlebnisse, Komponisten und
Interpreten 123

Vertonungen von Hermann-Hesse-Gedichten
in Auswahl 233
Nachbemerkung 262
Quellennachweise 267
Namenregister 269

Hermann Kasack
Hermann Hesses Verhältnis zur Musik[1]

Über die Beziehung eines Dichters zur Musik zu sprechen, käme wohl eher einem Fachwissenschaftler zu als einem »Kollegen« des gleichen unglücklichen Metiers – zumal wenn sich dieser durch ketzerische Äußerungen über das Vergängliche in der Musik verdächtig gemacht hat.[2] Wenn ich es dennoch wage, Hermann Hesses Verhältnis zur Musik zu untersuchen, so ermutigt mich in diesem Fall die Beobachtung, daß zwischen dieser – sagen wir – skeptischen Haltung und Hesses puritanischer Auffassung eine gewisse grundsätzliche Übereinstimmung besteht. Sie bezieht sich auf das Phänomen, daß sich – im Gegensatz etwa noch zu Bach – die Musik immer mehr aus der Ganzheit des Seins herausgelöst und als Illusion verselbständigt, kurzum: sich versubjektiviert hat.

So lassen Sie mich versuchen, die Sinndeutung, die Hesse im Laufe seines Lebens und seines Schaffens der Musik gab, aus dem Umriß des Gesamtwerkes zu entwickeln.

Das Herz, und nicht der Intellekt, ist der maßgebende Antrieb für Hesses Schaffen. Während andere große Erzähler seiner Generation mehr und mehr aus dem Bildungsgut der Zeit schöpften, blieb seine Dichtung stets im Gemüt verwurzelt. Die Bezeichnung »Gemüt« klingt vielleicht etwas veraltet. Aber darin drückt sich aus, was die Kontinuität des dichterischen Wortes im »feuilletonistischen Zeitalter« gewährleistet. Jedenfalls sollten wir uns die poetische Herkunft des Wortes und die poetische Herkunft des Gedankens bei Hesse gegenwärtig halten, wenn wir uns mit seinem Verhältnis zur Musik beschäftigen.

Kraft dieser Herkunft nämlich empfinden wir seine Dichtung von vornherein dem Musikalischen verwandt.

So ist es die *Melodie*, die das Liedhafte vieler Gedichte bestimmt, die Melodie, die auch fast allen Erzählungen den charakteristischen Ton gibt. Hesses Sprache hat einen unverkennbar musikalischen Akzent. Die schmerzliche Seligkeit, der romantische Anruf des jugendlichen Herzens lassen die frühen Erzählungen – *Peter Camenzind, Unterm Rad, Knulp, Hermann Lauscher* und die anderen – gleichsam als Volkslieder in Prosa kennzeichnen.

Etwas von dem volksliedhaften Klang kehrt auch – wie sollte es anders sein – in den späteren Werken wieder, in der Sammlung der Märchen, im *Fabulierbuch* und, ein wenig elegisch, im *Demian,* ein wenig pathetisch im *Siddhartha,* balladesk wiederum in *Narziß und Goldmund,* tragikomisch dann in der Moritat vom *Steppenwolf,* romanzenhaft in der *Morgenlandfahrt.* Ich sagte, daß etwas von dem volksliedhaften Klang Hesses gesamtes Werk durchzieht, allmählich erfüllt und erweitert zu den »Stimmen der Völker«, wenn seine Dichtungen neben dem schwäbischen, deutschen Ton auch den europäischen und weiter den indischen, den Ton der östlichen Weisheit einfangen.

Obwohl Hesses gesamtes Schaffen aus der Musik, aus dem Melos unserer Sprache lebt, bildet niemals der *Gegenstand der Musik* das eigentliche Thema eines seiner Werke. Gewiß, es treten neben den häufigeren Figuren der Maler auch Musiker auf. Der Erzähler der Morgenlandfahrt ist von Beruf »Violinspieler« – »und Märchenleser«, setzt er hinzu. Schon im Roman *Gertrud* kennzeichnet es den Musiker in Hesse: er habe von früher Kindheit an erkannt, daß ihn »von allen unsichtbaren Mächten die Musik am stärksten zu fassen und zu regieren bestimmt sei«. Auch im *Glasperlenspiel* macht der Bezug auf das Musizieren einen wesentlichen Teil der Dichtung aus, und der Musik wird im ersten Drittel des

Buches viel Raum gegeben. Aber im ganzen betrachtet drückt sich Hesses Verhältnis zur Musik nur in einzelnen Partien, in relativ sparsam verteilten Betrachtungen aus, während etwa bei Thomas Mann – denken Sie nur an *Doktor Faustus* – der Gegenstand der Musik im Mittelpunkt steht.

Gibt es also kaum ein Buch von Hesse, in dem er nicht auf diese und jene Weise zur Musik Stellung nimmt, so überrascht es, daß sich innerhalb der verschiedenen Phasen seines Schaffens die einzelnen Äußerungen kaum widersprechen, daß seine Haltung, seine Auffassung sich wohl aus unbestimmteren Vorstellungen zur Klarheit entwickelt, im Grunde aber nicht verändert hat.

Natürlich ist der Zauber der Musik, dem der junge Hesse erliegt, vorwiegend romantisch gefärbt. Man braucht nur an Zeilen und Überschriften vieler Gedichte zu denken: Spielmann, Der Geiger, Melodie, Gavotte, Marienlieder, Nocturne und Chopinwalzer. Er singt »zu der Harfe Ton«, zur »Leier«, zum »tiefen Geigenklang«. Der Brunnen rauscht, die »Welt der Lieder und der Sterne« erklingt. Motive aus der deutschen Romantik, aus *Des Knaben Wunderhorn* bestimmen als Liedergruß, Traum, Nacht und Dichtersang Hesses frühe lyrische Welt. Dichten heißt ihm: singen. Gedicht gilt lange Zeit als Text, als Lied.

In diesem Zusammenhang genügt es, daran zu erinnern, daß die Musik für die deutsche Romantik eine elementare Rolle gespielt hat. Vor 150 Jahren schrieb Jean Paul an Ludwig Tieck: »Die Musik – besonders die unbestimmte – ist ein Sensorium für alles Schöne.« Und der 22jährige Hesse schreibt 1900 in seinem Aufsatz »Romantik und Neuromantik«, der die gleiche Illusion im Phänomen der Musik unterstreicht: »Romantische Musik – das ist ein Stück, worin mehr Stimmung als Klarheit, mehr Weichheit als feste Tektonik, worin etwas Verhaltenes, Ver-

schleiertes ist, eine Musik mit vielen halb gelösten Dissonanzen und scheuen, verwehten, rubato zu spielenden Takten. Schließlich denkt man an ähnliches, wenn man von einer romantischen Liebe, einem romantischen Lebenslauf spricht – man meint etwas zugleich Unvernünftiges und Berückendes, etwas bizarr Abenteuerliches mit der Tendenz ins Blaue hinaus, etwas, was Backfische begeistert und bei klugen Leuten Kopfschütteln erregt, jedenfalls aber apart und interessant ist. Romantisch nennt man im Leben alles, was form- und gesetzlos erscheint, was auf keinem erkennbaren Fundament ruht und wolkenartig flüchtige Umrisse hat.«
Schon hier fällt auf, daß der Stimmung, der Unausgesprochenheit des Romantischen der Begriff der »klaren Tektonik«, also eines erkennbaren Aufbauprinzips, gegenüber gestellt wird. Er weiß oder ahnt von diesem Grundgesetz der wirklichen Musik, weil er schon als Knabe im Elternhaus neben Mozart, Gluck und Haydn auch Chorwerke von Händel und Bach kennenlernte – also jene Musik, die er später allein als »unbedingte« bezeichnet hat und gelten läßt. »Die uns von der mütterlichen Seite her vererbte Liebe zur Musik«, so schrieb er in dem Gedenkblatt für seine Schwester Adele, ließe beider Kinderheimat ohne Musik nicht denken: »Gesang, Klavier und Orgel, Hausmusik und Kirchenmusik.«
Die Erinnerung an sein eigenes Geigenspiel – erst spät löst er die musikalische Übung durch die Malerei ab – wird in manchen Gedichten lebendig; ebenso in einem Abschnitt aus den »Musikalischen Notizen«.[3] Darin wird übrigens das Virtuosentum scharf abgegrenzt gegen alle echte Musik, weil es »der Anonymität, der Frömmigkeit« ermangele, »um zum Blühen zu kommen«. Noch im *Glasperlenspiel* wurde »das Virtuosentum ohne Hierarchie« gebrandmarkt, als Ausdruck eines »Talents ohne Charakter«. Was hier von Hesse gegen die Parade-

musik gesagt wird, gilt, wie ich noch nachweisen darf, auch für den gefährlichen Rausch aller subjektbezogenen Musik, aller Verfälschung durch Pseudoromantik bis auf den heutigen Tag. Denn, um dies einzuschieben: der Virtuose steht immer im Gegensatz zum Musikanten. Der Virtuose, auf jedem Gebiet, als Musiker, als Dichter, auch als Politiker, erregt die Massenseele, hat volle begeisterte Konzert- oder Partei-Versammlungen, zelebriert die Orgie des Massenrauschs, der Ekstase. Der Musikant – Hesse äußert sich ähnlich –, der Dichter appelliert nur an den Einzelnen, an das persönliche Gegenüber. Sie mögen leicht entscheiden, wer angesichts der Zeit von beiden äußerlich im Nachteil ist. Aber ich greife vor, ich schweife ab.

In diesen »Musikalischen Notizen« spricht er auch davon, daß sein Urteil über Musikwerke nicht den Ehrgeiz habe, »ästhetisch und objektiv richtig oder zeitgemäß zu sein«. Sein Verhalten zur Musik werde weniger vom »Bewußtsein« und »aus den Akten der Intelligenz regiert«, als von »seelischen Instinkten«, was nicht ausschließe, daß sich dieser Instinkt später auch vor dem nachprüfenden Verstande bewähre. Dies ist eine wichtige Notiz[4] – wenngleich sie den nicht überrascht, der sich daran erinnert, daß Hesses Verhältnis zur Welt, wie es seine Dichtung spiegelt, nicht durch den Intellekt, sondern durch eine künstlerische Naivität geprägt wird.

Für jeden, der mit Hesses Werk vertrauter ist, bedarf es des Hinweises nicht, daß er ein gründlicher Kenner der Musik und der Musikgeschichte ist. *Das Glasperlenspiel* – ursprünglich als Musikübungsspiel bezeichnet – bringt eine Fülle von Material, in das auch der Bau eines Kanons, einer Fuge einbezogen wird.

Bezeichnenderweise lautet der Titel einer kleinen Gedichtsammlung zu Beginn des ersten Weltkrieges *Musik des Einsamen*. Eins dieser Gedichte, »Feierliche

Abendmusik«, sucht die Musik der Landschaft einzufangen, und darin taucht ein Gleichnis auf, das uns noch beschäftigen wird. Dieses Bild spricht von der »heiligen Ordnung, deren heimliches Tönen wie im Gang der Gestirne« so auch »im Taktschlag« des eigenen Herzens klinge.

Im *Demian* fällt ein Wort auf – nämlich, wenn Demian erklärt, Musik sei ihm deshalb lieb, weil sie »so wenig moralisch« sei. Nun wird aber die Frage nach der Wirkung, und gerade der moralischen Wirkung der Musik immer wieder aufgeworfen.

In den Gedichten heißt es, daß man sich an Liedern »freuen« solle, ehe wieder »die Welt irrsinnig wird und von Kriegen gellt«; oft sei es auch ein »verwandter Ton, der uns im Liede entgegenklingt«. Gesang, überhaupt Musizieren, heißt es in einem der kleinen Prosastücke des Bandes *Wanderung,* sei ein Mittel gegen die Schwermut, Gesang sei heilend wie das Gebet heilend sei.

Zu den Wirkungen der Musik gehört auch, daß sie die Eigenschaft hat, eine Art Brücke zwischen den Menschen zu bilden: »Nirgends«, sagt der Musikmeister zu dem jungen Josef Knecht, »können zwei Menschen leichter Freunde werden als beim Musizieren.« Musik, aus der Zeit vor Bach und der alten Italiener wie Scarlatti, ist auch das Bindeglied zwischen Demian und dem Organisten Pistorius, sie ist das versöhnende Bindeglied nach der großen Auseinandersetzung zwischen dem Ex-Kastalier Plinio Designori und Knecht gegen Ende des *Glasperlenspiels.* Man solle, so rät Knecht dort, »in den Schlaf noch ein Ohr voll Musik mitnehmen. Der Blick in den Sternenhimmel und ein Ohr voll Musik vor dem Zubettgehen, das ist besser als alle Schlafmittel«.

Hier und häufig findet sich der Hinweis, daß der Musik etwas Tröstendes einwohne. Schon in dem frühen Roman *Gertrud* die Stelle: Musik schlechthin sei es, »die

immer wieder einen tiefen Trost und – eine Rechtfertigung des Lebens bedeutet«. Zwei Begriffe, die er an anderer Stelle auch als charakteristisch für sein eigenes Schaffen angibt: »Was ich in meinen Dichtungen suche, ist: Klarheit, Trost, Rechtfertigung und neue Freude, neue Unschuld, neue Liebe zum Leben.« So deckt sich die Forderung, die er an seine eigene dichterische Arbeit stellt, mit der an die Musik. Musik wird überhaupt gern als Chiffre für die eigene Dichtung verwendet. Und nun ein weiteres Moment:
Der erste Anruf an den Lateinschüler Josef Knecht zur Berufung an die Eliteschule Kastaliens kommt nicht von seiten der Wissenschaft, sondern von der Musik her. Das ist bedeutsam. Denn wie in Goethes »Pädagogischer Provinz« für Wilhelm Meister, so gilt auch für Josef Knecht in Kastalien die Musik als förderndes und erzieherisches Mittel. Nicht umsonst widmet er sich zur Ausbildung seines Wesens noch in den Jahren in Waldzell ausschließlich und überraschend lange der Musik.
Schon in einem zurückliegenden chinesischen Märchen von Han Fook[5] findet der angehende Dichter erst durch den Unterricht bei einem Musikmeister, durch das Erlernen verschiedener Spiel-Instrumente die Fähigkeit zur höchsten Vollendung der Dichtung. Auch im *Glasperlenspiel*, das »mit dem Kultus der Musik aufs innigste zusammenhängt«, dient die musikalische Übung als entscheidender Faktor der Wesensbildung. Die für den Kastalier und den Spielmeister so wichtige Fähigkeit des Meditierens, der jedem frommen Asiaten vertrauten Form der Selbstversenkung, lernt Knecht unmittelbar aus dem Erlebnis der Musik: beim Meditieren verwandeln sich ihm die Töne, der Gang der Noten in eine mathematische Figur, in ein rhythmisches Ornament.
Erstreckt sich hier die Wirkung der Musik bis zur pädagogischen Funktion und bis zur seelischen Therapie, so

kommt das befreiende Moment, das Musik schlechthin auslöse, oft zum Ausdruck. Im Gedicht »Schlaflosigkeit« nach quälenden Bildern plötzlich der Ausbruch: »Da – Musik! Edle, heilige Töne . . . lösen die Zeit / Lächelnd aus der Unendlichkeit.«

Dieses befreiende, lösende Moment vermag die feierliche, strenge Musik auf ihre weltbeglückende Weise ebenso hervorzurufen wie die romantische auf sentimentale Art – sogar beim Reißer, meint Hesse einmal, gäbe es den »Zauber der Sirenenstimme«. Jedenfalls: die Befreiung des Ichs durch Musik wird in den liedhaften Versen immer neu anschaulich gemacht und bestätigt sich unvermindert in den Aussagen der Lebenserfahrung im Gesamtwerk.

Über die Stillung der »Sehnsucht« hinaus bleibt es für jeden, der nur andächtig zu hören vermag, ein Gewinn, sich aus dem Subjektiven in ein gültiges Sein befreit zu fühlen – mag dieses Sein nun als tänzerisches Spiel, als transzendiertes Entzücken genommen werden oder als das sichtbare Reich des *Geistes,* als die objektivierte Welt der Existenz! Mozart und Bach, sie sind für Hesse die beiden Exponenten der abendländischen Musik, ihre Namen vor allem kehren, gemeinsam oder einzeln genannt, überall wieder. In einem Brief schreibt Hesse nach dem Anhören einer Radioübertragung von zwei Brandenburgischen Konzerten: »Das hat mir Ohren und Herz saubergefegt«, und er vergleicht die »von Bach erhellte Morgenstunde« mit einer »Seelenkur«. Musik, so lesen wir in dem »Brief an eine Sängerin«, sei ihm »Atemluft und Speise«, sei »Steigerung und Erhebung des Lebensgefühls und der geistigen Antriebe«, niemals aber »Betäubung oder Aufpeitschung«, und er lehne sich instinktiv auf gegen eine Musik, die »allzu süß, allzu gezuckert, oder gepfeffert« schmecke.

Diesem späten Zeugnis Hesses, das sich gegen das

Rauschhafte der musikalischen Orgie richtet, entsprechen schon Äußerungen aus der Zeit nach 1918, nach dem ersten Weltkrieg, der für sein Schaffen die entscheidende Zäsur bildet, eben jenen Einschnitt zwischen dem romantisch versponnenen Ich und dem welt- und seinsgeöffneten Selbst. Das gleiche meint auch jene Briefstelle über Bach, »der«, wie er sagt, »immer wieder aus der schwermütigen Tiefe der Introversion in die kosmische und göttliche Ordnung sich zurückkämpft«.
Mozart, dessen Don Giovanni als »die letzte große Musik« bezeichnet wird, die im Abendland entstanden ist, Mozart ist es, der persönlich im magischen Theater des *Steppenwolfs* in Erscheinung tritt. Harry Haller, dessen Namen deutlich dieselben Initialen aufweist wie Hermann Hesse, begegnet ihm, »dem Gott seiner Jugend, dem lebenslangen Ziel seiner Liebe und Verehrung«. Und dann wird Haller-Hesse zum Zeugen jener großartig-bizarren Szene, an die sich wohl viele von Ihnen erinnern: Durch eine weltweite Ebene zieht ein Zug von einigen zehntausend schwarzgekleideter Männer, die ein ehrwürdig aussehender alter Herr mit wehmütigem Gesicht anführt. Es ist, wie Mozart erklärt, Johannes Brahms, und die schwarzen Tausende sind »alle die Spieler jener Stimmen und Noten, welche nach göttlichem Urteil in seinen Partituren überflüssig gewesen wären. Zu dick instrumentiert, zu viel Material vergeudet«. Und gleich darauf sieht man dann an der Spitze eines ebenso großen Heeres Richard Wagner marschieren.
Das dicke Instrumentieren sei übrigens, so meint Mozart, weder Brahms' noch Wagners persönlicher Fehler gewesen, sondern sei ein Irrtum ihrer Zeit.
Nun, es ist natürlich nicht nur das dicke Instrumentieren allein, das dem späteren Hesse die bis zur Ablehnung gehende Kritik der rauschhaften Musik abnötigt. Wir entdecken schon in den Erzählungen *Klingsors letzter Som-*

mer und vor allem in *Klein und Wagner* die tieferen Gründe für diese kritische Abrechnung, die wie immer bei Hesse eine Abrechnung mit seinem eigenen Leben ist. Friedrich Klein, in dem sich Hesse den Spiegel vorhält, hatte als Zwanzigjähriger Richard Wagner »rasend geliebt«, für Lohengrin »geschwärmt«. Später war er »mißtrauisch« geworden, bis zum Haß. In »Klein und Wagner« geht es noch um einen zweiten Wagner, einen Mörder, und nun besteht eine unheimliche Identität zu dieser Vorstellung, als sei nämlich die pseudoromantische Art der Wagnerschen Musik mit ihrer Todessehnsucht von gleich verhängnisvoller Bedeutung – jene unheilvolle Ausgeburt der deutschen Nachromantik, deren unbestimmtes Traumbild vom Leben geeignet ist, die Massen zum Rausch und zur Selbstverblendung zu verführen. Wagner, schreibt Hesse, sei »die Welt des Schönen, aber ohne Zucht«. Ohne Zucht, das heißt ohne die *Ordnung,* die Hierarchie des Geistes.

Es ist der Wagner-Deutsche, der nicht von ungefähr das Kollektivbewußtsein der Nazizeit so gefährlich inspiriert hat, der Wagner-Deutsche mit dem üppigen, schwelgerisch-einschmeichelnden Narkotikum für die Seele, den Hesse auch in sich selber zu überwinden hatte, dem Nietzche einst lange verfallen war, der uns im *Leverkühn* Thomas Manns erneut schicksalhaft gegenübertritt.

Für Hesse wird im *Klingsor* die Musik allgemein zur »Musik des Untergangs«. Es scheint, als wolle hier einmal auch die Sprache der Dichtung es jener rauschhaften »Instrumentierung« gleichtun, die Hesse durch Mozart im späteren *Steppenwolf* rügen ließ. Bei der Namensgebung ist weniger an die Gestalt des Klingsohr – mit h geschrieben: Klingendes Ohr – aus dem *Heinrich von Ofterdingen* des Novalis zu denken als an die Opernfigur Klingsor aus dem von Richard Wagner neu belebten Zaubergarten.

Kurzum, in der Erzählung *Klingsors letzter Sommer* wird eine Ecce-homo-Stimmung angeschlagen, die Stimmung des »sterbenden, sterbenwollenden Europa-Menschen«. Da verkündet Klingsor, »König der Nacht«, der den Tanz der Welt dirigiert: »Bei uns im alten Europa ist alles das gestorben, was bei uns gut und unser eigen war; unsere schöne Vernunft ist Irrsinn geworden, unsre Maschinen können bloß noch schießen und explodieren, unsre Kunst ist Selbstmord. Wir gehen unter, Freunde, so ist es bestimmt, die Tonart Tsing Tse ist angestimmt.« So bereits 1919.

Zwei Jahrzehnte später spielt Hesse auf diese Stelle an. Im Einführungskapitel zum *Glasperlenspiel* weist er darauf hin, daß im alten China der Verfall der Musik in einem Staate als sicheres Zeichen für den Niedergang der Regierung gegolten habe – auch bei Kung-Fu-Tse (Konfuzius), den Hesse nicht erwähnt, finden sich Beispiele –, und er spricht in diesem Zusammenhang von den »teuflischen, dem Himmel entfremdeten Tonarten, zum Beispiel der Tonart Tsing Tse, ›der Musik des Untergangs‹, bei deren frevelhaftem Anstimmen ... Fürst und Reich zu Fall kam«.

»Je rauschender die Musik, desto gefährdeter das Land«, zitiert er altchinesische Weisheit. Aus Hesses scharfer Darstellung unseres »feuilletonistischen Zeitalters« geht hervor, daß er den Verfall der Musik – einer Musik, die sich von ihrem wahren Wesen entfernt hat – symptomatisch für den Verfall der Kultur und der staatlichen Ordnung nimmt.

Als Illustration für diese böse Musik sei, neben dem *Klingsor*, noch an das kleine Prosastück »Ein Abend bei Doktor Faustus« erinnert. Mephistopheles führt einen Apparat vor, der die Musik der Zukunft hören läßt. Und da bricht eine Musik los, »schmetternd bald, bald schmachtend«, dämonische Töne, »wild, verzweifelt,

unanständig«, als ob die künftige Menschheit »geisteskrank« und »die Erde Eigentum des Teufels« geworden sei.
Wie stark Hesse immer wieder die Frage nach den Polaritäten in der Musik beschäftigt hat, mag auch eine Szene aus dem *Steppenwolf* illustrieren.
Wenn er nachträglich den Harry Haller – also sich selbst – als einen »vergrämten Musikkritiker« bezeichnet, so ist das eine seiner hübschen Eulenspiegeleien, deren Schalksblick oft verkannt wird.
Zu der Polarität in der Musik nimmt er auch im *Glasperlenspiel* Stellung. Er läßt den späteren Bibliothekar und stellvertretenden Musikmeister Ferromonte sagen: »Die Geschichte der Musik ist keineswegs allein von einer abstrakten Stilgeschichte aus zu verstehen, und es würden zum Beispiel die Verfallszeiten der Musik ganz unverständlich bleiben, wenn wir in ihnen nicht jedesmal das Überwiegen des Sinnlichen und Quantitativen über das Geistige erkennen würden.«
Aber gegen den Mißbrauch der Musik, gegen ihren immer stärker hervortretenden Charakter des Subjektivismus – denn darin liegt der Frevel, der zum Chaos führt – versucht Hesse immer wieder und im Spätwerk immer geklärter, das positive Gegenbild der Musik aufzurichten, deren Urgrund im Spirituellen, in einer geistigen Anschauung liegt und deren Charakter durch das Gesetz der Ordnung bestimmt wird, durch eine Geordnetheit, die der des Universums entspricht.
Bereits im *Steppenwolf* wird im Hinblick auf Mozart und auf Bachs »Wohltemperiertes Klavier« gesagt, Musik wäre »etwas wie zu Raum gefrorene Zeit«.
In einem der *Märchen* wird an einen Weisen der Vorzeit erinnert, der »die Einheit der Welt als einen harmonischen Zusammenklang der Himmelsräume vernommen habe«. Schon im *Kurgast* von 1925 findet sich das Bild

von der »weit schwingenden Weltmusik der Sterne«. Die Sphärenmusik also, als die objektive Gestimmtheit der Musik, wird der subjektiven Stimmung des Menschen gegenübergestellt. Nicht Mittelpunkt, sondern Teil des Ganzen ist nach chinesischen Anschauungen der Mensch. So liegt der Sinn der Musik nicht im subjektiven Bekenntnis, sondern in der Wiedergabe der universistischen Ordnung.

Sie erinnern sich an die Briefstelle über Bach, »der immer wieder aus der schwermütigen Tiefe der Introversion« – der Ichbezogenheit – »in die kosmische und göttliche Ordnung sich zurückkämpft«. So auch Hesse. –

Ein umfangreicheres Gedicht mit dem Titel »Orgelspiel« enthält ein musikalisches Bekenntnis Hesses, seinen Glauben an den göttlichen Sinn der Musik. Ursprünglich gehörte die Verserzählung von 1937 zu der Gruppe der Gedichte Josef Knechts, ist aber später nicht in das *Glasperlenspiel* aufgenommen worden.

Das Orgelspiel, das in dem Gedicht aufklingt, symbolisiert die Musik als ars sacra, als heilige Kunst, die Ausdruck einer gläubigen Gemeinde sei. Diese erlebt, wie »sich Musik aufbaut zu geistigen Räumen«, wie sie »Firmamente baut aus tönenden Sternen«. – Hier wird die Vorstellung der Sphärenmusik lebendig, wie sie Goethe in der griechischen und archaischen Bedeutung für das Abendland neu aufgenommen hatte: Musik als Widerklang des Kosmos, als Inbegriff einer universistischen Ordnung, in welche der Mensch einbezogen ist.

»Ist es nicht ein Wunder ohnegleichen«, fragt Hesse im Gedicht weiter, daß diese Musik »nach reinlichsten Gesetzen« im Orgelspiel zu erklingen vermöge? Viele Generationen hätten daran gewirkt, und der schöpferische Geist, der in Fugen und Toccaten atme, sei der gleiche, der die mittelalterlichen Münster und Dome erstehen ließ:

> »In den geistbeherrschten Takten dichten
> Tausend Menschenträume sich zu Ende,
> Träume, deren Ziel war: Gott zu werden.«

Die Tonwelt, so heißt es weiter, bedeute eine »Stufe« auf unserem Weg zum Göttlichen: »Menschheit bricht die Not, wird Geist, wird heiter.« Hier stoßen wir auf zwei wesentliche Begriffe: auf den der »Stufen« und den der »Heiterkeit«. Den Begriff der Heiterkeit wird Hesse nicht müde, immer wieder zu preisen als das »Geheimnis des Schönen und die eigentliche Substanz jeder Kunst«. Auch die Gegenüberstellung des abgeschlossenen Kastalien und der realen Welt findet im großen Orgelspiel-Gedicht eine Entsprechung. Während nämlich, so lesen wir weiter, »die alten Klanggebäude ... voll von Frömmigkeit, von Geist, von Freude«, zwar noch bestehen,

> »hat sich draußen dies und das begeben,
> Was die Welt verändert und die Seelen«.

Eine andere Jugend wüchse heran, die sich nicht mehr hingeben wolle: »so geduldig komplizierten Spielen«. – »Toccaten hören sei nicht mehr Sitte«, Dom und Orgelspiel bleiben allmählich ohne Gemeinde, bleiben fast ohne Hörer. Aber unbekümmert darum,

> »daß die eiligen Jungen
> Die Gesetze nicht mehr kennen, der Figuren
> Bau und Sinn kaum noch erfühlen mögen,
> Daß die Töne nicht Erinnerungen
> Mehr des Paradieses ihnen sind und
>   Gottesspuren« ...,

unbekümmert darum läßt der greise Orgelspieler die Fugenstimmen erklingen. Und wiederum könnte man auch an das Sinnbild des *Glasperlenspiels* denken – auch Josef Knecht ist des Orgelspiels kundig –, wenn es heißt:

»Immer zarteres Filigrangestänge
Flicht sein Spiel, mit immer dünnerem Faden
Kreuzen sich die kühnen Ornamente
Im phantastisch luftigen Tongewebe.«

Ein Bild, das auch in dem Gedicht »Der letzte Glasperlenspieler« in weiterer gedanklicher Konsequenz aufgenommen wird. Während also der alte Orgelspieler »Register immer leiseren Klanges rückt« und »den Fugenschritt zum Sakramente stuft«, weiß niemand mehr, ob jener noch im Dome spielt oder ob die »Tongeflechte« nur wie nachhallender Spuk der Jahrhunderte im Raume kreisen. Manchmal freilich lauscht noch einer

»Der Musik, vernimmt aus Geistermunde
Heiter-ernster Väterweisheit Worte,
Geht davon mit klangberührtem Herzen . . .«

Der Strom dieser Musik, so schließt die Vision des Gedichts, werde immer fließen, auch wenn nur wenige Menschen seiner achten.
Diese Wenigen aber, diese Einzelnen, wie sie in der Gruppe der Morgenlandfahrer, im geistigen Orden der Kastalier in Erscheinung treten, retten über eine Zeit der Disharmonien, der Gespaltenheiten den reinen Klang der Welt für die künftigen Generationen. Denn Musik, recht verstanden, ist ein Ausdruck »menschlicher Haltung«. Nach einem Wort Josef Knechts bedeutet »die Gebärde der klassischen Musik: Wissen um die Tragik des Menschentums, Bejahen des Menschengeschicks, Tapferkeit, Heiterkeit«.
Nur in diesem Sinne, im Sinne des Ursprungs, dürfen wir wieder von der Musik als einem »legitimen Mittel der Magie« sprechen. Dann ist Musik keine Flucht mehr aus der Realität, sondern deren Bejahung im Reich einer erhöhten Wirklichkeit, einer magischen Realität, die sich

in Geordnetheit, Sinn und Gesetzlichkeit gültiger erweist als jede Augenblicksrealität. Nur wenn diese Transzendenz erreicht ist, sollte von Musik in ihrer vollkommenen Bedeutung gesprochen werden – und das gilt zugleich für die Dichtung, für alle Kunst. *(1950)*

1 Rede, gehalten am 23. 9. 1950 in der Aula der Universität Frankfurt am Main anläßlich der deutschen Erstaufführung der »Vier letzten Lieder« von Richard Strauss (Vertonungen nach Gedichten von Hesse) unter der Leitung von Prof. Bruno Vondenhoff.
2 In seinem Roman *Die Stadt hinter dem Strom* (1947) bezog Kasack eine ganz ähnliche Position wie Hesse. Umstritten war die Stelle: »Ursprünglich . . . habe die Musik der Mathematik des Himmels entsprochen, aber die Menschen haben bis auf wenige den Sinn für die kosmische Klangwelt verloren. So sei in ihr mehr und mehr Schwärmerei und schmachtende Empfindungslust zum Ausdruck gekommen. Ein subjektiver Rausch, eine Seelenromantik, die nichts mit orphischem Klang, mit geistiger Magie zu schaffen hat. Ein ebenso gefährliches Narkotikum wie ein gehobenes Unterhaltungsmittel.« (S. 306/7)
3 U. d. T. »Musikalische Notizen« [»eines Laien« im Manuskript] publizierte Hesse 1947 in der Zeitschrift »Neue Schweizer Rundschau«, Zürich, (15) folgende in unserem Band enthaltene Stücke: »Ein Satz über die Kadenz«, »Bei einer Musik von Schumann«, »Virtuosen-Konzert«, »Eine Konzertpause« und »Nicht abgesandter Brief an eine Sängerin«.
4 In »Nicht abgesandter Brief an eine Sängerin«, vgl. S. 91 ff.
5 »Der Dichter«.

»Atmen in vollkommener Gegenwart . . .«
Betrachtungen und Gedichte

Alte Musik

Vor den Fenstern meines einsamen Landhauses fiel zäh und hoffnungslos der graue Regen, und ich hatte wenig Lust, noch einmal die Stiefel anzuziehen und den weiten schmutzigen Weg in die Stadt zu machen. Aber ich war allein, und meine Augen schmerzten von langer Arbeit, und von allen Wänden meines Studierzimmers sahen mich die goldenen Bücherreihen mit ihren schweren Fragen und Pflichten unleidlich an, die Kinder lagen schon schlafend in ihren Betten, und mein kleines Kaminfeuer war ausgegangen. Ich entschloß mich also zu gehen, suchte das Konzertbillett hervor, zog die Stiefel an, legte den Hund an die Kette und machte mich im Regenmantel auf den Weg durch Schmutz und Nässe.

Die Luft war frisch und duftete bitter, schwarz kroch der Feldweg zwischen den hohen krummen Eichen in launigen Bogen um die Nachbargüter. Aus einem Portierhäuschen schimmerte Licht. Ein Hund schlug an, kam ins Zürnen, bellte höher und höher hinauf und mußte, sich überschlagend, plötzlich aufhören. Aus einem Landhause hinter schwarzen Gebüschen hervor tönte Klavierspiel. Nichts Schöneres und Sehnsüchtigeres, als so am Abend allein im Feld zu gehen und aus einem einsamen Hause Musik zu hören; eine Ahnung von allem Guten und Liebenswerten wacht da auf, von Heimat und Lampenlicht, Abendfeierlichkeit in stillen Räumen, von Frauenhänden und alter häuslicher Kultur.

Da war schon die erste Laterne, stiller bleicher Vorposten der Stadt, und wieder eine, und nahe schimmernde Vorstadtgiebel, und dann plötzlich hinter der Mauerecke blendend in grellem Bogenlicht die Tramstation, wartende Menschen in langen Mänteln, plaudernde Kondukteure mit nassen, triefenden Mützen und matt auf feuchten Röcken schimmernden Uniformknöpfen. Ein

Wagen knatterte heran, blaue Blitze unter sich, hell und warm mit breiten Glasscheiben. Ich steige auf, wir fahren, aus dem erleuchteten Glasgehäuse sehe ich nächtige Straßen breit und öde, an der Ecke da und dort eine Frau, die unterm Regenschirm auf unsern Wagen wartet, und jetzt hellere und lebendigere Straßen, und plötzlich strahlend jenseits der hohen Brücke die ganze Stadt im Abendglanz der Fenster und Laternen und unter der Brücke tief und fern das Flußtal mit dem dunkel heraufspiegelnden Wasser und den weißschaumigen Wehren.

Ich steige aus und gehe durch die Arkaden einer schmalen Gasse dem Münster entgegen. Auf dem kleinen Münsterplatz funkelt ein Laternenlicht schwach und kühl im nassen Steinpflaster, auf der Terrasse wehen die Kastanienbäume, über dem rötlich erleuchteten Portal verschwindet schmal in unendlicher Höhe der gotische Turm in die nasse Nacht. Ich warte ein wenig im Regen, werfe endlich die Zigarre weg, trete in den hohen Spitzbogen. Menschen in feuchten Kleidern stehen gedrängt, hinter seiner hellen Scheibe sitzt der Kassierer, ein Mann fordert meine Karte, ich trete in den Dom, den Hut in der Hand, und alsbald weht aus schwach erhellten Riesengewölben mir erwartungsvolle heilige Luft entgegen. Kleine Ampeln senden zaghafte Lichtstrahlen an den Säulen und Pfeilerbündeln empor, Strahlen, die sich im grauen Gestein verlieren und hoch oben warm und zart in den Wölbungen versickern. Ein paar Bänke sind dicht besetzt, weiterhin steht Schiff und Chor fast leer. Ich schleiche auf Zehen – auch so noch hallt mein Schritt mir leisdröhnend nach – durch den großen feierlichen Raum, im dunklen Chor stehen alte, schwere Holzbänke mit geschnitzten Lehnen wartend, ich schlage einen Sitz herunter, der hölzerne Klang tönt dumpf in der steinernen Höhe wider.

Zufrieden niste ich mich in dem weiten, tiefen Sessel ein, ich ziehe ein Programm hervor, es ist aber zu dunkel zum Lesen. Ich besinne mich, kann mich aber nimmer genau erinnern: es war ein Orgelstück eines verstorbenen französischen Meisters angekündigt, und eine alte italienische Geigensonate, wer weiß von wem, vielleicht von Veracini oder Nardini oder Tartini, und dann ein Vorspiel und eine Fuge von Bach.
Zwei, drei schwarze Gestalten kommen noch in den Chor geschlichen, setzen sich, jeder weit vom andern, graben sich tief in den alten Sitzen ein. Jemand läßt ein Buch fallen, hinter mir höre ich zwei Mädchenstimmen flüstern. Nun Ruhe, Ruhe. Fern auf dem beleuchteten Lettner, zwischen den beiden runden Lampen und vor den kühl glänzenden hohen Orgelpfeifen steht ein Mann, er winkt, er setzt sich, ein erwartungsvoller Atemzug geht durch die kleine Gemeinde. Ich mag nicht hinsehen, ich schaue zurückgelehnt hoch in die Wölbungen hinauf und atme die verschwiegene Kirchenluft. Ich denke: Wie mag man nun Sonntag für Sonntag im hellen Tageslicht sich in diese heiligen Räume setzen, nah und eng aufeinander, und der Predigt zuhören, die, sie sei noch so schön und so gescheit, in diesem hohen Tempel nur nüchtern klingen und enttäuschen kann.
Da, ein hoher starker Orgelton. Er füllt, anwachsend, den ungeheuren Raum, er wird selber zum Raume, umhüllt uns ganz. Er wächst und ruht aus, und andere Töne begleiten ihn und plötzlich stürzen sie alle in einem hastigen Davonfliehen in die Tiefe, beugen sich, beten an, trotzen auch und verharren gebändigt im harmonischen Baß. Und nun schweigen sie, eine Pause weht wie der Hauch vor einem Gewitter durch die Hallen. Und jetzt wieder: mächtige Töne erheben sich in tiefer, herrlicher Leidenschaft, schwellen stürmend hinan, schreien hoch und hingegeben ihre Klage an Gott, schreien nochmals

und dringender, lauter, und verstummen. Und wieder heben sie an, wieder hebt dieser kühne und versunkene Meister seine mächtige Stimme zu Gott, klagt und ruft an, weint sein Lied in stürmenden Tonreihen gewaltig aus, und ruht und spinnt sich ein und preist Gott in einem Choral der Ehrfurcht und Würde, spannt goldene Bögen durch die hohe Dämmerung, läßt Säulen und tönende Säulenbündel hinansteigen und baut den Dom seiner Anbetung empor, bis er steht und in sich ruht, und er steht noch und ruht und umschließt uns alle, als schon die Töne verklungen sind.

Ich muß denken: Wie miserabel kleinlich und schlecht führen wir doch unser Leben! Wer von uns dürfte denn so vor Gott und vor das Schicksal treten wie dieser Meister, mit solchen Rufen der Anklage und des Dankes, mit so emporgebäumter Größe eines tiefgesinnten Wesens? Ach, man sollte anders leben, anders sein, mehr unterm Himmel und unter den Bäumen, mehr für sich allein und näher bei den Geheimnissen der Schönheit und Größe.

Die Orgel hebt wieder an, tief und leise, ein langer, stiller Akkord; und über ihn hinweg steigt eine Geigenmelodie in die Höhe, in wundervoll geordneten Stufen, wenig klagend, wenig fragend, aber aus geheimer Seligkeit und Geheimnisfülle singend und schwebend, schön und leicht wie der Schritt eines jungen hübschen Mädchens. Die Melodie wiederholt sich, ändert sich, verbiegt sich, sucht verwandte Figuren und hundert feine, spielende Arabesken auf, windet sich flüssig auf engsten Pfaden und geht frei und gereinigt wieder hervor als ein stillgewordenes, geklärtes Gefühl. Hier ist keine Größe, hier ist kein Schrei und keine Tiefe des Leidens, noch auch hohe Ehrfurcht, hier ist nichts als die Schönheit einer begnügten, frohen Seele. Sie hat uns nichts anderes zu sagen, als daß die Welt schön und voll von göttlicher Ord-

nung und Harmonie ist, ach, und welche Botschaft hören wir seltener und haben wir nötiger als diese frohe!
Man fühlt es, ohne es zu sehen, in der ganzen großen Kirche wird jetzt von vielen Gesichtern gelächelt, froh und rein gelächelt, und mancher findet diese alte schlichte Musik ein wenig naiv und veraltet, und lächelt doch auch und schwimmt mit in dem einfachen klaren Strom, dem zu folgen eine Wonne ist.
Man spürt es noch in der Pause, die kleinen Geräusche, Geflüster und Zurechtrücken in den Bänken, tönen froh und munter, man freut sich und geht befreit einer neuen Pracht entgegen. Und sie kommt. Mit großer, freier Gebärde tritt der Meister Bach in seinen Tempel, grüßt Gott mit Dankbarkeit, erhebt sich von der Anbetung und schickt sich an, nach dem Text eines Kirchenliedes seiner Andacht und Sonntagsstimmung froh zu werden. Aber kaum hat er begonnen und ein wenig Raum gefunden, so treibt er seine Harmonien tiefer, baut Melodien ineinander und Harmonien ineinander in bewegter Vielstimmigkeit, und stützt und hebt und rundet seinen Tönebau weit über die Kirche hinaus zu einem Sternenraum voll edler, vollkommener Systeme, als sei Gott schlafen gegangen und habe ihm seinen Stab und Mantel übergeben. Er wettert in zusammengeballten Wolken und öffnet wieder freie, heitere Lichträume, er führt Planeten und Sonnen triumphierend herauf, er ruht lässig im hohen Mittag und lockt zur rechten Zeit die Schauer des kühlen Abends hervor. Und er endet prächtig und gewaltig wie die untergehende Sonne und hinterläßt im Verstummen die Welt voll Glanz und Seele.
Still gehe ich durch den hohen Raum und über den kleinen verschlafenen Platz, still über die hohe Flußbrücke und durch die Laternenreihen zur Stadt hinaus. Der Regen hat aufgehört, hinter einer ungeheuren Wolke, die das ganze Land bedeckt, ahnt man in wenigen Ritzen

Mondlicht und schöne Nachthelle. Die Stadt verschwindet, und die Eichen an meinem Feldweg rauschen in einem sanften frischen Winde. Und ich steige sacht die letzte Höhe hinan und betrete mein schlafendes Haus, zu den Fenstern spricht die Ulme herein. Nun mag ich gern zur Ruhe gehen und wieder eine Weile das Leben erproben und sein Spielball sein. *(1913)*

Orgelspiel

Seufzend durchs Gewölbe zieht, und wieder
                               dröhnend,
Orgelspiel. Andächtige Gläubige hören,
Wie vielstimmig in verschlungenen Chören,
Sehnsucht, Trauer, Engelsfreude tönend,
Sich Musik aufbaut zu geistigen Räumen,
Sich verloren wiegt in seligen Träumen,
Firmamente baut aus tönenden Sternen,
Deren goldene Kugeln sich umkreisen,
Sich umwerben, nähern und entfernen,
Immer weiter schwingend sonnwärts reisen,
Bis es scheint, es sei die Welt durchlichtet,
Ein Kristall, in dessen klaren Netzen
Hundertfach nach reinlichsten Gesetzen
Gottes lichter Geist sich selber dichtet.

Daß aus Blättern voll von Notenzeichen
Solche weitgeschwungenen, geistdurchsonnten,
Solche Welt- und Sternenchöre werden konnten,
Daß ein Orgelpfeifenchor sie in sich banne,
Ist es nicht ein Wunder ohnegleichen?
Daß ein Musikant am Manuale
Sie mit Eines Menschen Kraft umspanne?
Daß ein Volk von Hörern sie verstehe,
Mit erschwinge, töne, mit erstrahle,
Mit hinauf ins tönende Weltall wehe?
Arbeit war's und Ernte langer Zeiten,
Zehn Geschlechter mußten daran bauen,
Hundert Meister fromm es zubereiten,
Viele tausend Schüler sie begleiten.

Und nun spielt der Organist, es lauschen
Im Gewölb die Seelen hingegangener

Frommer Meister, mit vom Bau umfangener,
Den sie gründen halfen und errichten.
Denn derselbe Geist, der in den Fugen
Und Toccaten atmet, hat einst die besessen,
Die des Münsters Maße ausgemessen,
Heiligenfiguren aus den Steinen schlugen.
Und noch vor den Bau- und Steinmetz-Zeiten
Lebten, dachten, litten viele Fromme,
Halfen Volk und Tempel zubereiten,
Daß der Geist herab auf Erden komme.
Wille von Jahrhunderten gestaltet
In der klaren Töneströme Rauschen
Sich, im Bau der Fugen und Sequenzen,
Wo der schöpferische Geist der Grenzen
Zwischen Tun und Leiden,
Zwischen Leib und Seele waltet.
In den geistbeherrschten Takten dichten
Tausend Menschenträume sich zu Ende,
Träume, deren Ziel war: Gott zu werden,
Träume, deren keiner je auf Erden
Sich erfüllen darf, doch deren dringliche Einheit
Stufe war, darauf das Menschenwesen
Sich enthob aus Notdurft und Gemeinheit
Nahe bis zum Göttlichen, bis zum Genesen.
Auf dem Zauberpfad der Notenzeichen,
Dem Geäst der Schlüssel, Signaturen,
Auf dem Tastwerk, das die Füß' und Hände
Eines Organisten bändigen, entweichen
Gottwärts, geistwärts alle höchsten Strebungen,
Strahlen, was an Leid sie je erfuhren,
Aus im Ton. In wohlgezählten Bebungen
Löst der Drang sich, steigt die Himmelsleiter,
Menschheit bricht die Not, wird Geist, wird heiter.
Denn zur Sonne zielen alle Erden
Und des Dunkels Traum ist: Licht zu werden.

Spielend sitzt der Organist, die Hörer
Folgen willig, in befreiter Rührung,
Der Gesetze englisch sichrer Führung,
Schwingen glühend, heilige Verschwörer,
Mit empor, zum Tempel sich erbauend,
Mit dem Blick der Ehrfurcht Gott erschauend,
Am Dreieinigen kindhaft beteiligt.
So befreit im Klang, so eint und heiligt
Sich im Sakramente die Gemeinde,
Die entkörperte, dem Gott vereinte.

Das Vollkommene aber ist hienieden
Ohne Dauer, Krieg wohnt jedem Frieden
Heimlich inne, und Verfall dem Schönen.
Orgel tönt, Gewölbe hallt, es treten
Neue Gäste ein, verlockt vom Tönen,
Eine Frist zu rasten und zu beten.
Doch indes die alten Klanggebäude
Weiter aus dem Pfeifenwalde streben,
Voll von Frömmigkeit, von Geist, von Freude,
Hat sich draußen dies und das begeben,
Was die Welt verändert und die Seelen.
Andre Menschen sind es, die jetzt kommen,
Eine andre Jugend wächst, ihr sind die frommen
Und verschlungenen Stimmen dieser Weisen
Nur noch halb vertraut, ihr klingt veraltet
Und verschnörkelt, was noch eben heilig
War und schön, in ihrer Seele waltet
Neuer Trieb, sie mag sich nicht mehr quälen
Mit den strengen Regeln dieser greisen
Musikanten, ihr Geschlecht ist eilig,
Krieg ist in der Welt, und Hunger wütet.
Kurz verweilen diese neuen Gäste
Hier beim Orgelklang, zu wohlbehütet
Finden sie, zu priesterlich-gemessen

Die Musik, so schön und tief sie sei, sie wollen
Andre Klänge, feiern andre Feste,
Fühlen auch in halb verschämter Ahnung
Dieser reich gebauten, hoheitsvollen
Orgelchöre unwillkommene Mahnung,
Die so viel verlangt. Kurz ist das Leben,
Und es ist nicht Zeit, sich hinzugeben
So geduldig komplizierten Spielen.

Übrig bleibt im Dome von den vielen,
Die hier zugehört und mitgelebt, fast keiner.
Immer wieder einer geht von hinnen,
Geht gebückt, ward älter, müde, kleiner,
Spricht vom jungen Volk wie von Verrätern,
Schweigt enttäuscht und legt sich zu den Vätern.
Und die Jungen, die den Dom betreten,
Fühlen Heiliges zwar, doch weder Beten
Noch Toccatenhören ist mehr Sitte,
Und der Tempel bleibt, der Kern und Mitte
Einst der Stadt gewesen, fast verlassen,
Ragt urweltlich aus geschäftigen Gassen.

Aber immer noch durch seines Baues Rippen
Atmet die Musik in himmlischem Flüstern.
Träumend und ein Lächeln auf den Lippen
Über immer zarteren Registern
Sitzt der greise Musikant, versponnen
In das Rankenwerk der Stimmengänge,
In des Fugenbaus gestufte Pfade.
Immer zarteres Filigrangestänge
Flicht sein Spiel, mit immer dünnerem Faden
Kreuzen sich die kühnen Ornamente
Im phantastisch luftigen Tongewebe,
Immer inniger und süßer werben
Um einander die bewegten Stimmen,

Scheinen Himmelsleitern zu erklimmen,
Halten oben sich in seliger Schwebe,
Um wie Abendrosenwolken hinzusterben.

Nicht bekümmert ihn, daß die Gemeinde,
Schüler, Meister, Gläubige und Freunde
Sich verloren haben, daß die eiligen Jungen
Die Gesetze nicht mehr kennen, der Figuren
Bau und Sinn kaum noch erfühlen mögen,
Daß die Töne nicht Erinnerungen
Mehr des Paradieses ihnen sind und Gottesspuren,
Daß nicht zehn, nicht einer mehr imstande,
Dieser Tongewölbe heilige Bögen
Nachzubaun im Geist und diesem Weben
Alterworbener Mysterien Sinn zu geben.
Und so fiebert rings in Stadt und Lande
Junges Leben seine stürmischen Bahnen,
Doch im Tempel, einsam im Gestühle,
Waltet fort der geisterhafte Alte,
(Sage halb, halb Spottfigur den Jungen),
Spinnt geheiligte Erinnerungen,
Füllt mit göttlichem Sinn die Ornamente,
Rückt Register immer leiseren Klanges,
Stuft den Fugenschritt zum Sakramente,
Das nur seine Ohren noch erlauschen,
Während andre nichts mehr als das Flüstern
Der Vergangenheit spüren und das leise Rauschen
Brüchiger Vorhangfalten, die im düstern
Steingeklüft der Pfeiler müd sich bauschen.

Niemand weiß, ob noch der alte Meister
Drinnen spiele, ob die zarten, leisen
Tongeflechte, die im Raume kreisen,
Nur noch Spuk sind überbliebener Geister,
Nachhall und Gespenst aus anderen Zeiten.

Manchmal aber bleibt ein Mensch beim Dome
Lauschend stehen, öffnet sacht die Pforte,
Horcht entrückt dem fernen Silberstrome
Der Musik, vernimmt aus Geistermunde
Heiter-ernster Väterweisheit Worte,
Geht davon mit klangberührtem Herzen,
Sucht den Freund auf, gibt ihm flüsternd Kunde
Vom Erlebnis der entrückten Stunde
Dort im Dom beim Duft erloschener Kerzen.
Und so fließt im unterirdisch Dunkeln
Ewig fort der heilige Strom, es funkeln
Aus der Tiefe manchmal seine Töne;
Wer sie hört, spürt ein Geheimnis walten,
Sieht es fliehen, wünscht es festzuhalten,
Brennt vor Heimweh. Denn er ahnt das Schöne.

Musik

Wieder sitze ich auf meinem bescheidenen Eckplatz im Konzertsaal, der mir lieb ist, weil ich niemand hinter mir sitzen habe, und wieder rauscht der leise Lärm und glitzert das reiche Licht des vollen Saales mild und fröhlich auf mich ein, indes ich warte, im Programm lese und die süße Spannung fühle, die nun bald der klopfende Taktstock des Dirigenten aufs höchste treiben und die gleich darauf der erste schwellende Orchesterklang entladen und erlösen wird. Ich weiß nicht, wird er hoch und aufreizend schwirren wie hochsommerlicher Insektentanz in der Julinacht, wird er mit Hörnern einsetzen, hell und freudig, wird er dumpf und schwül in gedämpften Bässen atmen? Ich kenne die Musik nicht, die mich heute erwartet, und ich bin voll Ahnung und suchendem Vorgefühl, voll von Wünschen, wie es sein möge, und voll Vorgenuß und Zuversicht, es werde sehr schön sein.
Vorn im großen weißen Saal haben sich die Schlachtreihen geordnet, hoch stehen die Kontrabässe aufgerichtet und schwanken leise mit Giraffenhälsen, gehorsam beugen sich die nachdenklichen Cellisten über ihre Saiten, das Stimmen ist schon fast vorüber, ein letzter probender Laut aus einer Klarinette triumphiert aufreizend herüber.
Jetzt ist der köstliche Augenblick, jetzt steht der Dirigent lang und schwarz gereckt, die Lichter im Saale sind plötzlich ehrfürchtig erloschen, auf dem Pult leuchtet geisterhaft, von unsichtbarer Lampe heftig bestrahlt, die weiße Partitur. Unser Dirigent, den wir alle dankbar lieben, hat mit dem Stäbchen gepocht, er hat beide Arme ausgebreitet und steht steil gespannt in drängender Bereitschaft. Und jetzt wirft er den Kopf zurück, man ahnt selbst von hinten das feldherrnhafte Blitzen seiner Augen, er regt die Hände wie Flügelspitzen, und alsbald ist

der Saal und die Welt und mein Herz von kurzen, raschen, schaumigen Geigenwellen überflutet. Hin ist Volk und Saal, Dirigent und Orchester, hin und versunken ist die ganze Welt, um vor meinen Sinnen in neuen Formen wiedergeschaffen zu werden. Weh dem Musikanten, der es jetzt unternähme, uns Erwartungsvollen eine kleine, schäbige Welt aufzubauen, eine unglaubhafte, erklügelte, verlogene!

Aber nein, ein Meister ist am Werk. Aus der Leere und Versunkenheit des Chaos wirft er eine Woge empor, breit und gewaltig, und über der Woge bleibt eine Klippe stehen, ein öder Inselsitz, eine bange Zuflucht überm Abgrund der Welten, und auf der Klippe steht ein Mensch, steht der Mensch, einsam im Grenzenlosen, und in die gleichmütige Wildnis tönt sein schlagendes Herz mit beseelender Klage. In ihm atmet der Sinn der Welt, ihn erwartet das gestaltlose Unendliche, seine einsame Stimme fragt in die leere Weite, und seine Frage ist es, die Gestalt, Ordnung, Schönheit in die Wüste zaubert. Hier steht ein Mensch, ein Meister zwar, aber er steht erschüttert und zweifelnd überm Abgrund, und in seiner Stimme liegt Grauen.

Aber siehe, die Welt tönt ihm entgegen, Melodie strömt in das Unerschaffene, Form durchdringt das Chaos, Gefühl hallt in dem unendlichen Raume wider. Es geschieht das Wunder der Kunst, die Wiederholung der Schöpfung. Stimmen antworten der einsamen Frage, Blicke strahlen dem suchenden Auge entgegen, Herzschlag und Möglichkeit der Liebe dämmert aus der Öde empor, und im Morgenrot seines jungen Bewußtseins nimmt der erste Mensch von der willigen Erde Besitz. Stolz blüht in ihm auf und tiefe freudige Rührung, seine Stimme wächst und herrscht, sie verkündet die Botschaft der Liebe.

Schweigen tritt ein; der erste Satz ist zu Ende. Und wieder hören wir ihn, den Menschen, in dessen Sein und

Seele wir einbegriffen sind. Die Schöpfung geht ihren Gang, es entsteht Kampf, es entsteht Not, es entsteht Leiden. Er steht und klagt, daß uns das Herz zittert, er leidet unerwiderte Liebe, er erlebt die furchtbare Vereinsamung durch Erkenntnis. Stöhnend wühlt die Musik im Schmerz, ein Horn ruft klagend wie in letzter Not, das Cello weint verschämt, aus dem Zusammenklang vieler Instrumente gerinnt eine schaudernde Trauer, fahl und hoffnungslos, und aus der Nacht des Leidens steigen Melodien, Erinnerungen vergangener Seligkeit, wie fremde Sternbilder in trauriger Kühle herauf.
Aber der letzte Satz spinnt aus der Trübe einen goldenen Trostfaden heraus. O, wie die Oboe emporsteigt und ausweinend niedersinkt! Kämpfe lösen sich zu schöner Klarheit, häßliche Trübungen schmelzen hin und blicken plötzlich still und silbern, Schmerzen flüchten sich schamvoll in erlösendes Lächeln. Verzweiflung wandelt sich mild in Erkenntnis der Notwendigkeit, Freude und Ordnung kehren erhöht und verheißungsvoller wieder, vergessene Reize und Schönheiten treten hervor und zu neuen Reigen zusammen. Und alles vereinigt sich, Leid und Wonne, und wächst in großen Chören hoch und höher, Himmel tun sich auf, und segnende Götter blicken tröstlich auf die ansteigenden Stürme der Menschensehnsucht nieder. Ausgeglichen, erobert und zum Frieden gebracht, schwebt die Welt einen süßen Augenblick, sechs Takte lang, selig in begnügter Vollendung, in sich beglückt und vollkommen! Und das ist das Ende. Noch vom großen Eindruck betäubt, suchen wir uns durch Klatschen zu erleichtern. Und in dem Getümmel erregter, beifallklatschender Minuten wird uns klar, wird uns jedem von sich selbst und vom andern bestätigt, daß wir etwas Großes und herrlich Schönes erlebt haben.
Manche »fachmännische« Musiker erklären es für falsch und dilettantenhaft, wenn der Hörer während einer mu-

sikalischen Aufführung Bilder sieht: Landschaften, Menschen, Meere, Gewitter, Tages- und Jahreszeiten. Mir, der ich so sehr Laie bin, daß ich auch nicht die Tonart eines Stückes richtig erkennen kann, mir scheint das Bildersehen natürlich und gut; ich fand es übrigens schon bei guten Fachmusikern wieder. Selbstverständlich mußte beim heutigen Konzert durchaus nicht jeder Hörer dasselbe sehen wie ich: die große Woge, die Klippeninsel des Einsamen und alles das. Wohl aber, scheint mir, mußte in jedem Zuhörer diese Musik dieselbe Vorstellung eines organischen Wachsens und Seins hervorrufen, eines Entstehens, eines Kämpfens und Leidens und schließlich eines Sieges. Ein guter Wanderer mochte ganz wohl dabei die Bilder einer langen und gefahrvollen Alpentour vor Augen haben, ein Philosoph das Erwachen eines Bewußtseins und sein Werden und Leiden bis zum dankbaren, reifen Jasagen, ein Frommer den Weg einer suchenden Seele von Gott weg und zu einem größeren, gereinigten Gotte zurück. Keiner aber, der überhaupt willig zugehört, konnte den dramatischen Bogen dieses Gebildes verkennen, den Weg vom Kind zum Manne, vom Werden zum Sein, vom Einzelglück zur Versöhnung mit dem Willen des Alls.

In satirischen und humoristischen Romanen oder Feuilletons habe ich manchmal erbärmliche und bedauernswerte Typen von Konzertbesuchern verhöhnt gefunden: den Geschäftsmann, der während des Trauermarsches der Eroica an Wertpapiere denkt, die reiche Dame, die in ein Brahmskonzert geht, um ihren Schmuck zu zeigen, die Mutter, die eine heiratsbedürftige Tochter unter den Klängen Mozarts zu Markte führt, und wie alle diese Figuren heißen mögen. Ohne Zweifel muß es solche Menschen geben, sonst kehrten ihre Bilder nicht so häufig bei den Schriftstellern wieder.

Mir aber sind sie trotzdem stets unglaublich erschienen

und unbegreiflich geblieben. Daß man in ein Konzert gehen kann wie in eine Gesellschaft oder zu einem offiziellen Anlaß: gleichmütig und stumpf oder berechnend mit eigennützigen Absichten oder eitel und protzenhaft, das kann ich begreifen, das ist menschlich und belächelnswert. Ich selber bin, da ich die Musiktage ja nicht selber ansetzen kann, schon manchmal ohne gute und andächtige Stimmung ins Konzert gegangen, müde oder verärgert oder krank oder voll Sorgen. Aber daß Menschen eine Symphonie von Beethoven, eine Serenade von Mozart, eine Kantate von Bach, wenn erst der Taktstock tanzt und die Tönewellen fluten, mit Gleichmut anhören können, unverändert in der Seele, ohne Ergriffenheit und Aufschwung, ohne Schrecken und Scham oder Trauer, ohne Weh oder Freudenschauer – das ist mir nie verständlich geworden. Man kann schwerlich vom technischen Apparat viel weniger verstehen als ich – kaum daß ich Noten lesen kann! –, aber daß es in den Werken der großen Musiker, wenn überhaupt irgendwo in der Kunst, sich um höchstgesteigertes Menschenleben handelt, um das Ernsteste und Wichtigste für mich und dich und jedermann, das müßte doch auch der ärmste Laie noch fühlen können! Das ist ja das Geheimnis der Musik, daß sie nur unsere Seele fordert, die aber ganz, sie fordert nicht Intelligenz und Bildung, sie stellt über alle Wissenschaften und Sprachen hinweg in vieldeutigen, aber im letzten Sinne immer selbstverständlichen Gestaltungen stets nur die Seele des Menschen dar. Je größer der Meister, desto unbeschränkter die Gültigkeit und Tiefe seines Schauens und Erlebens. Und wieder: je vollkommener die rein musikalische Form, desto unmittelbarer die Wirkung auf unsere Seele. Mag ein Meister nichts anderes erstreben als den stärksten und schärfsten Ausdruck für seine eigenen seelischen Zustände oder mag er sehnsüchtig von sich selber weg einem Traume reiner Schön-

heit nachgehen, beidemal wird sein Werk ohne weiteres verständlich und unmittelbar wirken. Das Technische kommt erst viel später. Ob Beethoven in irgendeinem Stück die Geigernoten nicht sehr handgerecht gesetzt hat, ob Berlioz irgendwo mit einem Horneinsatz etwas ungewöhnlich Kühnes wagt, ob die mächtige Wirkung dieser und jener Stelle auf einem Orgelpunkt beruht oder nur klanglich auf einer Dämpfung der Celli oder auf was immer, das zu wissen ist schön und nützlich, aber es ist für den Genuß einer Musik entbehrlich.
Und ich glaube sogar, gelegentlich urteilt ein Laie über Musik richtiger und reiner als mancher Musiker. Es gibt nicht wenige Stücke, die am Laien als ein angenehmes, doch unwichtiges Spiel ohne großen Eindruck vorüberrauschen, während ihre technische Könnerschaft den Eingeweihten hoch entzückt. So schätzen auch wir Literaten manches Werk der Dichtung, das für Naive gar keine Zauber hat. Aber es ist mir kein großes Werk eines echten Meisters bekannt, das seine Wirkung nur auf Sachverständige übte. Und weiter sind wir Laien so glücklich, ein schönes Werk auch in teilweise mangelhafter Aufführung noch tief genießen zu können. Wir erheben uns mit feuchten Augen und fühlen uns in allen Gründen der Seele geschüttelt, ermahnt, angeklagt, gereinigt, versöhnt, während der Fachmann über eine Tempoauffassung streitet oder wegen eines unpräzisen Einsatzes alle Freude verloren hat.
Gewiß hat dafür der Kenner auch Genüsse, vor denen wir Unkundigen versagen. Indessen gerade die seltenen, klanglich einzigen Höchstleistungen: den Zusammenklang eines Streichquartetts von lauter alten, sehr köstlichen Instrumenten, den süßen Reiz eines seltenen Tenors, die warme Fülle einer außerordentlichen Altstimme, dies alles empfindet ein zartes Ohr, von allem Wissen unabhängig, ganz elementar. Das mitzufühlen ist

Sache der sinnlichen Sensibilität, nicht der Bildung, obwohl natürlich auch das sinnliche Genießen geschult werden kann. Und ähnlich ist es mit den Leistungen der Dirigenten. Bei Werken von hohem Wert wird gar nie die technische Meisterschaft des Kapellmeisters allein den Rang seiner Leistung bestimmen, sondern weit mehr seine menschliche Feinfühligkeit, sein seelischer Umfang, sein persönlicher Ernst.

Was wäre unser Leben ohne Musik! Es brauchen ja gar nicht Konzerte zu sein. Es genügt in tausend Fällen ein Tippen am Klavier, ein dankbares Pfeifen, Singen oder Summen oder auch nur das stumme Sicherinnern an unvergeßliche Takte. Wenn man mir, oder jedem halbwegs Musikalischen, etwa die Choräle Bachs, die Arien aus der Zauberflöte und dem Figaro wegnähme, verböte oder gewaltsam aus dem Gedächtnis risse, so wäre das für uns wie der Verlust eines Organes, wie der Verlust eines halben, eines ganzen Sinnes. Wie oft, wenn nichts mehr helfen will, wenn auch Himmelsblau und Sternennacht uns nimmer erfreuen und kein Buch eines Dichters mehr für uns vorhanden ist, wie oft erscheint da aus Schätzen der Erinnerung ein Lied von Schubert, ein Takt von Mozart, ein Klang aus einer Messe, einer Sonate – wir wissen nicht mehr, wo und wann wir sie gehört – und leuchtet hell und rüttelt uns auf und legt uns Liebeshände auf schmerzliche Wunden . . . Ach, was wäre unser Leben ohne Musik! *(1915)*

Konzert

Die Geigen schwirren hoch und weich,
Das Horn klagt aus der Tiefe her,
Die Damen glitzern bunt und reich
Und Lichtgefunkel drüber her.

Ich schließe meine Augen still:
Ich sehe einen Baum im Schnee,
Der steht allein, hat was er will,
Sein eigen Glück, sein eigen Weh.

Beklommen geh ich aus dem Saal
Und hinter mir der Lärm verklingt
Von halber Lust, von halber Qual –
Mir blieb er unbeschwingt.

Ich suche meinen Baum im Schnee,
Ich möchte haben, was er hat,
Mein eigen Glück, mein eigen Weh,
Das macht die Seele satt.

Aus dem »Steppenwolf«

Ich hörte, aus den leeren Räumen im Innern des Theaters her, eine Musik tönen, eine schöne und schreckliche Musik, jene Musik aus dem »Don Juan«, die das Auftreten des steinernen Gastes begleitet. Schauerlich hallten die eisigen Klänge durch das gespenstische Haus, aus dem Jenseits, von den Unsterblichen kommend.
»Mozart!« dachte ich und beschwor damit die geliebtesten und höchsten Bilder meines inneren Lebens.
Da klang hinter mir ein Gelächter, ein helles und eiskaltes Gelächter, aus einem den Menschen unerhörten Jenseits von Gelittenhaben, von Götterhumor geboren. Ich wandte mich um, durchfroren und beseligt von diesem Lachen, und da kam Mozart gegangen, lachend ging er an mir vorüber, schlenderte gelassen auf eine der Logentüren zu, öffnete sie und trat ein, und ich folgte ihm begierig, dem Gott meiner Jugend, dem lebenslangen Ziel meiner Liebe und Verehrung. Die Musik erklang weiter. Mozart stand an der Logenbrüstung, vom Theater war nichts zu sehen, den grenzenlosen Raum füllte Finsternis.
»Sie sehen«, sagte Mozart, »es geht auch ohne Saxophon. Obwohl ich diesem famosen Instrument gewiß nicht zu nahe treten möchte.«
»Wo sind wir?« fragte ich.
»Wir sind im letzten Akt des Don Giovanni, Leporello liegt schon auf den Knien. Eine vortreffliche Szene, und auch die Musik kann sich hören lassen, nun ja. Wenn sie auch noch allerlei sehr Menschliches in sich hat, man spürt doch schon das Jenseits heraus, das Lachen – nicht?«
»Es ist die letzte große Musik, die geschrieben worden ist«, sagte ich feierlich wie ein Schullehrer. »Gewiß, es kam noch Schubert, es kam noch Hugo Wolf, und auch

den armen herrlichen Chopin darf ich nicht vergessen. Sie runzeln die Stirn, Maestro – o ja, auch Beethoven ist ja da, auch er ist wunderbar. Aber das alles, so schön es sei, hat schon etwas von Bruchstück, von Auflösung in sich, ein Werk von so vollkommenem Guß ist seit dem Don Giovanni nicht mehr von Menschen gemacht worden.«

»Strengen Sie sich nicht an«, lachte Mozart, furchtbar spöttisch. »Sie sind ja wohl selber Musikant? Nun, ich habe das Metier aufgegeben, ich habe mich zur Ruhe gesetzt. Nur Spaßes halber sehe ich zuweilen dem Betrieb noch zu.«

Er hob die Hände, als dirigierte er, und ein Mond oder sonst ein bleiches Gestirn ging irgendwo auf, über die Brüstung blickte ich in unmeßbare Raumtiefen, Nebel und Wolken zogen darin, Gebirge dämmerten und Meergestade, unter uns dehnte sich weltenweit eine wüstenähnliche Ebene. In dieser Ebene sahen wir einen ehrwürdig aussehenden alten Herrn mit langem Barte, der mit wehmütigem Gesicht einen gewaltigen Zug von einigen zehntausend schwarzgekleideten Männern anführte. Es sah betrübt und hoffnungslos aus, und Mozart sagte:

»Sehen Sie, das ist Brahms. Er strebt nach der Erlösung, aber damit hat es noch gute Weile.«

Ich erfuhr, daß die schwarzen Tausende alle die Spieler jener Stimmen und Noten waren, welche nach göttlichem Urteil in seinen Partituren überflüssig gewesen wären.

»Zu dick instrumentiert, zuviel Material vergeudet«, nickte Mozart.

Und gleich darauf sahen wir an der Spitze eines ebenso großen Heeres Richard Wagner marschieren und fühlten, wie die schweren Tausende an ihm zogen und sogen; müde mit Dulderschritten sahen wir auch ihn sich schleppen.

»In meiner Jugendzeit«, bemerkte ich traurig, »galten diese beiden Musikanten für die denkbar größten Gegensätze.«
Mozart lachte.
»Ja, das ist immer so. Aus einiger Entfernung gesehen, pflegen solche Gegensätze einander immer ähnlicher zu werden. Das dicke Instrumentieren war übrigens weder Wagners noch Brahms' persönlicher Fehler, es war ein Irrtum ihrer Zeit.«
»Wie? Und für den müssen sie nun so schwer büßen?« rief ich anklagend.
»Selbstverständlich. Es ist der Instanzenweg. Erst wenn sie die Schuld ihrer Zeit abgetragen haben, wird sich zeigen, ob noch so viel Persönliches übrig ist, daß sich eine Abrechnung darüber lohnt.«
»Aber sie können doch beide nichts dafür!«
»Natürlich nicht. Sie können auch nichts dafür, daß Adam den Apfel gefressen hat, und müssen es doch büßen.«
»Das ist aber furchtbar.«
»Gewiß, das Leben ist immer furchtbar. Wir können nichts dafür und sind doch verantwortlich. Man wird geboren, und schon ist man schuldig. Sie müssen einen merkwürdigen Religionsunterricht genossen haben, wenn Sie das nicht wußten.«
Mir war recht elend geworden. Ich sah mich selbst, einen todmüden Pilger, durch die Wüste des Jenseits ziehen, beladen mit den vielen entbehrlichen Büchern, die ich geschrieben, mit all den Aufsätzen, mit allen den Feuilletons, gefolgt vom Heer der Setzer, die daran hatten arbeiten, vom Heer der Leser, die das alles hatten schlukken müssen. Mein Gott! Und Adam und der Apfel und die ganze übrige Erbsünde waren außerdem noch da. Alles dieses also war abzubüßen, endloses Fegefeuer, und erst dann würde die Frage entstehen, ob hinter alle dem

auch noch etwas Persönliches, etwas Eigenes vorhanden, oder ob all mein Tun und seine Folgen bloß leerer Schaum auf dem Meere, bloß sinnloses Spiel im Fluß des Geschehens war!

Mozart begann laut zu lachen, als er mein langes Gesicht sah. Vor Lachen überschlug er sich in der Luft und schlug Triller mit den Beinen. Dazu schrie er mich an: »He, mein Junge, beißt dich die Zunge, zwickt dich die Lunge? Denkst an deine Leser, die Äser, die armen Gefräßer, und an deine Setzer, die Ketzer, die verfluchten Hetzer, die Säbelwetzer? Das ist ja zum Lachen, du Drachen, zum lauten Lachen, zum Verkrachen, zum In-die-Hosen-machen! O du gläubiges Herze, mit deiner Druckerschwärze, mit deinem Seelenschmerze, ich stifte dir eine Kerze, nur so zum Scherze. Geschnickelt, geschnackelt, spektakelt, schabernackelt, mit dem Schwanz gewackelt, nicht lang gefackelt. Gott befohlen, der Teufel wird dich holen, verhauen und versohlen für dein Schreiben und Kohlen, hast ja alles zusammengestohlen.«

Dies hingegen war mir zu stark, der Zorn ließ mir keine Zeit mehr, der Wehmut nachzuhängen. Ich packte Mozart am Zopf, er flog davon, der Zopf wurde länger und länger, wie ein Kometenschweif, an dessen Ende ich hing und durch die Welt gewirbelt wurde. Teufel, war es kalt in dieser Welt! Diese Unsterblichen vertrugen eine scheußlich dünne Eisluft. Aber sie machte vergnügt, diese eisige Luft, das spürte ich noch in dem kurzen Augenblick, eh mir die Sinne vergingen. Es durchdrang mich eine bitterscharfe, stahlblanke, eisige Heiterkeit, eine Lust, ebenso hell, wild und außerirdisch zu lachen, wie Mozart es getan hatte. Aber da war Atem und Bewußtsein zu Ende.

(1926)

Die Zauberflöte am Sonntagnachmittag

Heut hab ich einen Fehler gemacht.
Ich folgte einem naiven Verlangen
Und bin in die Zauberflöte gegangen.

Da saß ich in des Theaters Nacht,
Hörte ergriffen die allzu geliebten Töne,
Tränen liefen mir glühend über die Wangen,
Zauberhaft grüßte mich die unsterbliche Schöne,
Die mir einst Heimat war und mir nun Fremde ward.

O wie sangen die seligen Engelknaben!
O wie wehte das Lied von Taminos Flöte so zart!
Alle Schauer der Kunst, die je mich beseligt haben,
Rannen noch einmal durch mein erschrocknes Herz,
Brandeten auf und wurden zu rasendem Schmerz.

Rings um mich in der Wolke von Stank und
                                Programmgeknister
Saßen zufrieden die frohen Sonntagsphilister,
Lobten das Stück und wandelten heimatwärts.
Ich aber, der ich nicht Heimat noch Frieden kenne,
Der ich immer nur Dornen zu pflücken gewußt,
Irre flackernd umher in der Nacht und renne
Alle Speere der Sehnsucht mir tief in die Brust,
Laufe davon, um mich möglichst rasch zu erschießen,
Werde aber, geborener Dilettant,
Später, wenn ich mich heiß und müde gerannt,
Irgendwo landen, wo Rotwein und Cognac fließen.

Virtuosen-Konzert

Gestern abend war ich in einem Konzert, das sich von den Konzerten, welche ich sonst zu hören gewohnt bin, wesentlich unterschied. Es war das Konzert eines weltberühmten, mondänen Geigenvirtuosen, also eine nicht nur musikalische, sondern auch eine sportliche und vor allem eine gesellschaftliche Angelegenheit. Es verlief denn auch dieses Konzert durchaus anders als andere Konzerte, bei denen es sich bloß um Musik handelt.
Das Programm allerdings versprach zum größern Teil wirkliche Musik, es hätte beinahe das Programm eines bloßen Musikanten sein können. Schöne Sachen standen darauf, die Kreutzersonate, Bachs Chaconne, Tartinis Sonate mit dem Teufelstriller. Diese schönen Stücke füllten zwei Drittel des Konzertes. Dann allerdings, gegen den Schluß hin, veränderte sich das Programm. Hier standen Musikstücke mit schönen, vielversprechenden Überschriften, Mondschein-Fantasien und venezianische Nächte, von unbekannten Verfassern, deren Namen auf Völkerschaften hindeutete, welche bisher in der Musik sich noch nicht hervorgetan haben. Kurz, der dritte Teil des Programmes erinnerte stark an die Programme, die man in den Musikpavillons eleganter Badeorte angeschlagen findet. Und den Schluß bildeten einige Stücke, die der große Virtuose selbst komponiert hatte. Mit Neugierde begab ich mich zu diesem Ereignis. In meiner Jugend hatte ich Sarasate und Joachim die Geige spielen hören, und war trotz einigen Hemmungen von ihrem Spiel entzückt gewesen. Gewiß – Musik war eigentlich etwas anderes, etwas völlig anderes, etwas, das mit Virtuosentum nichts zu tun hatte, was der Anonymität, der Frömmigkeit bedurfte, um zum Blühen zu kommen. Aber dafür hatten die Virtuosen, von Paganinis Zeiten her, für jedermann und auch für mich jenen

Zauber des Gauklers und Könners, jene Magie des Artistentums und des Zigeunertums: Auch ich hatte einmal, als Zwölfjähriger, kurz nachdem ich zum erstenmal Besitzer einer Geige geworden war, den Traum vom Virtuosen geträumt, hatte in meinen Phantasien vor überfüllten Riesensälen gestanden, hatte Zehntausende mit einem Lächeln beglückt, war von Kaisern empfangen und mit goldenen Medaillen dekoriert worden, war einsam, berühmt und heimatlos von Stadt zu Stadt, von Weltteil zu Weltteil gereist, von den Frauen geliebt, vom Volk beneidet, ein genialer und graziöser Tänzer auf dem hohen Seil der Könnerschaft und des Weltruhms. Dies alles also gab es noch, auch heute wieder würden junge Knaben mit heißen Augen dem Blendenden zusehen, würden die Backfische seufzen, die Galerien vom Beifall donnern. Schön, ich freute mich darauf, ich war gespannt. Und es war in der Tat sehr schön.
Schon lange, ehe ich auch nur die Tonhalle erreicht hatte, wurde mir aus vielen Anzeichen klar, daß es sich heute nicht um das handle, was ich und meine Freunde Musik nennen, nicht um eines jener stillen und phantastischen Erlebnisse in einem unwirklichen und namenlosen Reich, sondern um einen Vorgang von äußerster Wirklichkeit. Die Ereignisse dieses Abends spielten sich nicht in ein paar mehr oder weniger träumerischen und lebensuntüchtigen Gehirnen ab, sondern setzten die Motore, die Pferde, die Geldbeutel, die Friseure und die ganze übrige Wirklichkeit gewaltig in Bewegung. Was hier geschah, war nicht weltfern und verrückt, es war höchst real und richtig, es hatte dieselbe Wucht und eine ähnliche Aufmachung wie die großen Inhalte des modernen Lebens sie zeigen: Sportplatz, Börse, große Feste.
Schwer war es, in den der Tonhalle benachbarten Straßenzügen durch die Ströme der herzueilenden Besucher, durch die Schlangen der Automobilreihen zu pirschen.

War man am Eingang des Hauses, so konnte man sich schon etwas einbilden, so hatte man schon etwas geleistet, hatte sich durchgekämpft, hatte über Unterliegende triumphiert und einen Platz an der Sonne ergattert. Und schon unterwegs, auf der staubigen Straße zwischen den hundert Autos, die alle zum Konzertsaal strebten, erfuhr ich Nachrichten über den Großen, sein Ruhm sprang mich an, drang in meine Einsamkeit und machte mich, der ich in keine Gesellschaft gehe und keine Zeitung lese, zum erstaunten Mitwisser interessanter Einzelheiten.

»Morgen abend«, so hörte ich sagen, »spielt er schon wieder in Hamburg.« Jemand zweifelte: »In Hamburg? Wie will er denn bis morgen abend nach Hamburg kommen, da müßte er ja jetzt schon in der Bahn sitzen?« »Unsinn! Natürlich reist er im Flugzeug. Vielleicht hat er ein eigenes.« Und in der Garderobe, wo ich den Kampf siegreich fortsetzte, erfuhr ich aus den lebhaften Unterhaltungen meiner Mitkämpfer, daß der große Musiker für diesen einen Abend vierzehntausend Franken gefordert und bekommen habe. Jedermann nannte die Summe mit Ehrfurcht. Einige meinten zwar, die Kunst sei doch eigentlich nicht bloß für die Reichen da, und auch er fand Zustimmung, und es zeigte sich, daß die meisten froh gewesen wären, wenn sie ihre Eintrittskarten zu einem »normalen« Preis bekommen hätten, und daß sie dennoch alle stolz darauf waren, so viel bezahlt zu haben. Die Psychologie dieses Zwiespaltes zu ergründen, war mir nicht möglich, denn ich hatte mein Billett geschenkt bekommen.

Endlich waren wir alle drinnen, endlich waren alle an ihren Plätzen. Zwischen den Stuhlreihen, in den Korridoren, im Nebensaal, auf dem Podium bis dicht an den Flügel waren Extrastühle aufgestellt, kein Platz war leer, zuweilen hörte man von draußen, von der Kasse, das

laute Wehklagen derer, die abgewiesen wurden. Glokkenzeichen gellten, es wurde still. Und plötzlich erschien raschen Schrittes der große Geiger, hinter ihm bescheiden ein junger Klavierspieler.
Wir waren alle sofort von ihm entzückt. Nein, das war weder ein zigeunerischer Schmachtlappen, noch ein brutaler Geldverdiener, das war ein seriöser, sympathischer, geschmeidiger und doch würdiger Herr von schöner Erscheinung und gewählten Formen. Weder warf er Kußhände noch spielte er den weltverachtenden Professor, wach blickte er in das Publikum, und wußte genau, um was es sich hier handle, nämlich um einen Kampf zwischen ihm und diesem Riesen mit tausend Köpfen, einen Kampf, in dem er zu siegen entschlossen war und schon halb gesiegt hatte, denn selten wird ein so zahlreiches Publikum, wenn es so hohe Preise bezahlt hat, nachher eine Enttäuschung zugeben.
Der Virtuose gefiel uns allen sehr. Und als er nun zu spielen anfing, den langsamen Satz der Kreutzersonate, zeigte es sich sofort, daß sein Weltruhm nicht unverdient war. Dieser sympathische Mann verstand außerordentlich mit seiner Geige umzugehen, er hatte eine Geschmeidigkeit des Strichs, eine Sauberkeit des Griffs, eine Stärke und Elastizität des Tones, eine Meisterschaft, der man sich willig und erfreut überließ. Den zweiten Satz nahm er etwas rasch, das Tempo leicht forcierend, aber wunderschön. Übrigens spielte auch der junge Mann am Klavier sehr lebendig und sympathisch.
Mit der Kreutzersonate war das erste Drittel des Programms erledigt, und in der Pause rechnete mein Vordermann seinem Nachbarn vor, wieviel tausend Franken der Künstler in dieser halben Stunde schon verdient habe. Es folgte die Chaconne von Bach, sehr schön, aber erst im dritten Stück, in der Tartini-Sonate, kam der Glanz des Geigers ganz zu seiner Blüte. Dies Stück, von

ihm gespielt, war wirklich ein Wunderwerk, erstaunlich schwierig und erstaunlich bewältigt, und dazu noch eine sehr gute, solide Musik. War das große Publikum Beethoven und Bach vielleicht nur aus Achtung gefolgt, und nur dem Geiger zuliebe, hier begann es mitzuschwingen und warm zu werden. Der Beifall dröhnte, sehr korrekt verbeugte sich der Virtuose, beim dritten oder vierten Erscheinen gab er ein Lächeln dazu.

Im dritten Teil des Konzertes nun kamen wir eigentlichen Musikfreunde, wir Puritaner der guten Musik, in Bedrängnis, denn nun ging es Schritt um Schritt dem großen Publikum entgegen, und was den guten Musikern Beethoven und Bach keineswegs, dem famosen Könner Tartini nur halb geglückt war, das glückte diesen unbekannten exotischen Tango-Komponisten vorzüglich: die Tausende entbrannten, sie schmolzen hin und gaben den Kampf auf, die lächelten verklärt und weinten Tränen, sie stöhnten entzückt und brachen nach jedem dieser kurzen Unterhaltungsstücke in trunkenen Beifall aus. Der große Mann hatte gesiegt, jede dieser dreitausend Seelen gehörte ihm, alle ergaben sich willig, ließen sich streicheln, ließen sich necken, ließen sich beglücken, schwammen in Rausch und Bezauberung. Wir paar Puritaner dagegen wehrten uns innerlich, kämpften heroische nutzlose Kämpfe, lachten unwillig über den Schmarren, der da gespielt wurde, und konnten doch zugleich nicht umhin, den Schmelz dieses Strichs, die Süßigkeit dieser Töne wahrzunehmen und gelegentlich über den Zauber einer verruchten, aber zauberhaft gespielten Passage zu schmunzeln.

Der große Zauber war erreicht. Denn auch wir mißvergnügten Puritaner schwammen, wenigstens für Augenblicke, auf der großen Woge mit, auch uns ergriff, wenigstens für Augenblicke, der süße holde Taumel. Wieder waren wir Knaben und kamen aus der ersten Vio-

linstunde, wieder träumten wir uns selig über die Berge der Schwierigkeiten hinweg, jeder von uns war für Traum-Augenblicke Er, der Meister, der Zauberer, zog mit mühelosem Bogenstrich die Herzen hinter sich her, besiegte lächelnd und spielend das große Ungeheuer, die Menge, sog den Beifall, sog den Rausch der Masse ein, wiegte sich darin, lächelte darüber.
Die Tausende waren entflammt. Sie duldeten nicht, daß dies Konzert ein Ende nehme. Sie klatschten, schrien, trampelten. Sie zwangen den Künstler wieder und wieder sich zu zeigen, noch eine zweite, dritte, vierte Zugabe zu spielen. Er tat es elegant und hübsch, machte seine Verbeugungen, gab seine Zugaben; stehend hörte die Menge zu, atemlos, völlig bezaubert. Sie glaubten jetzt Sieger zu sein, die Tausende, sie glaubten den Mann bezwungen zu haben, sie glaubten, ihn durch ihre Begeisterung immer und immer wieder zum Wiederkommen und Weiterspielen zwingen zu können. Er aber gab genau die Zugaben, vermute ich, die er vorher mit dem Klavierspieler vereinbart hatte, und als er den letzten, nicht aufs Programm gedruckten, aber vorberechneten Teil seines Konzertes abgespielt hatte, verschwand er und kam nicht wieder. Es half alles nichts, man mußte gehen, man mußte erwachen.
Während dieses ganzen Abends waren zwei Personen in mir, zwei Zuhörer, zwei Mitspieler. Der eine war ein alter Musikliebhaber mit unbestechlichem Geschmack, ein Puritaner der guten Musik, der schüttelte häufig den ernsten Kopf und kam im letzten Drittel des Abends aus dem Schütteln gar nicht mehr heraus. Er war nicht nur gegen die Verwendung dieses Könnens auf eine Musik von sehr mäßigem Wert, er war nicht nur gegen diese schmachtenden, erzählenden, unterhaltenden, gefälligen Salonstückchen – nein, er war auch gegen dies ganze Publikum, gegen diese reichen Leute, die in ernsteren Kon-

zerten nie zu sehen waren, die mit ihren vielen Autos zu diesem Virtuosen gefahren kamen wie zu einem Rennen oder zur Börse, er war gegen die seichte, schnell geweckte, schnell verflogene Begeisterung all dieser Backfische. Der andere in mir aber war ein Knabe, der folgte dem sieghaften Geigenhelden, wurde eins mit ihm, schwang mit ihm.
Diese beiden hatten im Lauf des Abends viele Unterhaltungen, viel Streit miteinander. Es kam vor, daß der gewiegte Musikliebhaber in mir gegen die gespielten Stückchen protestierte, und daß der Knabe in mir daran erinnern mußte, daß ich selber erst, vor Zeiten, einen Roman geschrieben habe, in dem ein Saxophonbläser einem vergrämten Musikkritiker sehr lesenswerte Antworten gibt.
Ach, und wie viel mußte ich über den Künstler selbst nachdenken, diesen korrekten Zauberer! War er im Herzen ein Musiker, der am liebsten nur Bach und Mozart gespielt hätte, und der nur langsam, nur nach Kämpfen sich darein gefunden hatte, den Menschen nichts aufzudrängen, sondern ihnen das zu geben, was sie selbst verlangten? War er ein im Erfolg erstickter Weltmensch? War er ein kalter Rechner, der es verstand, die Menschen genau an jener empfindlichen heiklen Stelle zwischen Tränendrüse und Geldbeutel zu kitzeln, wo es Tränen und Taler regnete, wenn man den Zauber verstand? Oder war er ein demütiger Diener der Kunst, zu bescheiden als daß er sich ein Urteil angemaßt hätte, willig und dienend in seine Rolle ergeben, dem Schicksal nicht widerstrebend? Oder war er vielleicht, aus sehr tiefen Gründen und Erfahrungen, dahin gekommen, am Wert und am Verstandenwerdenkönnen der echten Musik im heutigen Leben zu verzweifeln, und war es sein Bestreben, jenseits aller Musik die Menschen erst einmal wieder an die Anfänge der Kunst zu führen, zur nackten sinnlichen

Schönheit der Töne, zur nackten Wucht der primitiven Gefühle? Es war nicht zu enträtseln. Noch immer denke ich darüber nach. *(1928)*

Neid

Wenn ich doch Banjo könnte spielen
Und Saxophon in einer Jazzband blasen,
Vortänzer sein in einem Nachtlokal,
Mit meiner Kunst in alle Herzen zielen,
Froh mich ergehn in Späßen und Ekstasen,
Der Ladenmädchen Held und Ideal!
Vergnügt in mein geschweiftes Blasrohr blies' ich
Und sänge zwischenein in hellem Jubel,
Grell und begeistert in den heißen Saal
Die wunderlichsten Tonraketen stieß' ich,
Peitschte im Takt empor den trunknen Trubel
Und opferte mit Tanz dem Gotte Baal.

Dann wär ich hier nicht Fremdling mehr und Gast,
Wär einer von den Priestern der Astarte,
Heimat wär mir der tönende Palast,
Aus dem ich mich so oft bekümmert stahl,
Vor dem ich oft so lang beklommen warte.
Zu spät! Vorbei! Ich werde nie erreichen
Die Strahlenden, die Götter dieser Erde,
Einsam bin ich und schwach. Ich weiß, ich werde
Nie diesen Glücklichen und Künstlern gleichen,
Ein Fremdling muß ich sein und scheuer Gast,
Muß mich mit Zuschaun, Draußenstehn bescheiden,
Muß Tänzer, Banjo, Saxophon beneiden,
Muß traurig in die frohen Feste sehen
Und meiner Verse Leierkasten drehen,
Den andern lächerlich, mir selbst verhaßt.

Othmar Schoeck

Als ich Schoeck kennen lernte, war er etwa zwanzig Jahre alt, und vom ersten seiner Lieder an, das ich damals hörte, war ich ihm nicht nur im Herzen zugetan, sondern wußte auch, daß er zu den seltenen echten Künstlern gehört, zu denen, die im Innersten eins mit der Natur sind, auch da wo sie leiden, auch da wo sie Probleme haben, auch da wo sie protestieren.

Die damals begonnene Freundschaft mit Schoeck hat sich in vielen Jahren bewährt, und mein damaliges Gefühlsurteil über seine Kunst auch. Unsere Zeit reagiert auf den Intellekt und den Willen in der Kunst rascher und sicherer als auf das eigentlich Schöpferische, das nichts anderes ist, als jenes innere Einssein mit der Natur. Wer das hat, wer bei den Müttern wohnt, wer bei den Quellen zu Hause ist, der mag lange verkannt bleiben – es kann ihn betrüben oder ärgern, schädigen kann es ihn nicht. Ich habe oft die Urteile des Tages über Schoeck bedauert, habe oft mit Seufzen oder Ärger zugesehen, mit wieviel weniger an Schöpferkraft andere Erfolge haben konnten, aber ich habe nie daran gezweifelt, daß Schoeck erkannt werden und jene wohlfeileren Erfolge überdauern werde. Und ich habe mit aller Liebe des Freundes und allem Verständnis des Künstlers, habe mit Freude und oft mit grimmigem Jubel zugesehen, wie er sich treu blieb, wie er sich unabhängig hielt bis zum Eigensinn, wie er weder dem Usus des Theaters noch dem Usus des Konzertsaals Konzessionen machte, und zum Glück auch nicht den Mahnungen und Klagen jener Freunde, die ihn gerne für immer in der Atmosphäre seiner frühsten Lieder festgehalten hätten.

Umgekehrt hat auch er jeden meiner dichterischen Anläufe und Versuche verstanden, auch dort wo nur wenige mitkamen. Er hatte zu der Notwendigkeit meines Weges dasselbe Vertrauen wie ich zu seinem, erkannte hellhörig jeden neuen Ton, ließ sich durch keinen Umweg im Urteil verwirren, und so ist er mehr als zwanzig Jahre lang mein bester und klügster Kollege gewesen. Da er häufig Gedichte von mir komponiert hat, habe ich sehr intime Erfahrungen machen können. Ich habe Hunderte von Kompositionen mit Achselzucken oder mit Schaudern über meine Gedichte ergehen lassen. In Schoecks Vertonungen ist nirgends das leiseste Mißverständnis des Textes, nirgends fehlt das zarteste Gefühl für die Nuancen, und überall ist mit fast erschreckender Sicherheit der Finger auf das Zentrum gelegt, auf jenen Punkt, wo um ein Wort oder um die Schwingung zwischen zwei Worten sich das Erlebnis des Gedichtes gesammelt hat. Gerade dies Erfühlen der Keimzelle in jedem Gedicht war mir stets das sicherste Kennzeichen für Schoecks Genialität. Er kann aus Laune oder aus Selbstschutz sich einem Kunstwerk verschließen. Er kann aber kein Kunstwerk in sich einlassen, ohne auf dessen wesentliche Qualitäten peinlich genau zu reagieren, er liest Verse oder sieht Bilder wie ein Jäger Wildspuren liest.

Auch für dies Verständnis bin ich ihm dankbar, noch mehr aber für seine Werke, für die Lieder, die Chöre, die Opern, die Quartette. Ich verdanke ihnen nicht bloß viele glückliche Stunden, ich verdanke ihnen auch manchen Trost in Zeiten, wo die meisten andern Tröster versagten. *(1931)*

Aus den Erinnerungen an Othmar Schoeck

Der Aufforderung, einige Erinnerungen an Begegnungen mit Othmar Schoeck aufzuzeichnen, leiste ich gern Folge. Nur bin ich ein schlechter Memoirenschreiber, denn es fehlt mir dazu eine der wichtigsten Begabungen: die Zuverlässigkeit des Gedächtnisses. Wohl bewahrt

mein Gedächtnis erlebte Einzelheiten ganz gut, aber das Ganze einer Beziehung in seiner Kontinuität entzieht sich ihm: ich bewahre die Bilder, vergesse aber die Zeiten, das heißt die Daten und ihre Reihenfolge.
Die Bekanntschaft mit Schoeck verdanke ich unsrem Freund Alfred Schlenker in Konstanz. Damals war Schoeck kaum über zwanzig Jahre alt, und es wurde in Zürich sein »Postillon« aufgeführt, er war meinem Freunde Albert Welti gewidmet, und ich habe noch vieles aus diesem lieben Jugendwerk in Erinnerung, das ich seit wohl fünfundzwanzig Jahren nicht wieder gehört habe. Die Soli sang damals der Tenor Flury, den ich bei jener Aufführung kennenlernte und der dann einige Jahre lang mir in Schoecks nächster Umgebung oft begegnet ist. Er gefiel mir nur mäßig, aber den Postillon sang er prachtvoll, und die süße Innigkeit und unschuldige Melodik des Werkes, samt dem Lenauschen Text und samt der Widmung an Welti, gewann mich von der romantischen und idyllischen Seite her sofort. Ich fühlte mich bei dieser Musik zu Hause wie bei Schubert, und wenn ich auch schon zu jener Zeit viel Problematik in mir trug, so war doch gerade die Musik nicht die Kunst, von welcher ich mir meine Problematik bestätigen lassen mochte. Sondern ich war in der Musik eher konservativ, wie die meisten Dichter, und zur musikalischen Romantik hatte ich damals auch noch ein jugendlich-verliebtes Verhältnis, das mir erst viel später verlorenging. So wirkte denn das erste Schoecksche Werk, das ich hörte, auf mich noch unproblematischer und zeitabgewandter als es wirklich war; dazu kamen die beinah zehn Jahre, um die ich älter war als Schoeck, und so nahm ich ihn im ersten Augenblick, obwohl ich ihn sofort gern hatte und auch seine Kraft ahnte, ganz von dieser harmlosen Seite. Das hielt allerdings nicht lange vor, und schon nach wenigen Begegnungen tauchte in unsern Gesprächen als

Hauptfigur ein geliebter, dämonischer Schatten auf, den wir beide glühend liebten und über den wir oft und oft gesprochen haben: Hugo Wolf.
In jenen Jahren meines ziemlich abseitigen und bewußt stadtfeindlichen Lebens am Untersee war ich zwar nicht ohne Musik, meine Frau spielte viel und gut Klavier, aber es fehlte mir ein musikalischer Freund, mit dem ich nicht nur über Musik sprechen, sondern der mir Musikwerke aller Art rekapitulierend, kürzend und gelegentlich erläuternd hätte vorführen können. Dies nun konnte Schoeck, mit dem ich mich rasch und herzlich befreundete, in einer so universalen und dabei so entzückenden Weise, wie sie mir bisher trotz mancher Musikerbekanntschaften nie begegnet war. Und nun war er für mich durch mehrere Jahre der Türhüter und Schatzbewahrer einer Welt, die ich auf keine andere Art so unmittelbar und frei hätte durchschweifen können. Jeder seiner Freunde erinnert sich dankbar solcher Stunden, in denen Schoeck ihm zu Hause auf seiner Bude, oder auf irgendeinem Wirtshausklavier den »Figaro«, »Die Zauberflöte«, den Rossinischen »Barbier« oder den »Corregidor«, oder auch »Die Fledermaus«, oder Lieder von Schubert und von Wolf vorführte, leise andeutend alle Stimmen gab, die charakteristischen Themata betonte, sogar die Instrumentierung andeutete, mit Worten, Blicken und Gesten den Gang jedes Werkes miterzählend und zugleich erläuternd. Ein sehr großer Teil von dem, was ich in jenen Jahren an guter Musik näher kennengelernt und woran ich meine Auffassung vom Wesen der Musik gebildet habe, ist mir aus dieser Quelle geflossen. Manches Werk, das ich im Theater oder Konzertsaal nur ein- oder zweimal im Leben hören konnte, habe ich von ihm wieder und wieder gehört, besonders unsern damaligen Liebling, den »Corregidor«. Ich habe für Schoeck in jenen ersten Jahren unsrer Freundschaft, aus dem Be-

dürfnis des Beschenkten nach Betätigung seiner Dankbarkeit, sogar den Text zu einer romantischen Oper geschrieben, und bedaure weder, daß ich das getan habe noch daß er den Text nicht brauchen konnte.
In meinem Dorf am Untersee hat Schoeck mich des öfteren besucht, und wenn wir uns, sehr viel später, je und je einmal jener Besuche im Gespräch wieder erinnerten, bekam er manchmal, an damals denkend, einen träumerisch verklärten Ausdruck. »Damals«, sagte er sinnend, »hast du immer einen Meersburger Wein im Keller gehabt, einen wunderbaren Wein, weißt du noch?« Es stimmte, wir haben manchen Krug von diesem Meersburger miteinander genossen. Noch sehe ich Schoeck, wie er an jenen Gaienhofener Abenden je und je bei einer Gesprächspause von der Wandbank aufstand und ins Nebenzimmer zum Klavier ging, um ein Lied von Wolf, oder ein neues von ihm selber, oder auch einen Straußwalzer zu spielen.

In den Jahren vor dem Weltkrieg war ich gewohnt, in jedem Frühling einen kurzen Ausflug nach Italien zu machen, und auf mehreren Reisen, meist in kleinere oberitalienische oder toskanische Städte, war Schoeck dabei. Einmal brachten wir – es war außer Schoeck und mir noch der Maler Fritz Widmann dabei – einige Tage in der città alta von Bergamo zu und saßen an den Abenden in einem kleinen, recht verfallenen Café, dessen Wirt einmal Musikant gewesen war. In der düsteren Kneipe stand ein heruntergekommenes altes Tafelklavier, mit dünnem schleirigem Ton und mancher gesprungenen Saite, auch reichlich verstimmt. Auf diesem Klavier spielte uns Schoeck halbe und ganze Opern, entzückt lauschte die Wirtsfamilie; und einmal bekam auch unser Reisekamerad Widmann Lust, das Instrument zu probieren, setzte sich davor und griff mutig in die Tasten, aber entsetzt sprang er gleich wieder auf, und auch ich probierte es nun und schlug ein paar Töne an – es war ganz und gar unmöglich, aus dieser Ruine etwas wie Ton zu locken. Und doch hatte Schoeck es fertiggebracht, uns darauf Musik zu machen, er hatte das Ding bezaubert, er hatte die Geister der Meister beschworen, und unter seinen Händen war der brave alte Kasten wieder ein Klavier geworden, hatte Rossini und Verdi von sich gegeben und hatte sogar seinen alten Herrn, den Exmusiker, überrascht und entzückt. Es war eins der Beispiele für Schoecks suggestive Kraft: mochte er nun das kaputte Klavier behext haben oder die Zuhörer, jedenfalls war der Zauber gelungen.

Auf einer andern Reise, damals war Fritz Brun mit dabei, sahen wir den jungen Schoeck noch einen anderen Apparat siegreich bezaubern. Es war in Orvieto. Wir hatten den Dom und den Signorelli gesehen, waren durch das Städtchen geschlendert, hatten den Gang in die Tiefe des Pozzo di San Patrizio hinab gemacht, und ruhten jetzt in einem Café an der Piazza aus. Dort stand eine merkwürdige Maschine, ein mechanisches Glücksspiel. Dieser Automat hatte kleine Schlitze, in welche man Zwanzigrappenstücke stecken konnte. Je nachdem man das Loch wählte, konnte man, falls man Glück hatte, für einen Zwanziger zwei, oder fünf, oder zehn, ja sogar zwanzig und vierzig solche Geldstücke zurückgewinnen. Nur kamen natürlich die höheren Zahlen entsprechend selten heraus, und die anwesenden Stammgäste versicherten uns, daß schon mancher von ihnen die Fünf, auch die Zehn, und je und je sogar einer auch die Zwanzig gewonnen habe, obwohl natürlich auf Zwanzig zu spielen schon recht gewagt sei. Die Vierzig aber, meinten sie, sei zwar irgend einmal auch schon herausgekommen, aber ein vernünftiger Mensch setze natürlich auf diese Nummer nicht. Wir faßten allmählich Interesse, standen von unsrem Wermut auf und begannen den Apparat zu betrachten, und schließlich ließen wir uns zwei oder drei Franken wechseln und fingen an, der Maschine unsre Zwanziger in den Rachen zu stoßen, welche sie willig fraß, und einmal sogar eine Zwei oder eine Fünf von sich gab. Da erklärte Schoeck, beim Spielen müsse man aufs Ganze gehen, stellte auf die Vierzig ein, spendete sein Geldstück und drückte los. Die Maschine grollte heftig, und in die unten angebrachte muschelförmige Geldschale, und über sie hinaus ins Café ergoß sich ein Wasserfall von Münzen, vierzig Stück. Der Wirt sprang auf, die Gäste machten Augen, Schoeck erntete mit beiden Händen den Münzenschwall in seine Taschen. Wir lachten sehr und gratulierten ihm, nahmen noch einen Wermut, und ehe wir das Café verließen, steckte er noch einmal Spaßes halber eine Münze hinein, setzte auf Vierzig, und mit Getöse spie der Apparat nochmals vierzig Geldstücke aus. Wir kamen am nächsten Vormittag wieder, und ein drittes Mal tat Schoeck, was kein vernünftiger Mensch tut, und gewann die Vierzig nochmals. Jetzt war es Zeit abzureisen, die Stammgäste und die Nachbarschaft waren beunruhigt. Noch auf dem Weg zum Bahnhof faßte mich ein Mann auf der Straße höflich am Arm, deutete auf den vorausgehenden Schoeck und fragte flüsternd: »Sagen Sie, ist es der dort, der junge Blonde, der dreimal die Vierzig gewonnen hat?« [...]

Einmal brachte Schoeck einen Sommer in einer einsamen kleinen Pension im Zürcher Oberland zu, und ich habe ihn dort einmal besucht. Es regnete viel, man konnte wenig draußen sein. Im Hause war ein kleines Schulmädchen, Schoeck hatte es gern und gab sich viel mit ihm ab, brachte ihm auch hie und da eine Melodie bei, ich hörte ihn mit der Kleinen zweistimmig das Lied einstudieren: »Wer hat die schönsten Schäfchen?« Dort sprachen wir einst auch über Meinrad Lienert, und Schoeck sang und spielte mir sein Lied:

> Nüd Schöiners as wäns dimmered
> Äs schöins wildgwachses Liedli.

An jenem Ort lernte ich meinen Freund auch als Maler kennen. Ich wußte zwar längst, daß er zuweilen male, und war davon keineswegs überrascht gewesen, denn im Haus seines Vaters war das kein Wunder, und auf unsern Reisen hatten wir auch oft und intensiv über Malerei gesprochen. Jetzt sprach er mir auch vor der Natur davon, das heißt wir betrachteten gelegentlich die Landschaft daraufhin, wie sie malerisch wiederzugeben wäre, und hier wie überall ging Schoeck nicht von Theorien und Gedanken aus, sondern vom Sinnlichen. Er sprach gern von dem Reiz und der Qual, die das Suchen eines Farbtones mit sich bringt; und einmal, als er davon sprach, welche sinnliche Wonne das Malen auf den frischen Kalk der Wände den italienischen Meistern der Freskenmalerei bereitet haben müsse, bewegte er dazu die Hand wie zu satten breiten Pinselstrichen, und machte zugleich mit den Lippen ein schlürfendes Geräusch, als höre man, wie der Kalk begierig die Farbe einsauge. Es ist gesunden und sinnenfrohen Genies gegeben, eine Menge von dem, was sie gerade mitteilen wollen, auf solchen Wegen mitteilen zu können, es macht einen großen Teil ihres Zaubers aus, und bei Schoeck war nicht selten der Höhepunkt eines Gesprächs eben der Moment, wo das nicht mehr Sagbare durch Mimik oder Tonmalerei ausgedrückt wurde. Ich weiß solche Reize zu schätzen, ich unterliege ihnen wie jeder andre; das Gewinnende und Seltene an Schoeck aber waren für mich nie diese Gaben und Künste selbst, sondern das Maß, mit dem er sie anwendete. Was mich, über die erste Sympathie hinweg, immer wieder an Schoeck angezogen hat, war nicht mehr die naive sinnliche Genialität seines Empfindens und seiner Art, es zum Ausdruck zu bringen – das konnten auch andre, namentlich Frauen konnten es oft fabelhaft, und begabte Tiere konnten es noch besser. Nein, was mich an Schoeck erfreute und mir ihn so wertvoll machte, war das Nebeneinander und die Spannung von Gegensätzen in seinem Wesen, das Beieinander von Robustheit und Leidensfähigkeit, das Verständnis für die naivsten Freuden gepaart mit dem Verständnis fürs Geistige, die hohe und nicht schmerzlose Differenzierung der Persönlichkeit, die sinnliche Potenz im Verein oder auch im Kampf mit der geistigen. Dieser Mann konnte nicht bloß vorzüglich musizieren und sich in alle andern Künste spielend hineinfühlen, er konnte nicht bloß Frauen charmieren und mit Genuß ein Bankett mitmachen (ja nachts drei Uhr nach reichlichem Bankett und vielen Gläsern Wein, mit der brennenden Zigarre im Mund, auf den Händen durch einen ganzen Speisesaal marschieren!) – nein, er konnte auch weitgehend sich seine Fähigkeiten, seine Konflikte und Probleme bewußt machen, und konnte manchmal (es klingt komisch, aber es stimmt) geradezu: denken, und das ist bei Künstlern ebenso selten wie bei andern Menschen. Daß sein Sinnlich-Seelisches am Ende doch stärker ist als das Geistige, daß bei ihm nie das Bewußtsein ernstlich den Instinkt störte oder gar überwog, gehört mit zu seiner Gesundheit und zu seiner Stärke, er ist ja Musiker, nicht Philosoph. Aber er hatte die Fähigkeit zu hoher Differenzierung, zur Einsamkeit, zum Abstrahieren, zum Leiden in sich, er war nicht bloß der charmante liebe Kerl, den man mehr liebt als ernst nimmt, und er war nicht bloß Musikant, sondern auch Schöpfer. Das alles hielt unser Verhältnis in beständiger Lebendigkeit, und wenn man sich einmal übereinander geärgert hatte, war alsbald die Anziehungskraft zwischen uns wieder da.

Aber ich bin abgeschweift, ich wollte noch etwas über Schoecks Malerei sagen. In jenen Gesprächen bekannte er sich zur größten Delikatesse und Sorgfalt im Suchen der Töne, und lehnte jedes kindliche oder auch expressionistische Drauflosgehen mit heftigen, wenig gebrochenen Farben ab. »Sieh«, sagte er etwa, »dort ganz in der Ferne siehst du die Vorberge mit den beleuchteten Matten. Sie scheinen grün zu sein, nicht wahr? Sie sind ja schon grün, aber in unendlicher Verdünnung, und eigentlich sehen wir sie gar nicht so sehr grün, aber wir wissen: Matten sind grün, also sehen wir sie grün.« Jetzt bückte er sich, brach ein Blatt von einer Wiesenpflanze ab und hielt es vor die Aussicht. »Das ist grün!« rief er, »schau, wie das knallt! Daneben ist die Ferne dort farblos.« Für einen großen Genuß erklärte er es, auf der Palette die Töne auszupröbeln, bis der Moment erreicht sei, wo sie haarscharf stimmen.

Ich besitze seit langen Jahren zwei Landschaften von Schoeck, zwei winzig kleine Ölbilder. Sie haben ihren hohen Reiz und Wert für mich in all den Jahren nicht verloren, und es ist nicht selten passiert, daß Maler, die mich besuchten und ohne viel Neugierde die Bilder an meinen Wänden betrachteten, plötzlich lebhaft wurden und nach dem Namen des Malers fragten, wenn sie eins dieser Bilder entdeckten. Das eine von ihnen, ein sehr frühes, hat einen ganz merkwürdigen Klang und hat sich eine ganz eigene Aufgabe gestellt: es ist eine Landschaft, ein tief eingeschnittenes Alpental gegen Abend, großenteils schon im Schatten, und ein ganz eigenes Licht herrscht in dieser schweigsamen Landschaft: auf einigen Gipfelkanten und einem Teil des Vordergrundes scheint noch die Sonne, am Himmel über den noch warm beschienenen Felsgipfeln aber steht schon der mehr als halbvolle Mond; sein kühles Weiß steht noch im Gegensatz zu allen Farben der Erde, macht aber doch schon den Himmel

kälter und tritt in Beziehung zu den Schatten. Das winzig kleine Bild – man kann es nach Belieben als naiv oder als raffiniert empfinden – hat schon manchen Betrachter nachdenklich gemacht. Und wenn ich, seit langen Jahren räumlich von Schoeck getrennt und noch mehr von ihm getrennt durch seine schon mehr als geniale Schreibfaulheit, etwa einmal ihn vermisse oder wieder einmal durch das Ausbleiben jeder Antwort enttäuscht bin, so habe ich mir angewöhnt, eins seiner Bilder anzusehen und ihn mir dabei zu vergegenwärtigen.
Das zweite Bild von ihm, das bei mir hängt, stammt aus jenem Sommer im Zürcher Oberland, es stellt einen Blick nach der Innerschweiz dar, unter einem verstürmten grauen Regenhimmel herrscht jene Stimmung, die Gottfried Keller so gezeichnet hat:

> Es ist ein stiller Regentag,
> So weich, so ernst, und doch so klar,
> Wo durch den Dämmer brechen mag
> Die Sonne weiß und sonderbar.

Vom dunklen Wald des Vordergrundes hebt sich, weit zurückweichend, die Ferne in bleicher Klarheit ab, grell und doch müde bestrahlt von der Sonne weiß und sonderbar, zuhinterst stehen vor einem hellen Himmelsstreifen zart, aber klar die beiden Mythen. Auch dieses Bild ist eine Dichtung, es ist klein wie das andre, aber wenn es auch mit spitzem Pinsel zart gemalt ist, die Pinselschrift ist dennoch ganz frei und spielend, ohne alle Ängstlichkeit.
Die beiden Bilder gehören für mich mit zum Bild meines Freundes, ebenso wie seine Handschrift, ebenso wie mancher Witz und manches gute Wort auf einer rasch auf Reisen geschriebenen Ansichtspostkarte. Einmal war er in Lucca und schrieb mir von dort auf einer Karte nichts

als den ersten Satz aus dem »Marmorbild« von Eichendorff.

Und damit wären wir bei den Dichtern. Das wäre ein großes Kapitel, aber es ist mir unmöglich, das heute in Worte zu bringen. Ich habe mit Schoeck des öftern über Dichter und Dichtungen gesprochen, am häufigsten über die Texte seiner Lieder, und ich darf sagen, daß sein Gefühl für Dichtung und sein Urteil über sie mich oft erfreut und bestätigt und in keinem wichtigen Punkte je enttäuscht hat.

Noch ein letztes Blatt sei diesen Erinnerungen hinzugefügt. Es war im April des Jahres 1916, mitten im Weltkrieg, ich hatte die Einladung zu einer Vorlesung in Winterthur angenommen und war dorthin unterwegs; von Bern, wo ich damals wohnte, war ich nach Zürich gefahren, wollte am Abend zu Freunden nach Winterthur weiter und dort übernachten, am nächsten Tage sollte die Vorlesung sein. In Zürich hatte ich allerlei zu besorgen, Schoeck konnte ich diesmal nicht aufsuchen. Es hatte schon für mich die schreckliche Zeit begonnen, in der ich die Berührung mit dem Schönen, und vor allem mit der Musik, kaum mehr ertragen konnte. Brun in Bern war oft sehr unwillig über mich, wenn er mich zu einem Konzert einlud und ich mich entzog. Aber Musik war für mich damals die stärkste, unmittelbarste Mahnung an alles Zarte, Holde und Heilige, von dem die Welt nichts mehr wissen wollte. Ich konnte zur Not den Krieg noch eine Weile ertragen, weil ich einen Platz in ihm gefunden hatte, wo ich mir einbilden konnte, Menschlichkeit zu üben und Wunden heilen zu helfen; Musik aber konnte ich kaum mehr ertragen, ein paar Takte Musik brachten die ganze notdürftige Ordnung und Zucht, in der ich mich hielt, zum Einsturz und weckten eine nicht auszuhaltende Sehnsucht nach Flucht aus dieser Welt und diesem Kriege.

Müde und von meiner Reise und meinem Vorhaben wenig befriedigt, fand ich mich gegen Abend auf dem Zürcher Bahnhof ein, um mein Köfferchen abzuholen und weiterzufahren. Ich war früh gekommen und stand eine Weile müßig auf dem Bahnhof herum, ein wenig froh über die Aussicht, den Abend wenigstens bei sehr lieben Freunden zubringen zu dürfen, aber weit mehr bedrückt als froh. Es drückte so vieles, es drückte auf die Welt, auf die Schweiz, auf mein eigenes kleines Leben, der Krieg hatte mir sehr wenig übriggelassen, namentlich sehr wenig vom Sinn meines Lebens und Tuns, man atmete Gift statt Luft, man trank Leid und Angst statt Wasser, man aß Gram statt Brot. Nun, ich stand also da herum und dachte unnütze Gedanken, da spürte ich plötzlich eine Hand sich auf meine Schulter legen, schreckte auf und sah Schoeck vor mir. Freundlich fragte er mich, ob ich denn wirklich wegfahren wolle, ich solle doch den Abend in Zürich bleiben und mit ihm verbringen. Ich lachte und sagte, daran dürfe ich nicht denken, ich sei in Winterthur erwartet und mein Zug gehe bald.
Da sah er mich merkwürdig an und sagte mit einer großen, eindringlichen Herzlichkeit: »Nein, nein, fahre du nicht nach Winterthur, wir müssen miteinander sprechen.«
In diesem Augenblick spürte ich, daß etwas Besonderes und Schlimmes auf mich warte, ich fühlte eine Beklommenheit und Kälte in mir aufsteigen, die ich selber nicht verstand, und sagte: »Was ist denn los? Sage es mir nur gleich!«
Da sagte er leise: »Du, dein Vater ist gestorben.«
Ich war ahnungslos gewesen, die Nachricht kam ganz unerwartet. Sie war gleich nach meiner Abreise in Bern eingetroffen, meine Frau hatte sie an Schoeck weitergeleitet, und er war seit Stunden auf der Suche nach mir.
Und so fuhr ich denn nicht nach Winterthur, sondern

schnell nach Bern zurück, denn nach Deutschland zu reisen und meinen Vater vor dem Begräbnis noch einmal zu sehen, das war damals nicht einfach, es stand der Krieg und die Grenzsperre und eine Menge kleiner und großer zäher Widerlichkeiten dazwischen. Für den Augenblick aber, in dem jener erste Schreck und Schmerz ertragen werden mußte, war ein Freund bei mir. Dafür war ich dankbar, und bin es noch heut. *(1936)*

Symphonie

Aus dunkler Brandung gärend
Des Lebens bunter Braus
Und drüber immerwährend
Der Sterne hochgewölbtes Haus.

Mein Leben ist versunken,
Ich schweb am Weltenrand
Und atme tief und trunken
Der Feuerlüfte süßen Brand.

Und der ich kaum entronnen,
Des Lebens Zauberglut
Spült mich mit tausend Wonnen
Aufs neue in die große Flut.

Mozarts Opern

Von den großen musikalischen Formen sind es zwei, in welchen über das Musikalische hinaus das Ganze des Menschentums angepackt und formuliert, in welchen seine Größe gepriesen, seine Gebrechlichkeit betrauert, seine Abhängigkeit von höheren Mächten bekundet wird: das Oratorium und die Oper. In der deutschen Musik haben beide kurz nacheinander ihren Gipfel und ihren größten Meister erlebt: das Oratorium in Bach, die Oper in Mozart.

Ist in Bachs Kirchenmusiken die Würde und tiefe Bedeutsamkeit des Kunstwerks schon durch die Texte gegeben oder doch beansprucht durch das Bekenntnis zu den Mysterien des Christenglaubens, so ist in Mozarts Opern der jeweilige Text und dramatische Stoff von geringerer Bedeutung. Es liegt zwar dem »Figaro« ein klassisches literarisches Vorbild zugrunde, die »Zauberflöte« ist aus den Humanitätsidealen des 18. Jahrhunderts gespeist, und der »Don Juan« wird als Theaterstück getragen von einem echten Mythus – aber dennoch hätte kein einziger dieser Texte sich auch nur über die Zeit Mozarts, geschweige denn bis heute erhalten, wären sie nicht vom Geist Mozarts zu einer Lebendigkeit gesteigert, die in anderthalb Jahrhunderten um keinen Schatten gealtert ist. In den klagenden Arien der Pamina, den werbenden des Don Juan, in den unvergleichlichen Gesängen und Wechselgesängen des Figaro finden wir, obwohl sie auf Texte ohne Ewigkeitswerte komponiert sind, ein ewiges, verklärtes Abbild unserer Leidenschaften, Irrungen, Erlösungsmöglichkeiten, und die scheinbar sehr weltliche Atmosphäre dieser Stücke entläßt uns kaum weniger gerührt, erschüttert und doch beseligt als eins der großen Werke kirchlicher Musik.

Das kommt unter anderm daher, daß Mozart, ebenso

wie Bach, uns weder belehren noch verblüffen, noch ermahnen will, daß er überhaupt nichts will als seinen Dienst am jeweiligen Werk so vollkommen wie möglich zelebrieren, seine Person in diesem Dienst so vollkommen wie möglich hingeben und auslöschen. Was uns nach dem Anhören einer dieser wunderbaren Opern bleibt, das ist nichts Persönliches, ist nicht eine spezielle Art von Pathos oder von Schelmerei, es ist das Hinschwinden alles Persönlichen und Zufälligen in das Geheimnis der Form. So kommt es, daß letzten Endes trotz aller gewaltigen Unterschiede ein Werk von Bach und eines von Mozart im aufrichtigen Hörer zum gleichen Erlebnis führt. Ob wir während einer Bach-Passion noch so oft erschüttert und dem Schluchzen nahe waren, ob wir während einer Mozart-Oper noch so oft gelächelt und geschmunzelt haben, am Ende sind Lächeln und Erschütterung nicht mehr zu unterscheiden und haben mit unserm Erlebnis wenig mehr zu tun, das viel tiefer gedrungen ist: auch wir hingegebenen Hörer haben die Oberfläche des Scheins durchstoßen und unser Ich verloren und eine Stunde das Göttliche geatmet.

Niemals wird man diese unausschöpflichen und unbegreiflichen Werke so häufig vor vollen Häusern spielen wie die jeweiligen Schlager der Saison. Aber man wird sie immer und immer wieder vor entzückten und dankbaren Hörern spielen, wenn die Schlager von heute und von morgen und von vielen kommenden Generationen ausgespielt und vergessen sein werden. *(1932)*

Mit der Eintrittskarte
zur Zauberflöte

So werd ich dich noch einmal wiederhören,
Geliebteste Musik, und bei den Weih'n
Des lichten Tempels, bei den Priesterchören,
Beim holden Flötenlied zu Gaste sein.

So viele Male in so vielen Jahren
Hab ich auf dieses Spiel mich tief gefreut,
Und jedesmal das Wunder neu erfahren
Und das Gelübde still in mir erneut,

Das mich als Glied in eure Kette bindet,
Morgenlandfahrer im uralten Bund,
Der nirgend Heimat hat im Erdenrund,
Doch immer neu geheime Diener findet.

Diesmal, Tamino, macht das Wiedersehen
Mir heimlich bang. Wird das ermüdete Ohr,
Das alte Herz euch noch wie einst verstehen,
Ihr Knabenstimmen und du Priesterchor –
Werd ich vor eurer Prüfung noch bestehen?

In ewiger Jugend lebt ihr, selige Geister,
Und unberührt vom Beben unsrer Welt,
Bleibt Brüder uns, bleibt Führer uns und Meister,
Bis uns die Fackel aus den Händen fällt.

Und wenn einst eurer heitern Auserwählung
Die Stunde schlägt und niemand mehr euch kennt,
So folgen neue Zeichen euch am Firmament,
Denn alles Leben dürstet nach Beseelung.

Bei einer Musik von Schumann

In dieser Musik geht beständig Wind, nicht ein stetiger, drückender, schwerer, gleichmäßiger, sondern ein springender, spielender, böiger, mutwilliger, ein stets überraschend einsetzendes und sich wieder verlierendes Wehen, man meint die kleinen Wirbeltänze von Sand und Laub dabei zu sehen, es ist ein Schönwetterwind, ein guter Wanderkamerad und Spielgenosse, munter, voll von Einfällen, plauderlustig bald und bald lauf- oder tanzlustig. Es weht und haucht, wiegt sich und schüttelt sich, es tanzt und springt in dieser Musik voll Anmut und Jugend, es lächelt und lacht, spielt und neckt, mutwillig bald und bald zärtlich. Unbegreiflich scheint es, daß der Dichter dieser zauberischen Takte in Melancholie und Verdüsterung dahingesiecht und gestorben sei. Freilich, es fehlt dieser Musik an Ruhe, an Statik, ja gewissermaßen an Heimat, sie ist vielleicht allzu munter, allzu rastlos, allzu wehend und windverwandt, allzu bewegt und jugendstürmisch, und wird sich denn einmal erschöpfen müssen. Zwischen der Musik des gesunden und dem Leben und Ende des kranken Schumann klafft derselbe Abgrund wie zwischen der wilden Drôlerie des jungen und der Schwere des ältern Clemens Brentano. Und wie das nun in unsrer komplizierten und auch etwas sentimentalen Welt ist: diese so hold durchwehte Schönwettermusik mit ihrer jugendlich-schönen Unruhe klingt uns noch entzückender, noch beschwingter und lieblicher, wenn wir von der Nacht und tiefen Finsternis wissen, die auf den liebenswerten Musikanten wartete. *(1947)*

Valse brillante

Ein Tanz von Chopin lärmt im Saal,
Ein wilder, zügelloser Tanz.
Die Fenster leuchten wetterfahl,
Den Flügel ziert ein welker Kranz.

Den Flügel du, die Geige ich,
So spielen wir und enden nicht
Und warten angstvoll, du und ich,
Wer wohl zuerst den Zauber bricht.

Wer wohl zuerst einhält im Takt
Und von sich weg die Lichter schiebt,
Und wer zuerst die Frage sagt,
Auf die es keine Antwort gibt.

Klassische Musik
Aus dem »Glasperlenspiel«

Wir halten die klassische Musik für den Extrakt und Inbegriff unsrer Kultur, weil sie ihre deutlichste, bezeichnendste Gebärde und Äußerung ist. Wir besitzen in dieser Musik das Erbe der Antike und des Christentums, einen Geist heiterer und tapferer Frömmigkeit, eine unübertrefflich ritterliche Moral. Denn eine Moral letzten Endes bedeutet jede klassische Kulturgebärde, ein zur Gebärde zusammengezogenes Vorbild des menschlichen Verhaltens. Es ist ja zwischen 1500 und 1800 mancherlei Musik gemacht worden, Stile und Ausdrucksmittel waren höchst verschieden, aber der Geist, vielmehr die Moral ist überall dieselbe. Immer ist die menschliche Haltung, deren Ausdruck die klassische Musik ist, dieselbe, immer beruht sie auf derselben Art von Lebenserkenntnis und strebt nach derselben Art von Überlegenheit über den Zufall. Die Gebärde der klassischen Musik bedeutet: Wissen um die Tragik des Menschentums, Bejahen des Menschengeschicks, Tapferkeit, Heiterkeit! Ob das nun die Grazie eines Menuetts von Händel oder von Couperin ist, oder die zu zärtlicher Gebärde sublimierte Sinnlichkeit wie bei vielen Italienern oder bei Mozart, oder die stille, gefaßte Sterbensbereitschaft wie bei Bach, es ist immer ein Trotzdem, ein Todesmut, ein Rittertum, und ein Klang von übermenschlichem Lachen darin, von unsterblicher Heiterkeit... Natürlich haben wir Nachfahren ein ganz und gar anderes Verhältnis zur klassischen Musik, als es die Menschen der schöpferischen Epochen hatten; unsre vergeistigte und von resignierter Melancholie nicht immer genügend freie Verehrung der echten Musik ist etwas völlig anderes als die holde naive Musizierfreudigkeit jener Zeiten, welche wir geneigt sind als glücklichere zu beneiden, sooft wir über eben dieser ihrer Musik die Zustände und Schicksale vergessen, in welchen sie entstand. Wir sehen seit Generationen nicht mehr, wie es noch fast das ganze zwanzigste Jahrhundert tat, die Philosophie oder auch die Dichtung, sondern die Mathematik und die Musik als die große bleibende Leistung jener Kulturperiode an, welche zwischen dem Ende des Mittelalters und unsern Zeiten liegt.

Seit wir – im großen ganzen wenigstens – darauf verzichtet haben, schöpferisch mit jenen Generationen zu wetteifern, seit wir auch jenem Kult der Vorherrschaft des Harmonischen und der rein sinnlichen Dynamik im Musizieren entsagt haben, der etwa von Beethoven und der beginnenden Romantik an durch zwei Jahrhunderte die Musikübung beherrscht hat, glauben wir – auf unsre Weise natürlich, auf unsre unschöpferische, epigone, aber ehrfürchtige Weise – das Bild jener Kultur, deren Erben wir sind, reiner und richtiger zu sehen. Wir besitzen nichts mehr von der schwelgerischen Produktionslust jener Zeiten, es ist uns ein beinahe unbegreifliches Schauspiel, wie im fünfzehnten und sechzehnten Jahrhundert sich die musikalischen Stile so lange in unveränderter Reinheit erhalten konnten, wie unter der Riesenmasse an damals geschriebener Musik sich überhaupt nichts Schlechtes scheint auffinden zu lassen, wie noch das achtzehnte Jahrhundert, das der beginnenden Degeneration, ein Feuerwerk von Stilen, Moden und Schulen emportreibt, raschlebig strahlend und selbstbewußt – aber wir glauben in dem, was wir heute klassische Musik nennen, das Geheimnis, den Geist, die Tugend und die Frömmigkeit jener Generationen verstanden und als Vorbild übernommen zu haben. Wir halten zum Beispiel heute wenig oder nichts von der Theologie und der kirchlichen Kultur des achtzehnten Jahrhunderts oder von der Philosophie der Aufklärungszeit, aber wir sehen in den Kantaten, Passionen und Vorspielen Bachs die letzte Sublimierung der christlichen Kultur...

Im sagenhaften China der »alten Könige«, erinnern wir uns, war der Musik im Staats- und Hofleben eine führende Rolle zuerteilt; man identifizierte geradezu den Wohlstand der Musik mit dem der Kultur und Moral, ja des Reiches, und die Musikmeister hatten streng über der Wahrung und Reinhaltung der »alten Tonarten« zu wachen. Verfiel die Musik, so war das ein sicheres Zeichen für den Niedergang der Regierung und des Staates. Und die Dichter erzählten furchtbare Märchen von den verbotenen, teuflischen und dem Himmel entfremdeten Tonarten, zum Beispiel der Tonart Tsing Schang und Tsing Tse, der »Musik des Untergangs«, bei deren frevelhaftem Anstimmen im Königsschloß alsbald der Himmel sich verfinsterte, die Mauern erbebten und stürzten und Fürst und Reich zu Falle kamen. Statt vieler anderer Worte der alten Autoren führen wir einige Stellen aus dem Musikkapitel in Lü Bu We's »Frühling und Herbst« hier an:

»Die Ursprünge der Musik liegen weit zurück. Sie entsteht aus dem Maß und wurzelt in dem großen Einen. Das große Eine erzeugt die zwei Pole; die zwei Pole erzeugen die Kraft des Dunkeln und des Lichten.

Wenn die Welt in Frieden ist, wenn alle Dinge in Ruhe sind, alle in ihren Wandlungen ihren Oberen folgen, dann läßt sich die Musik vollenden. Wenn die Begierden und Leidenschaften nicht auf falschen Bahnen gehen, dann läßt sich die Musik vervollkommnen. Die vollkommene Musik hat ihre Ursache. Sie entsteht aus dem Gleichgewicht. Das Gleichgewicht entsteht aus dem Rechten, das Rechte entsteht aus dem Sinn der Welt. Darum vermag man nur mit einem Menschen, der den Weltsinn erkannt hat, über die Musik zu reden.

Die Musik beruht auf der Harmonie zwischen Himmel

und Erde, auf der Übereinstimmung des Trüben und des Lichten.

Die verfallenden Staaten und die zum Untergang reifen Menschen entbehren freilich auch nicht der Musik, aber ihre Musik ist nicht heiter. Darum: je rauschender die Musik, desto melancholischer werden die Menschen, desto gefährdeter wird das Land, desto tiefer sinkt der Fürst. Auf diese Weise geht auch das Wesen der Musik verloren.

Was alle heiligen Fürsten an der Musik geschätzt haben, war ihre Heiterkeit. Die Tyrannen Giä und Dschou Sin machten rauschende Musik. Sie hielten die starken Klänge für schön und Massenwirkungen für interessant. Sie strebten nach neuen und seltsamen Klangwirkungen, nach Tönen, die noch kein Ohr gehört; sie suchten ein ander zu überbieten und überschritten Maß und Ziel.

Ursache des Verfalls des Staates Tschu war, daß sie die Zaubermusik erfanden. Rauschend genug ist ja eine solche Musik, aber in Wahrheit hat sie sich vom Wesen der Musik entfernt. Weil sie sich vom Wesen der eigentlichen Musik entfernt hat, darum ist diese Musik nicht heiter. Ist die Musik nicht heiter, so murrt das Volk, und das Leben wird geschädigt. Das alles entsteht daraus, daß man das Wesen der Musik verkennt und nur auf rauschende Klangwirkungen aus ist.

Darum ist die Musik eines wohlgeordneten Zeitalters ruhig und heiter, und die Regierung gleichmäßig. Die Musik eines unruhigen Zeitalters ist aufgeregt und grimmig, und seine Regierung ist verkehrt. Die Musik eines verfallenden Staates ist sentimental und traurig, und seine Regierung ist gefährdet.«

Die Sätze dieses Chinesen nun weisen uns ziemlich deutlich auf die Ursprünge und auf den eigentlichen, beinahe vergessenen Sinn aller Musik hin. Gleich dem Tanz und gleich jeder Kunstübung nämlich ist die Musik in vorgeschichtlichen Zeiten ein Zaubermittel gewesen, eines der alten und legitimen Mittel der Magie. Beginnend mit dem Rhythmus (Händeklatschen, Aufstampfen, Hölzerschlagen, früheste Trommelkunst) war sie ein kräftiges und erprobtes Mittel, eine Mehrzahl und Vielzahl von Menschen gleich zu »stimmen«, ihren Atem, Herzschlag und Gemütszustand in gleichen Takt zu bringen, die Menschen zur Anrufung und Beschwörung der ewigen Mächte, zum Tanz, zum Wettkampf, zum Kriegszug, zur heiligen Handlung zu ermutigen. Und dies ursprüngliche, reine und urmächtige Wesen, das Wesen eines Zaubers, ist der Musik sehr viel länger erhalten geblieben als den anderen Künsten, man erinnere sich nur der vielen Aussagen der Geschichtsschreiber und Dichter über die Musik, von den Griechen bis zu Goethes Novelle. In der Praxis hat der Marsch und der Tanz seine Bedeutung nie verloren. – *(1934)*

Das Glasperlenspiel

Musik des Weltalls und Musik der Meister
Sind wir bereit in Ehrfurcht anzuhören,
Zu reiner Feier die verehrten Geister
Begnadeter Zeiten zu beschwören.

Wir lassen vom Geheimnis uns erheben
Der magischen Formelschrift, in deren Bahn
Das Uferlose, Stürmende, das Leben
Zu klaren Gleichnissen gerann.

Sternbildern gleich ertönen sie kristallen,
In ihrem Dienst ward unserm Leben Sinn,
Und keiner kann aus ihren Kreisen fallen
Als nach der heiligen Mitte hin.

Vom Musizieren

Der Lateinschüler Josef Knecht wird vom Musikmeister besucht und geprüft. Aus dem Glasperlenspiel-Kapitel »Die Berufung«:
Der Unterricht begann, der Lehrer trug denselben Alltagsrock wie immer, mit keiner Rede, mit keinem Wort gedachte er des großen Ehrengastes.
Aber in der zweiten oder dritten Schulstunde kam es dennoch; es wurde an die Tür gepocht, es kam der Schuldiener herein, grüßte den Lehrer und meldete, der Schüler Josef Knecht habe in einer Viertelstunde beim Musiklehrer zu erscheinen und möge darauf achten, sich anständig zu kämmen und die Hände und Fingernägel zu reinigen. Knecht wurde blaß vor Schreck, taumelnd verließ er die Schule, lief ins Internat hinüber, legte seine Bücher ab, wusch und kämmte sich, nahm zitternd seinen Violinkasten und sein Übungsheft und schritt, mit Würgen in der Kehle, zu den Musikstuben im Anbau. Ein aufgeregter Mitschüler empfing ihn auf der Treppe, deutete auf ein Übungszimmer und meldete: »Hier sollst du warten, bis man dich ruft.«
Es dauerte nicht lange und war ihm doch eine Ewigkeit, bis er vom Warten erlöst wurde. Es rief ihn niemand, aber es trat ein Mann herein, ein ganz alter Mann, wie es ihm anfangs schien, ein nicht sehr großer, weißhaariger Mann mit einem schönen lichten Gesicht und mit durchdringend blickenden hellblauen Augen, deren Blick man hätte fürchten können, aber er war nicht nur durchdringend, sondern auch heiter, er war von einer nicht lachenden oder lächelnden, sondern stillglänzenden, ruhigen Heiterkeit. Er gab dem Knaben die Hand und nickte ihm zu, setzte sich bedächtig auf den Hocker vor dem alten Übungsklavier und sagte: »Du bist Josef Knecht? Dein Lehrer scheint mit dir zufrieden zu sein, ich glaube, er

hat dich gern. Komm, wir wollen ein wenig miteinander musizieren.« Knecht hatte seine Geige schon vorher ausgepackt, der alte Mann schlug das A an, und der Knabe stimmte, dann sah er den Musikmeister fragend und ängstlich an.

»Was möchtest du gern spielen?« fragte der Meister. Der Schüler brachte keine Antwort heraus, er war von Ehrfurcht für den Alten bis zum Überfließen angefüllt, noch nie hatte er einen solchen Menschen gesehen. Zögernd griff er nach seinem Notenheft und hielt es dem Manne hin.

»Nein«, sagte der Meister, »ich möchte, daß du auswendig spielst und kein Übungsstück, sondern irgend etwas Einfaches, was du auswendig kannst, vielleicht ein Lied, das du gern hast.«

Knecht war verwirrt und von diesem Gesicht und diesen Augen bezaubert, er brachte keine Antwort heraus, er schämte sich seiner Verwirrung sehr, aber sagen konnte er nichts. Der Meister drängte nicht. Er schlug mit einem Finger die ersten Töne einer Melodie an, sah den Knaben fragend an, der nickte und spielte die Melodie sofort und freudig mit, es war eins von den alten Liedern, die in der Schule oft gesungen wurden.

»Noch einmal!« sagte der Meister. Knecht wiederholte die Melodie, und der Alte spielte jetzt eine zweite Stimme dazu. Zweistimmig klang nun das alte Lied durch die kleine Übungsstube.

»Noch einmal!«

Knecht spielte, und der Meister spielte die zweite und eine dritte Stimme dazu. Dreistimmig klang das schöne alte Lied durch die Stube.

»Noch einmal!« Und der Meister spielte drei Stimmen hinzu.

»Ein schönes Lied!« sagte der Meister leise. »Spiele es jetzt einmal in der Altlage!«

Knecht gehorchte und spielte, der Meister hatte ihm den ersten Ton angegeben und spielte nun die drei andern Stimmen dazu. Und immer wieder sagte der Alte: »Noch einmal!«, es klang jedesmal fröhlicher. Knecht spielte die Melodie im Tenor, immer von zwei bis drei Gegenstimmen begleitet. Viele Male spielten sie das Lied, es war keine Verständigung mehr nötig, und mit jeder Wiederholung wurde das Lied ganz von selbst reicher an Verzierungen und Rankenspiel. Der kahle kleine Raum mit dem frohen vormittäglichen Licht klang festlich von den Tönen wider.

Nach einer Weile hörte der Alte auf. »Ist es nun genug?« fragte er. Knecht schüttelte den Kopf und begann von neuem, heiter fiel der andre mit seinen drei Stimmen ein, und die vier Stimmen zogen ihre dünnen, klaren Linien, sprachen miteinander, stützten sich aufeinander, überschnitten sich und umspielten einander in heitern Bogen und Figuren, und der Knabe und der Alte dachten an gar nichts andres mehr, gaben sich den schönen verschwisterten Linien hin und den Figuren, die sie in ihren Begegnungen bildeten, in ihrem Netz gefangen musizierten sie, wiegten sich leise mit und gehorchten einem unsichtbaren Kapellmeister. Bis der Meister, als wieder die Melodie zu Ende war, den Kopf zurückwandte und fragte: »Hat es dir gefallen, Josef?«

Dankbar und leuchtend blickte Knecht ihn an. Er strahlte, aber er brachte kein Wort heraus.

»Weißt du etwa schon«, fragte der Meister jetzt, »was eine Fuge ist?«

Knecht machte ein zweifelndes Gesicht. Er hatte schon Fugen gehört, aber im Unterricht war das noch nicht vorgekommen.

»Gut«, sagte der Meister, »dann will ich es dir zeigen. Am schnellsten kapierst du es, wenn wir selber eine Fuge machen. Also: zu einer Fuge gehört vor allem ein Thema, und das Thema suchen wir nicht lang, das nehmen wir aus unserem Lied.«

Er spielte eine kleine Tonfolge, ein Stückchen aus der Liedmelodie, es klang wunderlich, so herausgeschnitten, ohne Kopf und Schwanz. Er spielte das Thema nochmals, und schon ging es weiter, schon kam der erste Einsatz, der zweite verwandelte den Quintschritt in einen Quartschritt, der dritte Einsatz wiederholte den ersten eine Oktave höher, ebenso der vierte den zweiten, mit einer Klausel in der Tonart der Dominante schloß die Exposition. Die zweite Durchführung modulierte freier nach andern Tonarten hinüber, die dritte, mit einer Neigung zur Subdominante, endete mit einer Klausel auf dem Grundton. Der Knabe blickte auf die klugen weißen Finger des Spielenden, sah in seinem zusammengenommenen Gesicht den Gang der Entwicklung leise gespiegelt, während die Augen unter halbgeschlossenen Lidern ruhten. Des Knaben Herz wallte von Verehrung, von Liebe für den Meister, und sein Ohr vernahm die Fuge, ihm schien, er höre heute zum erstenmal Musik, er ahnte hinter dem vor ihm entstehenden Tonwerk den Geist, die beglückende Harmonie von Gesetz und Freiheit, von Dienen und Herrschen, er ergab und gelobte sich diesem Geist und diesem Meister, er sah sich und sein Leben und sah die ganze Welt in diesen Minuten vom Geist der Musik geleitet, geordnet und gedeutet, und als das Spiel sein Ende gefunden hatte, sah er den Verehrten, den Zauberer und König, noch eine kleine Weile leicht vorgeneigt über den Tasten, mit halbgeschlossenen Lidern, das Gesicht von innen her leise leuchtend, und wußte nicht, sollte er jubeln über die Seligkeit dieser Augenblicke oder weinen, daß sie vorüber waren. Da stand der alte Mann langsam vom Klavierstühlchen auf, sah ihn mit den heitern blauen Augen durchdringend und zugleich unsäglich freundlich an und sagte: »Nirgends können zwei Menschen leichter Freunde werden als beim Musizieren. Das ist eine schöne Sache. Hoffentlich werden wir Freunde bleiben, du und ich. Vielleicht wirst du auch Fugen machen lernen, Josef.« Damit gab er ihm die Hand und ging, und in der Tür wendete er sich noch einmal um und grüßte zum Abschied mit einem Blick und einem höflichen kleinen Neigen des Kopfes. *(1938)*

Für Ilona Durigo

Vergänglich ist und dauerlos das Schöne,
Du aber, wenn Du Deine Gaben bringst,
Wenn Du der großen Meister Töne
So warm aus reichem Herzen singst,
Du gibst dem kurzen Augenblick
So wahren Glanz, daß er die Schwingen weitet
Und mit in unseres Lebens Tiefe gleitet,
Daß er uns ohne Trauer
Verbleibt in holder Dauer
Wie jedes wahre Glück.

Dreistimmige Musik

Eine Stimme singt in der Nacht,
Nacht, die ihr bange macht,
Singt ihre Angst, ihren Mut;
Singen bezwingt die Nacht,
Singen ist gut.
Eine zweite hebt an und geht mit,
Hält mit der andern Schritt,
Gibt ihr Antwort und lacht,
Weil zu zwein in der Nacht
Singen ihr Freude macht.
Dritte Stimme fällt ein,
Tanzt und schreitet im Reihn
Mit in der Nacht. Und die drei
Werden zu Sternenschein
Und Zauberei.
Fangen sich, lassen sich,
Meiden sich, fassen sich,
Weil Singen in der Nacht
Liebe weckt, Freude macht,
Zaubern ein Sternenzelt,
Drin eins das andre hält,
Zeigen sich, verstecken sich,
Trösten sich, necken sich ...
Nacht wär und Angst die Welt
Ohne dich, ohne mich, ohne dich.

Nicht abgesandter Brief an eine Sängerin

Da ich Sie viele Male in Oratorien und in Liederabenden, im Konzertsaal und am Radio habe singen hören, und da ich seit dem Tode meiner Freundin Ilona [Durigo], welche allerdings einen gewissen Gegensatz und Gegenpol zu Ihrer Art bedeutete, keine andere Sängerin mit solcher Freude, Bewunderung und Andacht angehört habe wie Sie, erlaube ich mir, Ihnen nach Ihrem heutigen Konzert diese Zeilen zu schreiben. Freilich war dies heutige Konzert mir nicht so lieb wie viele frühere, denn das Programm schien mir Ihrer Kunst nicht durchaus würdig zu sein, aber gesungen haben Sie auch dies von mir nicht froh begrüßte, nur eben hingenommene Programm auf Ihre vollkommene, jeder Kritik standhaltende Weise, auf diese sachlich-ruhige, beherrschte, edle Weise, die sich aus der Vereinigung einer sehr schönen, vornehmen und vollkommen erzogenen und in Zucht gehaltenen Stimme mit der Würde und Einfachheit eines vernünftigen und wahrhaftigen Menschen ergibt. Mehr kann und sollte man, glaube ich, einer Sängerin nicht nachrühmen. Das, was die lyrischen Feuilletons häufig an Sängerinnen mit Superlativen preisen und empfehlen: das Gemüt, die Stimmung, die Beseeltheit, Herzlichkeit, Herzensinnigkeit und wie all das heißt, das scheint mir immer zweifelhaft und mißverständlich, und so wenig wichtig wie die mehr oder minder hübsche Gestalt oder Toilette der Sängerin. Ich erhoffe und erwarte von ihr, genau genommen, weder Seele noch Innigkeit noch Empfindsamkeit noch ein goldenes Herz, sondern nehme an, dies alles sei in dem Lied oder in der Arie, in dem aus Dichtung und Musik zusammen bestehenden Kunstwerk also, schon in genügendem Maße vorhanden und dem Werk von seinen Schöpfern mitgegeben worden, und es sei ein Mehr davon weder notwendig noch ersprießlich. Wenn ein Text von Goethe und die Musik dazu von Schubert oder Hugo Wolf ist, dann vertraue ich darauf, daß es diesem Werkchen an Herz, an Seele, an Empfindung nicht mangeln werde, und möchte lieber nicht noch ein Weiteres von diesen Qualitäten der Persönlichkeit der Sängerin verdanken. Nicht ihr nahes Verhältnis zu dem Gesungenen, nicht ihre Ergriffenheit vom Kunstwerk begehre ich zu hören, sondern die möglichst genaue und vollkommene Wiedergabe dessen, was auf ihren Notenblättern geschrieben steht. Dies soll weder durch ein Plus an Empfindung gesteigert noch durch einen Mangel an Verständnis abgeschwächt werden. Das allein ist es, was wir von den Sängern und Sängerinnen erwarten, und es ist nicht wenig, es ist ungeheuer viel und wird von Wenigen erfüllt, denn es gehört dazu neben der Gottesgabe einer wertvollen Stimme nicht nur eine höchst genaue Schulung und Übung, sondern auch eine bedeutende Intelligenz, eine Fähigkeit, die musikalischen Qualitäten eines Werkes voll zu erfassen, vor allem es als Ganzes zu erkennen und nicht die Rosinen aus dem Kuchen zu klauben und diese Rosinen, die für den Virtuosen dankbaren Stellen, auf Kosten des Ganzen mit übertriebenem Aufwand darzubieten. Um ein ganz grobes Beispiel anzuführen: ich habe mehrmals von ahnungslosen jungen Sängerinnen das Lied »Ich hatt' in Penna einen Liebsten wohnen« aus dem Italienischen Liederbuch singen hören, und die Vortragenden hatten von Text und Komposition des Liedes durchaus weiter nichts verstanden und sich angeeignet, als daß ein triumphierendes Herausbrüllen des »Zehn!« im letzten Vers Effekt mache. Sie sangen miserabel, aber die unterste Schicht des Publikums fiel auf das »Zehn!« jedesmal mehr oder weniger herein und spendete Beifall.

Dies alles sind Selbstverständlichkeiten, und verstehen sich in der Praxis dennoch gar nicht von selbst, weder für die Sänger noch für ihre Zuhörer noch für einen Teil der Kritiker. Aber wenn nun eine Sängerin auftritt und diese scheinbar so einfachen Forderungen wirklich erfüllt, wenn sie wirklich singt, was der Komponist geschrieben hat, wenn sie nichts wegläßt noch hinzutut, nichts verfälscht, jedem Ton und Takt sein Recht gibt, dann stehen wir eben doch jedesmal vor einem Glücksfall und einem Wunder, und empfinden eine das Herz erwärmende Dankbarkeit, ein sanftes Gesättigtsein, wie wir es sonst meistens nur dann empfinden, wenn wir ein geliebtes Werk selbst lesen oder spielen oder in der Erinnerung beschwören, ohne daß also zwischen dem Werk und uns ein Vermittler stünde.

Dieses seltene Glück des Beschenktwerdens durch eine Vermittlerin, die dem Kunstwerk nichts nimmt und nichts hinzufügt, die zwar Wille und Intelligenz, aber beinahe schon nicht mehr Person ist, verdanken die Freunde der guten Musik solchen Künstlern, wie Sie einer sind. Solche Künstler sind für die gesungene Musik schwerer zu finden als für die instrumentale: eben darum ist das Glück, einem dieser seltenen Künstler zu begegnen, so groß. Es gibt ja auch eine andere Art von Glück beim Singenhören, gewiß, und es kann recht intensiv sein: das Glück, von einer starken oder verführerischen Künstlerpersönlichkeit umworben, erobert und hingerissen zu werden. Aber rein ist solches Glück nicht, es hat ein wenig mit schwarzer Magie zu tun, es ist Schnaps statt Wein und endet mit Überdruß. Diese unreine Art des musikalischen Vergnügens verführt und verdirbt uns auf zweierlei Weise: sie zieht unser Interesse und unsre Liebe vom Kunstwerk hinweg auf den Ausführenden, und fälscht unser Urteil, indem sie uns dazu hinreißt, um des interessanten Ausführenden willen auch Werke in Kauf zu nehmen, die man sonst ablehnen würde. Auch beim elendesten Reißer behält ja die Sirenenstimme ihren

Zauber. Die reine, objektive, sachliche Kunstübung aber stärkt und läutert im Gegenteil unser Urteil. Wenn eine Sirene singt, lassen wir uns unter Umständen auch schlechte Musik gefallen. Wenn aber Sie singen, Verehrte, und ausnahmsweise Ihr Programm einmal auf zweifelhafte Musik ausdehnen, dann verführt ihr herrlicher Vortrag mich nicht dazu, diese Musik zu billigen, sondern ich fühle ein Unbehagen und etwas wie Scham, und möchte Sie am liebsten kniefällig darum bitten, Ihre Kunst doch nur dem Dienst am Vollkommenen zu widmen, das ihrer allein würdig ist.
Nun könnten Sie, wenn ich diesen Dank- und Liebesbrief wirklich absenden würde, mit Recht antworten, daß Sie wenig Wert darauf legen, von mir, einem Laien, über musikalische Qualitäten und musikalisches Urteil belehrt zu werden. Sie würden es sich mit Recht verbitten, daß ich an Ihrem Programm Kritik übe. Gewiß, aber mein Brief wird ja nicht abgesandt, er ist lediglich Selbstgespräch und einsame Betrachtung. Ich versuche, mir da über etwas klar zu werden, nämlich über Herkunft und Sinn meines musikalischen Geschmacks und Urteils. Wenn ich überhaupt über Kunst mitrede oder doch mitdenke, so tue ich es zwar als Künstler, aber nicht als Kunstkritiker und Ästhetiker, sondern stets als Moralist. Was ich im Bereich der Künste ablehnen oder doch mit Mißtrauen betrachten, was ich dagegen verehren und lieben soll, wird mir nicht von objektiven, irgendwie genormten Begriffen von Wert und Schönheit diktiert, sondern von einer Art von Gewissen, das moralischer und nicht ästhetischer Natur ist und das ich eben darum als Gewissen, nicht etwa als Geschmack bezeichne. Dies Gewissen ist subjektiv und nur für mich selbst verpflichtend, ich bin weit entfernt davon, der Welt jene Art von Kunst aufreden zu wollen, die ich liebe, oder ihr die andere, die ich nicht ernst nehmen kann, etwa verleiden zu

wollen. Was die Theater und Opernbühnen täglich spielen, davon vermag sehr weniges mich anzulocken, aber ich bin gern damit einverstanden, daß diese ganze Kunstwelt und Weltkunst gedeihe und fortbestehe. Das selige Utopien, wo nur weiße und keine schwarze Magie getrieben, wo kein Bluff noch Blender gespielt wird, suche ich nicht in irgendeiner Zukunft, sondern ich muß es mir allein schaffen, in jenem winzigen Ausschnitt der Welt, der mir gehört und von mir beeinflußbar ist... Zu dem, was ich liebe und verehre, gehören Künstler und Werke, denen die Volksgunst nie zuteil wurde, und zu den Werken, die ich nicht mag, die mein Gewissen oder Geschmack ablehnt, gehören berühmteste Namen und Titel. Die Grenzen sind natürlich nicht starr, sie sind einigermaßen elastisch; ich kann gelegentlich von einem Künstler, den mein Instinkt bisher ablehnte, dennoch überrascht und beschämt ein Werkchen entdecken, in dem er trotzdem zu meiner Welt und Art paßt. Und auch bei ganz großen, schon beinahe sakrosankten Meistern kann mich zuweilen einen Augenblick lang eine Spur von Entgleisung, von Eitelkeit, von Leichtsinn oder von Ehrgeiz und Wirkenwollen erschrecken. Da ich ja selbst Künstler bin und meine eigenen Werke voll solcher verdächtiger Stellen, voll trüber Einsprengsel in das rein Gewollte weiß, vermögen solche Entdeckungen mich trotz ihrer grundsätzlichen Furchtbarkeit nicht wirklich irre zu machen. Ob es jemals vollkommene, völlig reine, völlig fromme, völlig im Werk und Dienst aufgehende, dem Menschlichen entwachsene Meister wirklich gegeben habe, das zu entscheiden ist nicht meine Sache. Genug, daß es vollkommene Werke gibt, daß durch das Medium jener Meister je und je ein kristallenes Stück objektivierten Geistes entstanden und den Menschen als Goldprüfstein gegeben worden ist.
Mein Urteil über Musikwerke hat, wie gesagt, nicht den

Ehrgeiz, ästhetisch und objektiv »richtig« oder in irgendeinem Sinne maßgebend oder zeitgemäß zu sein. Ein rein ästhetisches Urteil darf ich, als Literat, mir ja überhaupt nur über Literatur erlauben, über eine Art von Kunst, deren Mittel, Handwerk und Möglichkeiten ich kenne und das ich bis zu dem mir möglichen Grad verstehe. Mein Verhalten zu den anderen Künsten, vor allem zur Musik, wird nicht so sehr vom Bewußtsein als von seelischen Instinkten regiert, es besteht nicht aus Akten der Intelligenz, sondern aus Hygiene, aus dem Bedürfnis nach einer gewissen Sauberkeit und Bekömmlichkeit, nach einer Luft, Temperatur und Nahrung, bei welcher die Seele sich wohl fühlt und welche jeweils den Schritt vom Behagen zur Aktivität, von der Seelenruhe zur Schaffenslust erleichtert. Kunstgenuß ist für mich weder Betäubung noch Bildungsbestreben, er ist Atemluft und Speise, und wenn ich eine Musik höre, die mir Widerwillen erregt, oder eine, die mir allzu süß, allzu gezuckert oder gepfeffert schmeckt, dann lehne ich sie nicht aus tiefer Einsicht in das Wesen der Kunst und lehne sie nicht als Kritiker ab, sondern tue es nahezu völlig instinktiv. Was aber durchaus nicht ausschließt, daß dieser Instinkt in vielen Fällen sich nachher auch vor dem nachprüfenden Verstande bewährt. Ohne solche Instinkte und ohne solche Seelenhygiene kann kein Künstler leben, und jeder hat seine eigene.

Um aber auf die Musik zurückzukommen: zu meiner vielleicht ein wenig puritanischen Kunstmoral, der Moral und Hygiene eines Künstlers und Individualisten, gehört nicht nur eine Empfindlichkeit der seelischen Nahrung gegenüber, sondern auch eine nicht minder empfindliche Scheu vor allen Orgien der Gemeinschaft, vor allem, was mit Massenseele und Massenpsychose zu tun hat. Es ist dies der heikelste Punkt meiner Moral, denn um diesen Punkt lagern sich alle Konflikte zwischen Person und Gemeinschaft, zwischen Einzelseele und Masse, Künstler und Publikum, und ich würde es gar nicht wagen, mein Bekenntnis zum Individualismus als alter Mann noch ein spätes Mal zu wiederholen, wenn nicht auf einem speziellen Gebiet, auf dem politischen nämlich, meine von den Normalen und Tadellosen oft gerügten Empfindlichkeiten und Instinkte auf schauerliche Weise recht behalten hätten. Viele Male habe ich zugesehen, wie ein Saal voll Menschen, eine Stadt voll Menschen, ein Land voll Menschen von jenem Rausch und Taumel ergriffen wurde, bei dem aus den vielen einzelnen eine Einheit, eine homogene Masse wird, wie alles Individuelle erlischt und die Begeisterung der Einmütigkeit, des Einströmens aller Triebe in einen Massentrieb Hunderte, Tausende oder Millionen mit einem Hochgefühl erfüllt, einer Hingabelust, einer Entselbstung und einem Heroismus, der sich anfänglich in Rufen, Schreien, Verbrüderungsszenen mit Rührung und Tränen äußert, schließlich aber in Krieg, Wahnsinn und Blutströmen endet. Vor dieser Fähigkeit des Menschen, sich an gemeinsamem Leid, gemeinsamem Stolz, gemeinsamem Haß, gemeinsamer Ehre zu berauschen, hat mein Individualisten- und Künstlerinstinkt mich stets aufs heftigste gewarnt. Wenn in einer Stube, einem Saal, einem Dorf, einer Stadt, einem Lande dieses schwüle Hochgefühl spürbar wird, dann werde ich kalt und mißtrauisch, dann schaudere ich und sehe schon das Blut fließen und die Städte in Flammen stehen, während die Mehrzahl der Mitmenschen, Tränen der Begeisterung und Ergriffenheit in den Augen, noch mit dem Hochrufen und der Verbrüderung beschäftigt ist.

Genug vom Politischen. Was hätte es mit der Kunst zu tun? Nun, es hat schon dies und das mit ihr zu tun, es hat allerlei mit ihr gemeinsam. Zum Beispiel ist das mächtigste und trübste Wirkungsmittel der Politik, die Massenpsychose, auch das mächtigste und unlauterste Mittel der Kunst, und ein Konzertsaal oder Theater bietet ja oft genug, das heißt an jedem erfolgreichen und glänzenden Abend, eben jenes Schauspiel des Massentaumels, und es ist ein Glück, daß er in dem traditionellen Klatschen, verstärkt etwa noch durch Trampeln und Bravorufen, sich austoben kann. Ohne es zu wissen, geht ein großer oder der größte Teil des Publikums zu solchen Veranstaltungen einzig um der Momente dieser Berauschtheit willen. Es entsteht da aus der Körperwärme der vielen Menschen, den Anregungen der Kunst, den Werbungen der Dirigenten und Virtuosen eine Spannung und erhöhte Temperatur, die jeden ihr Verfallenden, wie er zu fühlen glaubt, »über sich hinaus« hebt, das heißt ihn der Vernunft und andrer störender Hemmungen für eine Weile beraubt und in einem flüchtigen, aber heftigen Glücksgefühl zur mittanzenden Mücke im großen Schwarme macht. Auch ich bin diesem Rausch und Zauber gelegentlich erlegen, wenigstens in meinen jüngeren Jahren, habe mitgebebt und mitgeklatscht und mich gemeinsam mit fünfhundert oder tausend andern darum bemüht, das Herankommen des Erwachens und der Ernüchterung, das Ende des Taumels hinauszuzögern, indem wir, schon stehend und eigentlich zum Gehen bereit, wieder und wieder durch unser Toben den abgespielten Kunstapparat nochmals zu beleben suchten. Doch ist es mir nicht sehr oft geschehen. Und was auf diese rauschhaften Erlebnisse folgte, war stets jenes Übelbefinden, das wir schlechtes Gewissen oder Katzenjammer nennen.

Wenn ich dagegen bei solchen Kunstgenüssen Gutes, Wohlbekömmliches und lang Nachwirkendes erleben durfte, so waren es Stimmungen und Seelenzustände, zu welchen es der Masse und des Mitgerissenwerdens nicht bedarf, es waren Zustände der Rührung, der Heiterkeit, der Andacht, der Gottesahnung. Diese Zustände haben

mich nach jenen Kunsterlebnissen, die ich als echt bezeichne, jedesmal stundenlang, nicht selten auch tagelang nicht verlassen, ich hatte nicht eine Betäubung oder Aufpeitschung erlebt, sondern eine Einkehr, Läuterung und Durchstrahlung, eine Steigerung und Erhellung des Lebensgefühls und der geistigen Antriebe.
Es ist kein Zufall, daß ich dieser beiden Arten von Kunstmagie, dieser beiden Formen der Ergriffenheit, der schwarzen und der weißen, des Taumels und der Andacht in einem Brief an Sie gedenke, vielmehr kehre ich damit gerade zu Ihnen zurück und zu der Bewunderung und Dankbarkeit, die ich für Ihre Kunst empfinde. Denn ich habe in Ihren Konzerten zwar starke Kundgebungen des Beifalls, nicht aber jene Massenhysterie erlebt. Es waren allerdings auch meistens Oratorien, in denen ich Sie hörte, Werke der geistlichen Musik, und diesen billigt auch heute noch die Sitte eine besondere Würde, die einer gottesdienstlichen Feier, zu, indem sie der Hörerschaft statt des Tobens, Brüllens und Klatschens Respekt und stilles Verhalten gebietet. Aber schon der Umstand, daß Sie diese Art von Musik so besonders lieben und pflegen, ist ja von Ihrer Seite ein Bekenntnis zur Andacht statt zum Rausch, zur Würde statt zum Taumel. Und auch die weltliche Musik haben Sie stets so vorgetragen, daß das Werk und nicht Ihre Person zu vorderst stand, und daß Ihr Gesang nicht an den Beifall, sondern an die Andacht appellierte.
Ich werde Sie mit diesem langen Briefe, an dem ich manche Stunde geschrieben habe, natürlich nicht behelligen. Die Huldigung für Sie war ich mir, nicht Ihnen schuldig. Ich bekenne mich in ihr zu Anschauungen, die nicht sehr zeitgemäß sind und, wie ich wohl weiß, zum Teil geradezu einer vergangenen, einer nach dem Glauben der Optimisten »überwundenen« Menschheits- und Kulturstufe zugehören, mir aber dadurch nicht entwertet

werden. Einer überwundenen und mit Grausen belächelten Stufe der Menschengeschichte gehörten vor einigen Jahrzehnten noch auch die Tamerlane und Napoleone, die Raub- und Blitzkriege, die Massenschlachtungen von Menschen, die Folterungen an, und wir haben es erlebt, daß diese »überwundene« Stufe eben doch noch nicht erledigt war, und daß alle ihre märchenhaften Greuel wieder obenauf kamen. Sie sind es auch heute noch. So bleibe ich denn bei meinen großväterlichen Auffassungen und nehme an, auch ihrer werde sich irgendeine kommende Kulturstufe wieder erinnern und dies und jenes aus ihnen wieder gebrauchen können. Hinter ihnen steht mein Glaube an das Schöne, nämlich daran, daß das Schöne ebenbürtig neben dem Wahren und Guten stehe, daß es nicht eine Illusion und nicht eine menschliche Mache sei, sondern eine Erscheinungsform des Göttlichen.
(1947)

Feierliche Abendmusik

Allegro

Gewölk zerreißt; vom glühenden Himmel her
Irrt taumelndes Licht über geblendete Täler.
Mitgeweht vom föhnigen Sturm
Flieh ich mit unermüdetem Schritt
Durch ein bewölktes Leben.
Oh, daß nur immer für Augenblicke
Zwischen mir und dem ewigen Licht
Gütig ein Sturm die grauen Nebel verweht!
Fremdes Land umgibt mich,
Losgerissen treibt, von der Heimat fern,
Mich des Schicksals mächtige Woge umher.
Jage die Wolken, Föhn,
Reiße die Schleier hinweg,
Daß mir Licht auf die zweifelnden Pfade falle!

Andante

Immer wieder tröstlich
Und immer neu in ewiger Schöpfung Glanz
Lacht mir die Welt ins Auge,
Lebt und regt sich in tausend atmenden Formen,
Flattert Falter im sonnigen Wind,
Segelt Schwalbe in seliger Bläue,
Strömt Meerflut am felsigen Strand.
Immer wieder ist Stern und Baum,
Ist mir Wolke und Vogel nahe verwandt,
Grüßt mich als Bruder der Fels,
Ruft mich freundschaftlich das unendliche Meer.
Unverstanden führt mich mein Weg
Einer blau verlorenen Ferne zu,
Nirgend ist Sinn, nirgend ist sicheres Ziel –
Dennoch redet mir jeder Waldbach,

Jede summende Fliege von tiefem Gesetz,
Heiliger Ordnung,
Deren Himmelsgewölb' auch mich überspannt,
Deren heimliches Tönen
Wie im Gang der Gestirne
So auch in meines Herzens Taktschlag klingt.

Adagio

Traum gibt, was Tag verschloß;
Nachts, wenn der Wille erliegt,
Streben befreite Kräfte empor,
Göttlicher Ahnung folgend.
Wald rauscht und Strom, und durch der regen Seele
Nachtblauen Himmel Wetterleuchten weht.
In mir und außer mir
Ist ungeschieden, Welt und ich ist eins.
Wolke weht durch mein Herz,
Wald träumt meinen Traum,
Haus und Birnbaum erzählt mir
Die vergessene Sage gemeinsamer Kindheit.
Ströme hallen und Schluchten schatten in mir,
Mond ist und bleicher Stern mein vertrauter Gespiele.
Aber die milde Nacht,
Die sich über mich mit sanftem Gewölke neigt,
Hat meiner Mutter Gesicht,
Küßt mich lächelnd in unerschöpflicher Liebe,
Schüttelt träumerisch wie in alter Zeit
Ihr geliebtes Haupt, und ihr Haar
Wallt durch die Welt, und es zittern
Blaß aufzuckend darin die tausend Sterne.

Eine Konzertpause

Das heutige Konzert fand mich in einer ganz ungewohnten Situation. In einer mir fremden Stadt mit fremder Sprache, in einem mir fremden, unvertrauten und eher unbehaglichen, architektonisch minderwertigen Konzertsaale, inmitten eines mir völlig unbekannten Publikums wohnte ich einem Klavierabend bei, den ich nicht nur seines unübertrefflich schönen Programms, sondern vor allem des Virtuosen wegen aufgesucht hatte. Diesen vortrefflichen Musikanten nämlich hatte ich einst, in lang vergangenen Zeiten meines Lebens, manche Male gehört und bewundert, er hatte nicht nur Kraft und Schwung und eine gewisse Wucht und Dynamik von Natur, sondern er hatte auch Ehrfurcht vor dem was er spielte, und hatte, soweit ich seine recht glänzende Laufbahn hatte verfolgen können, seine Programme stets frei von leeren Paradestücken gehalten. Er war mir damals, zehn Jahre jünger als ich, auch persönlich näher getreten, nachdem wir uns schon im Solistenzimmer und im Hause eines mir befreundeten Dirigenten begegnet waren, er hatte mich eines Tages in meinem Hause bei Bern aufgesucht und mir an Mias Klavier Liederkompositionen vorgespielt, die er als Jüngling geschrieben hatte und deren Texte meinem ersten, jugendlichen Gedichtbuch entnommen waren.

All dies lag Jahrzehnte zurück, wir waren einander viele Jahre nicht mehr begegnet, hatten zeitweise kaum noch voneinander gewußt; und nun, da ich, ein alter Mann, unter schwierigen und unfrohen Umständen, als Flüchtling und Patient für einige Zeit in diese fremde Gegend geraten war, die ich nie vorher gesehen hatte und in der ich mich vorerst als recht fremd und unzugehörig empfand, hatte ein gelbes Plakat mich auf einem Spaziergang plötzlich von der Wand einer dörflichen Garage mit dem großgedruckten Namen Edwins [Edwin Fischer] angeblickt, mir ein ausgesucht schönes Programm mit Stücken von Bach, Beethoven und Chopin versprochen und mich mit diesen beiden Magneten für zwei Abendstunden in dies unbekannte Städtchen gezogen. Da saß ich denn in dem häßlichen, aber akustisch gar nicht üblen Saale, nicht wie gewohnt als alter Habitué inmitten einer Zuhörerschaft, deren Senioren ich seit einem Menschenalter und länger, zumindest vom Sehen, kannte, sondern als Fremder in einem Raume, in dem es nicht nur nichts Bekanntes für mich und keine oftgesehenen Gesichter, sondern überhaupt nur ganz, ganz wenige Senioren, Habitués und Greise gab, dafür aber ein hübsches, unkritisches und unblasiertes Publikum von lauter ganz jungen Leuten, Schülern und Studenten.

Wie anders war diese Atmosphäre als die in den beiden Konzertsälen, in denen ich durch Jahrzehnte Stammgast und Hausfreund gewesen war! Dort hatte ein sehr großer Teil des Publikums aus Weißköpfen bestanden, darunter solchen, die noch den alten Joachim, die Welti-Herzog und womöglich gar noch den greisen Franz Liszt gekannt und gehört hatten und zu Hause in ihrem Mahagonisekretär eine Visitenkarte von Cosima Wagner aufbewahrten. Man hatte sich dort, wenn er sich langsam und mühsam auf seinem bevorzugten Platze niederließ, einen greisen Enthusiasten gezeigt und seinen Namen geflüstert, der seit einem halben Jahrhundert jedes Konzert in diesem Saale besucht hatte, der den berühmten Sängerinnen Blumen aufs Podium schickt oder Bonbons ins Solistenzimmer bringt, und der einstmals in seinen jüngeren Jahren, als die musikalische Welt noch nicht vom modernen kritischen Geiste angekränkelt war, hymnische Konzertberichte für den Städtischen Eilboten verfaßt und zum Beispiel einmal über Sarasate geschrieben haben sollte: »Heute hat, wir dürfen es bewegten Herzens sagen, Sarasate keinen Geringeren als sich selbst übertroffen.«

Hier hingegen herrschte eine mir unvertraute und mich in meinem senilen Zustande noch mehr isolierende, sonst aber recht hübsche und angenehme Stimmung von Jugendlichkeit, Kameraderie und guter Laune, von unbeschwerter und unsentimentaler Gegenwart, von heiterer Aufgeschlossenheit und Bereitschaft zur Hingabe, vor welcher meine eigene Vereinsamung und Gedrücktheit durch Schmerzen und Sorgen sich zu verkriechen und zu schämen hatte und die ich dennoch als liebenswert und wohltuend empfand. An Aufmerksamkeit fehlte es nicht, auch nicht an Anerkennung und Beifall für den Konzertgeber, doch blieb dies jugendliche Auditorium in gemessenen Grenzen, ebenso fern von kritiksüchtiger wie von verliebter oder gar hysterischer Kennerschaft. Keinem dieser heiteren jungen Menschen fiel es ein, den Solisten dieses Abends etwa mit dem vor einem halben Jahrhundert gestorbenen Anton Rubinstein zu vergleichen, es wurden hier weder heimliche Tränen abgewischt noch würden dem Genusse lange Gespräche über die Einzelheiten der Darbietung folgen, und daß der berühmte Musikant kein Mann von gestern, sondern ein seit vier Jahrzehnten Erfolgreicher und Gefeierter war, bedeutete dieser jugendlichen Konzertgemeinde nicht viel und erzeugte eher eine gewisse Distanz. Es saß kaum mehr als ein Dutzend Leute im Saal, für welches die vorgetragenen Präludien und Sonaten sowohl wie Name und Gestalt des Virtuosen Vergangenheit und unwiederbringliche Güter, Erinnerungen an Konzertabende der Jugend-, der sagenhaften Vorkriegszeit, der untergegangenen Welt beschworen hätten, und ich kam mir neben dieser gesunden und naiven Jugend nicht nur doppelt überständig und alt, sondern auch unzeitgemäß sentimental vor. Immerhin fühlte sich der Teil meines Wesens, der noch jung geblieben oder zeit- und alterslos war, von dieser neuen Jugend mit ihrer neuen Art und Haltung zwar distanziert, aber durchaus angenehm berührt.

Es war für mich, den Alten und im Innersten doch vielleicht Jüngsten und Kindlichsten im Saale, ein bewegender Augenblick gewesen, als die Veranstaltung mit dem Lärm des begrüßenden Applauses anhob und die wohlbekannte, seit wohl zwanzig Jahren nicht mehr gesehene Gestalt des Musikers auf dem Podium sichtbar wurde, schwer und derb, leicht vorgeneigt mit hängenden langen Armen, älter geworden, aber ohne daß dies andre Spuren hinterlassen hätte als das Grau im eigenwillig knabenhaften Haarschopf, im Grunde für mich ganz die alte, vertraute Erscheinung. Groß und fleischig hingen die kräftigen weißen Hände aus den weiten Manschetten, das Gesicht konnten meine schlechtgewordenen Augen nur als helle Maske erkennen, desto wohlbekannter und unverwechselbarer war die Reihe von Bewegungen, mit welchen er sich verbeugte, auf den Stuhl setzte, sich des Gleichgewichts versicherte und die Hände, abwartend und Stille im Saal gebietend, auf die Klaviatur legte.

Oft hatte ich ihm einst bei diesen Prozeduren zugesehen, die ersten Male mit dem Wohlwollen des um ein Jahrzehnt älteren Kollegen, dem die Gefühle des öffentlichen Auftretens, des zum Kampf mit der indifferenten, trägen und doch so sehr beeinflußbaren Menge antretenden Künstlers, von manchen kleinen Kunstreisen her recht wohl bekannt waren: Gefühle, welche entweder mit schlichtem Lampenfieber oder mit verachtendem Widerwillen gegen die Menge und mich selbst begannen, der töricht und eitel genug gewesen war, sich auf dies schlüpfrige Parkett locken zu lassen, und die im seltenen Glücksfall mit einer Art Angleichung an diese Masse, einer Eroberung oder einem Erobertwerden, einem

seltsamen Zustande von gesteigertem Leben und zugleich von beinah völliger Auflösung der eigenen Person endeten, einem Zustande, den man eine Stunde später nicht mehr begriff und niemals mehr zurückbeschwören konnte außer mit ausgesprochen schlechtem Gewissen.
Nun, das mit leiser Schadenfreude versetzte kollegiale Wohlwollen, mit dem ich als Älterer den Jüngeren eine Funktion ausüben sah, von der ich mich damals schon allmählich freizumachen begann, hatte bald einer anderen Einstellung Platz gemacht, der Altersunterschied war eingeebnet und belanglos geworden (doch wie aufdringlich trat er heute wieder hervor!), wir waren beide für einander wenig andres mehr als achtungsvoll anerkannte Kameraden auf der Liste der Prominenten und Arrivierten, jener, die von der Menge mit brutaler Anerkennung auf die Schulter geklopft und mit dem so völlig entwerteten Titel »Meister« angeredet wurden, wir waren vermutlich beide der Prominenz recht müde geworden, hatten aber dafür im engsten, der Menge unzugänglichen Bezirk unserer Tätigkeit eine gewisse Esoterik, eine Handwerker- und Künstlerfreude an der Arbeit selbst, unabhängig von deren Wirkungen auf andre, entwickelt. Indessen hatte neben diesem Gefühl achtungsvoller Kameradschaft doch wohl noch eine wärmere Empfindung des einen für den andern fortbestanden, eine heimliche, durch alte Erinnerungen genährte Sympathie und Zärtlichkeit, zumindest war dies von meiner Seite her der Fall.
Für mich war Edwin der Mann, der mir zwei von Beethovens Konzerten und sogar mehrere Stücke des einst von mir sehr genau gekannten Chopin näher gebracht hatte als jeder andere Virtuose, und außerdem war er der Mann, der mich einst, zweimal im Leben, in meiner Klause aufgesucht, mir von seiner Knabenliebe für meine frühen Gedichte erzählt und mir seine Lieder vorgespielt

hatte, in denen, wie ich mich noch wohl erinnerte, die Atmosphäre meiner an Elisabeth gerichteten Verse mit einer von Chopin her stammenden Chromatik und Filigrantechnik gut zusammen gestimmt hatte. Und vielleicht war auch in ihm etwas von jener leisen und beinah verschämten Sympathie und Bindung unvergessen geblieben. Jedenfalls weckte sein Anblick nach so vielen Jahren, weckte seine Haltung, sein Anschlag und Spiel in mir schöne und herzliche Erinnerungen, und ich empfand gegen das Ende der ersten Programmhälfte den Wunsch, ihn in der Pause aufzusuchen und ihm die Hand zu drücken. Es würde recht mühsam sein, sich aus dem Saale durch all das junge lebhafte Volk hindurch bis in das Solistenzimmer durchzudrücken und durchzufragen, namentlich für die gichtischen Füße dürfte es eine Zumutung sein: aber falls Edwin mich wiedererkennen, falls mein Wiedererscheinen nach mehr als zwanzig Jahren ihm Freude machen und es zu einem kurzen Gespräch mit Erinnerungen an damals kommen sollte, war dies wohl eine Anstrengung wert.

So unternahm ich denn, selbst ein wenig über meine Tatenlust erstaunt, das Schwierige und gelangte durch tosend überfüllte Vorplätze, Korridore und Treppenhäuser in dem höchst komplizierten Bau, den ich vermutlich im Innern zur Verwendung in künftigen Alpträumen notierte, bis in eine unterirdische Region, zwei Stockwerke tiefer als mein Konzertplatz, wo gestapelte Bänke und Kisten knapp den Durchgang zu einer Türe freigaben, hinter welcher der Solist sich aufhalten sollte und die denn auch von einer dichten Gruppe junger Leute belagert war, Anbeterinnen und Autographensammlern, deren ruhige Haltung und stilles, gedämpftes Benehmen mir angenehm auffiel. Sie hatten sich alle vor dieser schäbigen Türe gestaut, welche ihrem Vordringen magischen Widerstand entgegenzusetzen schien, denn niemand von ihnen wagte es, diese Tür zu öffnen oder mit kräftigem Knöchel an sie zu pochen. Ein Bann hielt sie zurück und zwang sie zu lautlosem Warten, ein Bann, dem auch ich, kaum bei der Gruppe der Adoranten angelangt, mich alsbald hörig fühlte. Auch ich erstarrte, blieb stehen, verzichtete auf meine Wünsche und Entschlüsse, und erlag der zauberischen Lähmung. Der Mann nämlich, den wir da drinnen hinter der grauen, notdürftig gestrichenen Türe wußten, und von dem wir angenommen hatten, er habe sich entweder hingelegt, um eine Weile auszuruhen, oder er gehe nervös und erhitzt in seiner Zelle hin und her, tat nichts dergleichen. Er musizierte. Leise und zart hörten wir ihn nicht etwa auf einem Konzertflügel, sondern auf einem alten Übungspiano spielen, und was er spielte, war nicht etwa eines der beiden Chopin-Stükke, aus denen die zweite Programmhälfte bestand, sondern es war Bach, es war ein Präludium mit Fuge aus dem wohltemperierten Klavier.

Stumm und lächelnd standen wir da, lauschten, schauten zu Boden und warteten, nicht wissend, ob wir das Aufhören dieses Spieles begrüßen oder ob wir es nicht weit eher sehr bedauern würden, ungewiß auch, ob uns das Eintreten einer Pause den Mut zum Eintreten oder Anklopfen geben würde. Und war vorher, oben im Saale, zwischen mir und dem jugendlichen Publikum ein weiter Abstand gewesen, so war hier und jetzt davon nichts mehr zu spüren. Wir standen, lächelten, lauschten, und es hätte wohl keinem von uns leid getan, wenn dies gebannte Stehn und Lauschen noch unendlich lange gewährt hätte. Taten mir nicht die Füße weh? Ja, sie taten es, aber das ging mich nichts an, es geschah auf einer anderen Ebene, in einer andern Welt und Zeit. Leise, aber klar und friedevoll, heiter und überwirklich quoll die göttliche Musik durch die graugestrichenen Bretter, und es fiel mir ein, daß so, wie ich vor dieser gebannten Pforte

stand, einst Josef Knecht vor der Zellentüre des Paters Jakobus gestanden und einer Sonate zugehört hatte.
Das Schöne zieht einen Teil seines Zaubers aus der Vergänglichkeit. So dauerte auch diese Bezauberung und Berückung nur Minuten, wenn man sie schon mit dem alltäglichen Zeitmaß messen wollte. Die Treppe hinter uns herab klangen rasche und zielbewußte Schritte, ein Herr im schwarzen Rock und gestreiften Beinkleid kam mit energischen Schritten gegangen, einer jener verdienstvollen Männer wahrscheinlich, ohne welche solche Musikabende nicht möglich wären, ein Herr vom Komitee. Er war frei von der Neugierde, zu erfahren, was uns hier so wie im Märchen festgebannt halte, denn ihn vermochte kein solcher Bann zu fesseln. Energisch, hübsch, elegant und mit schönem Selbstbewußtsein trat er in unsern zögernd sich auflösenden Kreis, wich einem Mädchen aus, das ihn nicht zu sehen schien, schob ein andres rasch und sanft beiseite, griff beherzt nach der Klinke, öffnete die Tür ohne Zögern und trat ein. Ich hatte die Geistesgegenwart, dicht hinter ihm mit einzutreten, und so schritten wir, während am Klavier die Fuge von Stufe zu Stufe weiter sproßte, auf den Mann zu, der da am Piano saß und mit halbgeschlossenen Augen wohltemperiertes Klavier memorierte. Er spielte ungestört weiter, blickte nur, als wir dicht bei ihm stehen blieben, aus blauen Augen freundlich und verloren zu uns auf, und unterbrach sein Spiel erst, als der Bahnbrecher sich ihm vorstellte.
Es ist nun erzählt, was ich zu erzählen hatte. In meiner Erinnerung haben die Begebenheiten der folgenden Augenblicke keine eigentliche Wirklichkeit mehr. Sie waren weder entzückend noch enttäuschend. Edwin, wie ich mir ja hätte denken können, erkannte mich nicht wieder, war aber lieb und artig, als ich ihn an mich und an unsre einstigen Begegnungen und Beziehungen erinnerte. Ich

blieb zwei Minuten und fand mich beim Läuten der Klingel gerade wieder im Saal und auf meinem Platze ein. Das Erlebnis dieser Konzertpause, ein sehr schönes Erlebnis, war nicht das minutenkurze Gespräch mit dem Virtuosen gewesen, sondern das nicht mit Minuten meßbare Stehen vor der Tür im Kreis der Harrenden, Gebannten und Lauschenden, das glückliche, seelennährende Lauschen auf das Spiel aus Bachs Klavierwerk, in das sich der berühmte Musikant in seiner schäbigen Kellerzuflucht zurückzuziehen gewußt hatte. Vor Jahren, erinnerte ich mich mit einem sanften Schmerz, hatte ich Ähnliches zuweilen erlebt, während meines Aufenthaltes in Waldzell und Monteport. *(1947)*

Ein Satz über die Kadenz

Wenn, wie es in jenem musikalischen Dialoge, Wettstreit oder Liebesverhältnis zwischen dem Orchester und einem Solo-Instrumente, das seit zweieinhalb Jahrhunderten als »Konzert« zu bezeichnen die Fachsprache der Musiker sich angewöhnt hat, immer wieder manche Takte lang geschieht, eben jenes Solo-Instrument, der Auseinandersetzung mit dem gewaltigen Gesprächspartner sowohl wie der Rolle des bloßen Gehilfen bei der Entwicklung, Wandlung und Fortführung eines musikalischen Themas für eine Atempause lang enthoben, sich gewissermaßen aus der Verstrickung in eine beinah allzu komplizierte Welt von Funktionen, Ansprüchen, Aufgaben, Verantwortungen und Verführungen, aus einer ungemein differenzierten, vielfach abhängigen, vielen Mitspielern verpflichteten Existenz entlassen und in seine eigene, heimatliche, individuelle Welt zurückgekehrt findet, scheint diese befristete Heimkehr in sein ihm allein gehöriges Reich, in die Unschuld, Freiheit und Eigengesetzlichkeit seines eigenen Wesens ihm einen ganz neuen Antrieb und Atem, eine zuvor durch die Rücksicht auf den Partner gebundene und eingeschränkte Beschwingtheit, eine beinahe berauschte Freude an sich selbst und seinen Möglichkeiten zu verleihen, scheint es zum Genuß seiner wiedererlangten Freiheit, zum Schwelgen in der ihm allein eigenen Atmosphäre einzuladen und zu ermuntern, daß es gleich einem der Gefangenschaft entronnenen Vogel erst in langen Folgen von Trillern seiner Kräfte jubelnd wieder bewußt wird, um alsdann in bald wiegenden, bald triumphal emporsteigenden, bald bacchantisch baßwärts abstürzenden Passagen, Schwüngen und Flügen das scheinbar Unüberbietbare, ja Unmögliche an virtuoser Ekstase zu erleben. *(1947)*

»Wie Sie sehen«, schrieb Hesse 1948 an den Komponisten Will Eisenmann, »ist dieser Satz weniger ein Versuch das Phänomen der Kadenz zu erklären, als ein spaßhafter Versuch dies Phänomen in einem einzigen Satz Prosa gewissermaßen nachzuahmen.«

An einen Musiker

Sie haben mir vor einiger Zeit das hübsche kleine Buch »Musica Domestica« von Erich Valentin zugeschickt. Das hat mir seither mehrere angeregte Stunden verschafft, für die ich Ihnen und dem Autor dankbar bin. Schon gleich das erste Kapitel mit den zahlreichen oft so entzückend barocken Titeln von musikalischen Publikationen des 17. Jahrhunderts hat mich gefesselt und mich an den klassischen Satz von Anatole France erinnert: kein Buch lese er mit so viel Interesse und Vergnügen wie einen Antiquariatskatalog. In seiner sympathischen Schwebe zwischen Gelehrsamkeit und Volkstümlichkeit, einen gewaltigen Stoff an Wissen und Forschung auf kleinstem Raume stapelnd und ihn gleichsam durchwatend, zeigt es einem musikgeschichtlich halbwegs vorbereiteten Leser nicht nur die Geschichte der Begriffe »Musica domestica« oder »Hausmusik« und ihre Metamorphosen bis zur heutigen Bedeutung dieser Worte, es nimmt uns auch freundlich mit auf einem Gang durch die trotz ihrer relativen Jugend so stattliche Literatur der Musikgeschichte und Musikdeutung; im Lesen wird man fast an alles im Vorübergehen erinnert, was man je an solchen Büchern gelesen oder durchblättert hat. Erheitert hat mich natürlich auch und mir ein wenig geschmeichelt das Bestreben, der Rolle des Musikanten gegenüber auch die seines Zuhörers ins Licht zu stellen und sie höher als üblich zu bewerten, ja den nur Genießenden und Nichtskönner zum Mittätigen und Kenner empor zu adeln, dem auf dem Kanapee liegenden Radio- und Plattenhörer einen Rang zu verleihen. Mancher wird das, mit mehr oder weniger Berechtigung, sehr gern hören. Ich werde Ihnen, durch diese Rangerhöhung ermutigt, nachher auch noch ein neues schönes Radioerlebnis zu erzählen versuchen.

Freilich bin ich ein Funk- und Grammophonhörer ja erst im Alter geworden, und wenn ich meine musikalischen Erlebnisse rückblickend prüfe, sind es nicht die Genüsse der Übertragungs- und Konservenmusik, die obenan stehen und die mich zum Liebhaber und auf einigen Gebieten halbwegs zum Kenner gebildet haben. Nein, den Jahren meines einsamen Musikschlürfens in der eigenen Stube sind Jahrzehnte der vielhundertmaligen Teilnahme an öffentlichen Konzerten, Opernabenden, Festspielen und feierlichen Aufführungen von Kirchenmusik am »richtigen« und ehrwürdigen Ort vorangegangen, in Konzertsälen, Theatern, Kirchen, inmitten einer Gemeinde gleichgerichteter und ähnlich gestimmter Empfänger, deren versunken lauschende, andächtig hingegebene, oft von innen erhellte und das Schöne des Empfangenen widerstrahlende Gesichter mich sogar manchmal taktelang mehr als das eigene Hören in Anspruch nahmen. Seit Jahrzehnten habe ich den Schlußchor der Johannespassion nie mehr hören können, ohne mich einer Aufführung unter Andreae in der Zürcher Tonhalle zu erinnern: da saß auf dem Stuhl vor mir eine ältere Frau, die ich während der ganzen Aufführung nicht beachtet hatte. Als der letzte Chor verklungen war und die Gemeinde aufzubrechen begann, als Volkmar sein Stäbchen weglegte und auch ich mit jenem oft empfundenen Bedauern und widerwilligen Abschiednehmen mich zur Rückkehr ins Säkulum bereitmachte, da stand auch die Frau vor mir auf, erhob sich langsam, blieb vor dem Weggehen noch einen Augenblick stillstehen, und als sie den Kopf ein wenig zur Seite drehte, sah ich Träne um Träne über ihre Wange laufen.
Und nicht nur beim gelegentlichen Blick auf benachbarte Andächtige war nächst dem Ohr auch das Auge mittätig und beschenkt: ich sah in einem Konzert von Händel oder Vivaldi etwa den feierlichen oder hüpfenden oder

stürmischen Schritt der Streicher auch mit Augen, in den bewegten Parallelen der Geigenbögen, dem schweren Sägen der Bässe. Ich sah den Dirigenten, die Solisten, und viele Male waren sie mir befreundet und innig bekannt. Die Freundschaften und Begegnungen mit Komponisten, Dirigenten, Virtuosen, Sängern und Sängerinnen gehörten unentbehrlich mit zu meinem musikalischen Leben und meiner musikalischen Erziehung, und wenn ich heute an gewisse, im Erinnern besonders aufleuchtende Konzerte in Festsaal oder Kirche zurückdenke, so höre ich nicht nur die Musik wieder mit der besonderen Stimmung und Temperatur jener Stunden, nein ich sehe auch die rührende Gestalt Dinu Lipattis, die vornehme Paderewskis, die geschmeidige Sarasates, die aufleuchtenden Augen von Schoeck, das lässig herrenhafte Dirigieren von Richard Strauss, das Fanatische von Toscanini, das Nervöse von Furtwängler, ich sehe Busonis liebes Gesicht versunken über den Tasten hängen, sehe die Philippi in vestalischer Oratorienhaltung, die Durigo mit weit geöffneten Augen am Schluß des Lieds von der Erde, Edwin Fischers derben Knabenkopf, Hans Hubers zigeunerhaft scharfes Profil, Fritz Bruns schöne weite Armbewegungen bei einem Andantesatz, und zwanzig und hundert andre edle und teure Gestalten, Gesichter und Gebärden. Dies alles gibt es beim Radiohören nicht, und die Television kenne ich nur vom Hörensagen.

Zu zwei Stellen in Valentins Buch will ich Ihnen zum Weitergeben an den Autor noch kurze Notizen mitteilen. Da ist die Stelle mit Mörikes Zitat, wo er »die Strauss« singen hört. Die Strauss war ohne Zweifel die einst berühmte Opernsängerin Agnese Schebest, unglücklich verheiratet mit D. F. Strauss, dem noch berühmtern Verfasser des »Leben Jesu«. Die herzzerreißende Geschichte dieser Ehe kann man im Briefwechsel

zwischen Strauss und Fr. Th. Vischer kennen lernen, genauer als einem lieb ist.
Die andere Stelle, zu der ich etwas zu bemerken und an der ich auch etwas zu korrigieren habe, ist die über meinen Freund und Gönner H. C. Bodmer. Es heißt bei Valentin: »Der Züricher Arzt H. C. Bodmer war Beethoven-Spezialist.« Das ist zu wenig und ist auch zum Teil unrichtig. Freund Bodmer ist weder Arzt noch in irgendeiner Hinsicht Spezialist gewesen. Zwar hat er, noch im Alter von 36 Jahren beginnend, Medizin studiert und alle Prüfungen samt dem Doktor absolviert, hat aber nie den Beruf des Arztes ausgeübt. In der Jugend studierte er Musik und wäre wohl am liebsten Dirigent geworden, er war zeitlebens mit vielen bedeutenden Musikern befreundet und war ein Musikmäzen großen Stils, auch baute er im Lauf einiger Jahrzehnte eine der größten und wertvollsten Beethoven-Sammlungen auf, die der stets königlich Großzügige dem Beethoven-Archiv in Bonn vermacht hat. Spezialist aber war er nie, dazu war sein Horizont viel zu weit, und wenn auch seine größte Liebe und höchste Begeisterung Beethoven galt, so war er doch in der ganzen neuern Musikgeschichte beschlagen und hat auch einige Zeitgenossen, namentlich Mahler, innig geliebt.
Aber ich versprach Ihnen noch über ein neues Radioerlebnis zu berichten.
Es war ein Chopin-Abend, gegeben von einem Chinesen namens Fou Tsong, dessen Namen ich hier zum erstenmal begegnete und über dessen Alter, Schule und Person mir nichts bekannt ist. Das schöne Programm interessierte mich, und natürlich zog mich auch die wunderliche Aussicht stark an, Chopin, meine große Jugendliebe, ausgerechnet von einem Chinesen spielen zu hören. Nun, er spielte herrlich. Ich habe Chopin vom alten Paderewski, vom Wunderknaben Raoul Koschalski, von

Edwin Fischer, Lipatti, Cortot und vielen anderen großen Pianisten spielen hören. Er wurde auf mancherlei Arten gespielt, kühl-korrekt oder schmelzend oder schmissig oder launisch und eigenwillig, bald mehr auf den Klangreiz bald mehr auf differenzierte Rhythmik hin, bald fromm bald frivol, bald ängstlich bald eitel, oft war es wunderschön, aber nur selten entsprach es meiner Vorstellung von der Art, wie man Chopin spielen sollte. Diese ideale Art dachte ich mir natürlich genau so, wie Chopins eigenes Spiel gewesen sein mußte. Viel hätte ich darum gegeben, eine der Balladen von André Gide gespielt zu hören, der sein Leben lang als Klavierspieler sich intensiv um Chopin bemüht hat.

Nun, der unbekannte Chinese gewann schon nach Minuten meine Achtung, und bald auch meine Liebe, er war seiner Aufgabe völlig gewachsen. Ein Höchstmaß an technischer Perfektion hatte ich unbesehen bei ihm vorausgesetzt, das war chinesischer Ausdauer und chinesischer Geschicklichkeit ohne weiteres zuzutrauen. Die technisch-virtuose Vollkommenheit war denn auch da, Cortot oder Rubinstein hätten das nicht übertreffen können. Aber das war nicht alles. Es war nicht nur meisterliches Klavierspiel, was ich zu hören bekam, es war auch Chopin, richtiger Chopin, es mahnte an Warschau und an Paris, das Paris Heinrich Heines und des jungen Liszt, es duftete nach Veilchen, nach Regen auf Mallorca und auch nach exklusiven Salons, es klang melancholisch und klang mondän, die Differenzierung des Rhythmischen war ebenso feinfühlig wie die der Dynamik. Es war ein Wunder.

Nur – ich hätte den hochbegabten Chinesen gern auch mit Augen gesehen. Es hätte sein können, daß mir aus seiner Haltung, seinen Bewegungen, seinem Gesicht die Beantwortung einer Frage möglich geworden wäre, die sich nach Schluß der Funksendung in mir erhob, der

Frage nämlich: hat dieser Hochbegabte nun das Europäische, das Polnische, das Pariserische, die Schwermut und die Skepsis dieser Musik von innen her begriffen – oder hat er einen Lehrer, einen Kollegen, einen Meister, ein Vorbild gehabt, dessen Spiel er bis in alle Nüancen nachgeahmt und auswendig gelernt hat? Ich möchte ihn das gleiche Programm nochmals, noch mehrere Male und an verschiedenen Tagen spielen hören. War alles echt und Gold, war Fou Tsong wirklich der Musikant, für den ihn zu halten ich sehr geneigt war, dann mußte auch jede neue Aufführung, und sei es in kleinsten Merkmalen, etwas Neues, Einmaliges, Individuelles haben und durfte nicht nur das nochmalige Ablaufen einer wunderschönen Platte sein.

Nun, vielleicht wird meiner Frage doch einmal Antwort werden. Die Frage hat mich nicht etwa während des Konzertes gestört, sie ist mir erst nachher aufgestiegen. Und während ich ihn spielen hörte, habe ich in manchen Augenblicken den Mann aus dem Osten auch beinah gesehen, nicht den wirklichen Fou Tsong natürlich, sondern einen von mir imaginierten, erfundenen, geträumten. Da glich er einer Gestalt von Tschuang Tse oder aus dem Kin Ku Ki Kwan, und sein Spiel, so schien mir's, wurde ausgeführt mit der geisterhaft sicheren, völlig gelösten, fromm von Tao gelenkten Hand, mit der die Maler des alten China den Tuschepinsel führten, um in Bild und Schrift ganz nahe an das zu rühren, was sich in glücklicher Stunde als Sinn der Welt und des Lebens ahnen läßt.

(1960)

In Sand geschrieben

Daß das Schöne und Berückende
Nur ein Hauch und Schauer sei,
Daß das Köstliche, Entzückende,
Holde ohne Dauer sei:
Wolke, Blume, Seifenblase,
Feuerwerk und Kinderlachen,
Frauenblick im Spiegelglase
Und viel andre wunderbare Sachen,
Daß sie, kaum entdeckt, vergehen,
Nur von Augenblickes Dauer,
Nur ein Duft und Windeswehen,
Ach, wir wissen es mit Trauer.
Und das Dauerhafte, Starre
Ist uns nicht so innig teuer:
Edelstein mit kühlem Feuer,
Glänzendschwere Goldesbarre;
Selbst die Sterne, nicht zu zählen,
Bleiben fern und fremd, sie gleichen
Uns Vergänglichen nicht, erreichen
Nicht das Innerste der Seelen.
Nein, es scheint das innigst Schöne,
Liebenswerte dem Verderben
Zugeneigt, stets nah am Sterben,
Und das Köstlichste: die Töne
Der Musik, die im Entstehen
Schon enteilen, schon vergehen,
Sind nur Wehen, Strömen, Jagen
Und umweht von leiser Trauer,
Denn auch nicht auf Herzschlags Dauer
Lassen sie sich halten, bannen;
Ton um Ton, kaum angeschlagen,
Schwindet schon und rinnt von dannen.
So ist unser Herz dem Flüchtigen,

Ist dem Fließenden, dem Leben
Treu und brüderlich ergeben,
Nicht dem Festen, Dauertüchtigen.
Bald ermüdet uns das Bleibende,
Fels und Sternwelt und Juwelen,
Uns in ewigem Wandel treibende
Wind- und Seifenblasenseelen,
Zeitvermählte, Dauerlose,
Denen Tau am Blatt der Rose,
Denen eines Vogels Werben,
Eines Wolkenspiegels Sterben,
Schneegeflimmer, Regenbogen
Falter, schon hinweggeflogen,
Denen eines Lachens Läuten,
Das uns im Vorübergehen
Kaum gestreift, ein Fest bedeuten
Oder wehtun kann. Wir lieben,
Was uns gleich ist, und verstehen,
Was der Wind in Sand geschrieben.

»Wo Ratio und Magie eins werden...«

Mit neun Jahren, an meinem Geburtstage, schenkten mir die Eltern eine Geige. Von diesem Tage an ist das hellbraune Geiglein auf allen Fahrten mit mir gegangen, viele Jahre lang, und von diesem Tage an hatte ich ein Abseits, eine innere Heimat, eine Zuflucht, wo seither unzählige Erregungen, Freuden und Kümmernisse sich versammelten.
Der Lehrer war mit mir zufrieden. Mein Gehör und Gedächtnis war scharf und peinlich treu, und allmählich zeigte sich im Lauf der Lehrjahre das, was den Geiger macht, der feste, fähige Arm, das freie Gelenk, die ausdauernden kräftigen Finger.
Fürs erste erwies sich leider die Musik als ein unerwartetes Übel, denn sie nahm mich fast völlig gefangen und verleidete mir den Schülerfleiß. Dagegen lenkte sie meinen Ehrgeiz und meine Knabenwildheit von den gröberen Spielen und Freveln ab, sie milderte meine Hitze und Leidenschaft, sie machte mich schweigsam und verträglich. Ich wurde keineswegs zum Geiger erzogen, mein Lehrer war sogar ein Dilettant, daher war der Unterricht mir ein Vergnügen und zielte weniger auf strenge Übung und Präzision als auf ein baldiges Etwaskönnen. Der erste Choral, zum Geburtstag der Mutter gespielt, war ein festliches Ereignis. Und alsdann die erste Gavotte, die erste Haydnsonate! Ich war selber voll Freude und Eitelkeit, aber allmählich spürte meine Natur doch einen Mangel, so daß ich vor einem gewissen flotten Strich, einer Dilettantenverve gefährlicher Art bewahrt blieb.
(Aus »Hermann Lauscher«, ›Meine Kindheit‹)

Die Geigstunden sind angenehmer, wir vier, die wir zusammen Stunde haben, sind jetzt bereits soweit, daß wir eine uns allen neue, vollständig unnatürliche Bogenhaltung gelernt haben. Bei Herrn Haasis haben wir auch Singstunde und zwar ganz regelrechte. Die ersten drei Singstunden vergingen damit, daß wir einen schön ovalen Mund machen lernten. Ich bin beim Baß; meine Stimme geht bereits merkwürdig herunter. Ich muß jetzt auch Baßnoten lernen, die ich immer mit den andern verwechsle. Singen können wir Bassisten jetzt die tiefste Tonleiter und zwar mit la, mit a, mit v und mit i. Wenn wir einige Akkorde singen mit o, so entsteht ein beinahe lächerliches Klagen. Stellt Euch vor, wie 17 junge Leute mit halb- oder ganz gebrochenen Stimmen mühsam hervorzwängen:

c d e f g o-o-o-o-o etc.

Wenn dann einer allein singen muß, hat er sich sehr in acht zu nehmen, daß er gewiß die rechte Stellung einnimmt, den Mund weit genug öffnet und den Atem »spannt«. Die andern sind dann immer in Lebensgefahr; denn man könnte platzen vor Lachen und soll doch möglichst ernsthaft aussehen... Wie Ihr wißt, bin ich auf der größten Stube, auf Hellas, und da ist es oft so schön, wenn die ganze Promotion... abends auf unsre Stube kommt. Da wird meistens zuerst ein kleines Streichkonzert gegeben, dann gesungen. Eben dieser Gesang ist meistens sehr schön. Von 2 Schello, 6 Geigen, eine Viola, ein Contra-Baß und zwei Flöten begleitet singt die ganze Promotion allerlei schöne Volkslieder, auch Choräle. Ihr müßt vielleicht lachen, wenn Ihr Euch vorstellt, wie da die Musikanten herumsitzen und stehen. Aber es ist fast immer sehr schön; es darf keiner, keiner mitspielen, der das betreffende Lied nicht kann und so stören würde. Wenn dann hie und da die Gesellschaft ausgelassen wird und Lenaus Wort nimmer paßt:

»Aus des Basses Sturmgewittern
Mit unendlich süßem Sehnen
Singen Geigen, Grabsirenen«,

dann machen wir Hellenen unser Hausrecht geltend und Schello, Flötist, Bassist und alle müssen wandern, was immer mit großem Spektakel verbunden ist.
(Aus einem Brief des 14jährigen vom 4. 1. 1891 aus Maulbronn an die Eltern)

Meiner Geige

Du braunes Holz, behutsam leg
Ich meine Hand an deine Wände
Und prüfe Wirbel, Brett und Steg,
Ob ich kein neu Geheimnis fände.

Oft, wenn du glänzend von der Wand
Mich anblickst, scheint in dir zu rasten
Ein Ton, den noch mein Spiel nicht fand,
Den Menschenhände niemals faßten.

Oft auch beginnst du heimlich zart
In meinem Griffe zu erwarmen,
Als läg ein Freund seltsamer Art,
Ein Lieblingsfreund mir in den Armen.

Komm her! Sei noch einmal dem Drang
Der Schwermut so wie einst zu Willen,
Da du mir tröstend nächtelang
Die heiße Jugend halfest stillen!

Da war mein ängstlich fernes Ziel:
So, wie ich's heut' vermag, zu geigen . . .
O wäre mir und meinem Spiel
Noch jene keusche Jugend eigen!

Ich weiß nicht, ob Du Chopin kennst, er ist selten zu genießen, da seine Musik durchweg unglaublich schwer wiederzugeben ist und auch, was die reine Technik betrifft, selbst Virtuosen anstrengt. Ich liebe ihn, wie ich außer Mozart keinen Musiker liebe, und ich wünsche meinem geträumten Liede eben die Wirkung, die Chopin auf mich ausübt. Diese zarten, fremdrhythmischen Klangreihen, zuweilen etwas nervös, packen mich wie jenes »Wunderglockenspiel« Hauptmanns[1], »daß meine Brust erschluchzt in weher Lust«. Ihm danke ich ja auch mein Nocturno[2], das zum Druck bereit liegt, aber noch nicht heraus ist.

(Brief, Januar 1896, an Eberhard Goes)

Chopin

I

Schütte wieder ohne Wahl
Über mich die bleichen, großen
Lilien deiner Wiegenlieder,
Deiner Walzer rote Rosen.

Flicht darein den schweren Hauch
Deiner Liebe, die im Wolken
Duft verstreut, und deines Stolzes
Schaukelschlanke Feuernelken.

---

1 In Gerhart Hauptmanns Märchendrama »Die versunkene Glocke«, S. Fischer, Berlin, 1897, sagt der Glockengießer: »Und nun erklingt mein Wunderglockenspiel/In süßen, brünstig süßen Lockelauten/Daß jede Brust erschluchzt vor weher Lust . . .«
2 Beigefügtes längeres Gedicht mit dem Untertitel »eine Ballade«. Darin heißt es u. a.: »Heimlich grüßend, altgewohnt/erklang Chopins Nocturno mir./Das war so ganz der Märchenklang,/von scheuen Händen leis beschworen,/so lieb, so zart, so bang/und flüchtig in die Nacht verloren;/so ganz der holdbewegte Takt,/der mich gemahnt an Windeswehn,/ans ferne Meer, das nächtlich klagt, an roter Sonne Untergehn.«

II
Grande Valse

Ein kerzenheller Saal
Und Sporengeläut und Tressengold.
In meinen Adern klingt das Blut.
Mein Mädchen, gib mir den Pokal!
Und nun zum Tanz! Der Walzer tollt;
Erhitzt vom Wein mein Brausemut
Nach aller ungenossenen Lust begehrt –

Vor den Fenstern wiehert mein Pferd.

Und vor den Fenstern hüllt die Nacht
Das dunkle Feld. Es trägt der Wind
Von fern Kanonendonner her.
Noch eine Stunde bis zur Schlacht!
– Tanz rascher, Schatz; die Zeit verrinnt,
Es wiegt der Sturm die Binsen hin und her,
Die nächste Nacht mein Bette sind –

Mein Totenbett vielleicht. – Juchhe, Musik!
In durstigen Zügen trinkt mein heißer Blick
Das junge, schöne, rote Leben ein,
Und trinkt sich nimmer satt an seinem Licht.
Noch einen Tanz! Wie bald! und Kerzenschein
Und Klang und Lust verlischt; der Mondschein flicht
Schwermütig seinen Kranz in Tod und Graus.
– Juchhe, Musik! Vom Tanz erbebt das Haus,
Erregt am Pfeiler klirrt mein hängend Schwert. –

Vor den Fenstern wiehert mein Pferd.

III
Berceuse

Sing mir dein liebes Wiegenlied!
Seit meine Jugend von mir schied,
Mag ich so gern die Weise hören.
Komm zu mir, süßer Wunderklang,
Nur du kannst noch die Nacht entlang
Mein ruheloses Herz betören.

Leg mir aufs Haar die schmale Hand
Und laß von unsrem Heimatland,
Von totem Ruhm und Glück uns träumen.
Gleich einem Stern, der einsam zieht,
Soll flackerhell dein Märchenlied
Die Nächte meiner Schwermut säumen.

Und stelle mir zu Häupten doch
Den Rosenstrauß! Er duftet noch
Und träumt sich heimwärts wehbeklommen.
Ich bin ja auch so welk und schwank,
Gebrochen und am Heimweh krank,
Und kann nicht mehr nach Hause kommen.

(1897)

Für meinen Geschmack mag Dir meine Liebe zu Chopin bezeichnend sein – aber nur für die Musik. In der Dichtkunst liebe ich, so sehr ich Rhythmus und Wohllaut verehre, mehr den durch einzelne Worte, einzelne bedeutende Lautformen sich ergebenden Takt, als die vollendete, komplizierte Klangtechnik, die mir bei Chopin imponiert.

(Brief, 12.6.1897, an Karl Isenberg)

Daß Euch mein Chopin-Lied[1] nicht zusagt, begreife ich. Es ist nichts Berühmtes. Aber was für Nietzsche Wagner war, ist für mich Chopin, – oder noch mehr. Mit diesen warmen, lebendigen Melodien, mit dieser pikanten, lasziven, nervösen Harmonie, mit dieser ganzen so ungemein intimen Musik Chopins hängt alles Wesentliche meines geistigen und seelischen Lebens zusammen. Und dann bestaune ich an Chopin eben immer wieder die Vornehmheit, die Zurückhaltung, die vollendete Souveränität seines Wesens. An ihm ist alles adlig, wenn auch manches degeneriert.

(Brief, 25.9.1897, an die Eltern)

Am Donnerstag hörte ich vom Akademischen Musikverein Schumanns Requiem, eine besondere, sehr feine, und zuweilen ergreifende Musik. Der erste Chor desselben, mit einem Anflug schwermütigen Kirchentones, ist mir durch und durch gegangen. Ich Schwärmer war auch von dem Latein des Textes erbaut. Vetter Hermann sang in einem Solisten-Quartett mit.

(Brief, 24.1.1898, an die Eltern)

Ich lebe hier in der gewohnten Weise. Neben dem Beruf füllt der schöne, immer neue Kult mir Zeit und Sinn – Dichtung, Geschichte der Künste, auch Musik! Ich hörte neulich den Klavierprofessor Pauer[2] ganz wunderbar spielen:

---

1 1897 hatte Hesse in der Zeitschrift »Deutsches Dichterheim«, Wien, sein Chopin-Gedicht »Grande Valse« veröffentlicht und es seinen Eltern zugeschickt. Die Antwort des Vaters lautete: »Herzlichen Dank für die . . . Nummer vom Dichterheim, die freilich nichts enthält, was ich zu würdigen in der Lage wäre.«
2 Ernst Pauer (1826-1905), Pianist und Komponist, bis 1896 Prof. an der Londoner Musikakademie.

Scherzo C moll op. 16 Mendelssohn
Romanze Fis dur op. 29 Schumann
Scherzo H moll op. 20 Chopin.

Ich glaube, daß ich bisher auf dem Klavier nichts annähernd so Gutes gehört habe. Ich hatte von Pauer, den ich früher einmal hörte, nicht so viel erwartet. Die Romanze von Schumann trug er mit prächtigem Takt vor – im Publikum waren wenige, die das merkwürdig kühne Schumannstück erfaßten. Gefallen hat wohl das erste Scherzo am meisten. Es war ein »Sekt«stück, präzise, graziös, perfekt gespielt, aber für mein Musikgefühl oder, sagen wir: Musikgewissen etwas zu sehr Mendelssohn: Musik für Viele, für Alle, man kann sich zu ihr nichts wie eine Gemeinde denken. Anders bei jener Romanze. Da sah man neben hundert großen Augen so anderthalb oder zwei Dutzend Versteher, deren Blicke sich gelegentlich trafen. Ein wildfremder Roigel kam mir da plötzlich ganz freundlich bekannt vor. Der Chopinschluß paßte gut. Die entscheidende Stelle des Scherzo kam famos heraus. Ich meine den Schluß des »Sostenuto«. Der schrille, überraschende, blitzartige Griff in die Dissonanz hing gar nicht in der Luft, er war ein organischer Teil – ich verstehe erst seither dieses Scherzo recht. Da meine Kenntnis sich über verhältnismäßig nur sehr wenige Musiksachen erstreckt, suche ich diese möglichst innig zu fassen, im Geist auswendig zu lernen, um so von wenigen Mittelpunkten aus einen Standort und Ausgangspunkt meines Gefühls zu haben. Eine bescheidene Ästhetik – aber besser als keine oder eine fremde.

(Brief, 23. 5. 1898, an Karl Isenberg)

Chopins H moll-Scherzo hörte ich vor einiger Zeit vom kleinen Pauer vorgetragen. Es war seit Sarasate[1] das erste glänzende Meisterspiel, das ich hörte, und tat mir überaus wohl. Ich habe Chopin nie so fein vortragen hören, so elegant und flüchtig, mit allem Reiz seiner Heimlichkeiten und Dämmerungen. Der schrille Höhepunkt jenes Scherzo, der wenig Spielern schön gelingt, trat rein und ergreifend hervor.
(Brief, 27.8.1898, an Helene Voigt-Diederichs)

Sarasate!

Auf fernen Schwingen fliegt ein Ton
Und einer noch – der Letzte – rinnt
Ihm nach – und bebt – und ist entflohn –.
O daß ich weinen dürfte,
Wie um sein Spielzeug weint ein Kind!

Ich sitze noch – der Jubel gellt –
Und meine Sinne trinken lang
Die Luft noch einer fernen Welt,
Die meine fromme Kindheit
Mit Heimweharmen schon umschlang.

Die Luft noch einer fremden Welt,
Die nächtelang mit loher Brunst
Mein fiebernd Aug' im Banne hält –
Das Land der Heimatlosen,
Dies sonnenrote Reich der Kunst.

(geschrieben am 6.12.1897)

---

1 Pablo de Sarasate (1844-1908), spanischer Violinvirtuose und Komponist.

Sarasate

»Hat Ihnen Sarasates Kreuzersonate gefallen, Maria?«
»Sehr. Ich habe Ihre Freunde darüber sprechen hören. Sie waren unzufrieden. Er verstehe die deutsche Musik nicht.«
»Sie glauben das nicht?«
»Vielleicht. Es ist mir einerlei. Warum soll ich von ihm verlangen, daß er die deutsche Musik versteht? Er ist kein Deutscher, er hat ein rascheres und leichteres Herz. Er ist nur Künstler, nur Geiger, kein Philosoph und kein Dichter.«
»Haben Sie aber nicht doch von der Kreuzersonate unsres Freundes C. einen tieferen Eindruck erhalten?«
»Doch – ja. Aber ich denke, das ist nicht das Wesentliche. Mir lag doch nicht daran, Herrn C. kennen zu lernen, sondern ein schönes Musikwerk. Sonst wäre ja die Dilettantenmusik die beste. –
Ich meine so –: Ihr Dichter seid gewohnt, euer Herz in der Hand zu tragen. Wenn ihr traurig seid, sagt ihr in einem Lied: Seht her, so traurig bin ich! Und nun wollt ihr von den andern Künstlern dasselbe, wenig Schmuck und viel Gefühl. Der Geiger soll euch sein Herz vorgeigen, so wie leidenschaftliche Dilettanten sich irgend ein Leid oder einen Ärger vom Herzen spielen, um es los zu werden. Eben das liebe ich nicht. Ich fordere von einem Geiger am meisten, daß er zeigt: Ich kann geigen, meine Hand macht keine Bewegung ohne meinen Willen, ich herrsche über alle tausend Töne, über alle Rhythmen, über laut und leise. Deshalb gefällt mir Sarasate mit seinem ruhigen, gepuderten Kopf, mit seinen feinen Bewegungen, die so frei von Leidenschaft erscheinen. Ich mußte zuweilen an die strenge, ruhige Hand eines genialen Ätzers oder Kupferstechers denken.«
»Ich verstehe Sie wohl. Sie selbst leben in dieser Weise.

Ihr Gang und Ihre Stimme sind solche Kunstwerke. Man sieht Ihnen zu und fragt: Woher hat sie diese Ruhe? Hat sie immer dieses stille Herz? Hat sie nicht wie andere Stürme und Nachtstunden? Niemand versteht Sie. – Aber Sie haben Ihre vollkommene schöne Natur, ebenso wie Sarasate seine Reinheit und Eleganz der Töne. Wem diese fehlt, wer an Mängeln und Fehlern leidet, der kann nicht so einfach in sich selber ruhen, der bedarf der heftigen Reden und Gebärden, der Sprache und vielerlei Verkehrs, um seinem Leben Gleichgewicht und Rundheit zu geben.«

»So sind Sie! Immer! Weil ich stark bin und das Spielen mit Leidenschaften nicht liebe, weil ich die Gaukler und Akrobaten nicht leiden mag, sagen Sie: Du hast einen leichten Weg, weil du schön bist; du hast geschenkt bekommen, was du zum Leben brauchst. Andere sagen: Du bist eitel und dumm, du weißt, daß dein Mund im Schweigen am schönsten ist. Und andere: Du bist feige, dir fehlt der Mut zur Tat und zum Bekenntnis, du bist zahm.«

»Was denken Sie aber zu diesen Vorwürfen?«

»Zunächst denke ich, daß diese alle gar kein recht haben, mir Vorwürfe zu machen. Und dann: es ist Kleinheit. Was ist der Mut, der mir fehlt? Sein Herz zu Tollheiten stacheln, seine Gedanken zu Absonderlichkeiten zwingen, immer voll Lust, die andern aufmerksam zu machen! Ihr Dichter! Das Sehen und Erzählen ist euch zu schwer und mühsam, ihr steigt in eure Reden, ihr holt von dort alles Glänzende und Seltsame, bis ihr alles, was schwer und unmöglich ist, gesagt und eure Seelen erschöpft habt. Was ich vermisse an euch allen, das ist der Fleiß und der rechte, hohe Stolz. Wenn ihr stolz wäret, dann lägen eure Tempel nicht an der Landstraße, dann würdet ihr eure Geheimnisse nicht an die Bälle und an die Teeabende tragen. Ihr habt feine und dichterische Gedanken, aber sie gehen als kleines Geld durch eure und alle Hände. Sehen Sie, davon ist Sarasate das Gegenteil. Er besitzt Fleiß und Stolz. Er bewegt ohne eure Ekstasen seinen Bogen mit unendlicher Sorgfalt und Künstlerliebe. Ihr aber sagt: Er versteht die deutsche Musik nicht –« *(ca. 1898)*

Sie fragen nach meinem Urteil über Beethoven und Wagner.
Bei letzterem werde ich immer als Laie zuhören. Denn meine innerste Natur ist undramatisch. Ich ziehe den Laut eines fallenden Zweiges allen Theatereindrücken vor, die mir unsagbar roh und plump erscheinen. Ehe ich bei Wagner Züge dieser geschminkten Roheit entdeckte, war er mir sehr viel. Noch jetzt packt mich oft ein kecker Wurf von ihm gewaltig, aber mein Eindruck ist zwiespältig und unerquicklich.
Anders Beethoven. Hier finde ich Dramatisches im guten, höchsten Sinn, d. h. Leben, Verwandlung und Entwicklungen. Die Klaviersonaten – mein Liebling die 23te – sind ein unergründlicher Schatz. Ebenso die wundervollen Symphonien und einige köstliche Streichquartette. Wenn nicht Chopin wäre, der so unbegreiflich mir aus der innersten Seele redet, so wüßte ich neben Beethoven wenig Klaviermusik zu ertragen.
Als Geiger bin ich durchaus unzulänglich und spiele nie für Hörer.
Sie verstehen, daß ich durch die Musik wie sonst durch nichts schöpferisch angeregt werde. Diejenigen meiner Verse, die mir selber am liebsten sind, lassen sich fast alle auf Stücke von Chopin und Beethoven zurückführen.
(Brief, 9.11.1898, an Helene Voigt-Diederichs)

Heute (Sonntag) hatte ich einen Genuß seltenster Art. Ich war in einer der herrlichen Schapitzschen Matinées und hörte zwei Beethovenquartette, op. 59 III und op. 131. Das erste hat ein Menuetto und Allegro molto von unvergleichlicher Eleganz. Im Augenblick gibt es vielleicht in ganz Deutschland nichts Edleres zu hören als die ungemein streng studierten Beethovenquartette der vier Stuttgarter Kammermusiker. Das Publikum ist sehr klein und man sieht ziemlich die Kenner beisammen. Das Unternehmen erfreut mich ungemein. Es gehört ein Mut dazu, im nüchternen Saal, im Vormittagslicht, mit vier Pulten und Instrumenten und den fast unbekannten Beethovenquartetten öffentlich zu konzertieren. Mich erquickt diese Schapitzmusik unsäglich. Denken Sie: Ein Streichquartett, am Sonntagmorgen, ohne Licht und Schmuck und Virtuosenpomp, vor kaum hundert Hörern, ohne Pausengespräch und Toilettenglanz, so daß jeder ganz Ohr sein kann und männiglich beim Klatschen nach Kräften hilft, um den Saal zu füllen. Dabei sind die vier Spieler tüchtige Künstler, peinlich scharf geübt, und jeder wirkt ohne Virtuosenegoismus herzlich mit, diese alten Meisterquartette rein ans Licht zu bringen. Hier ist ein famoser Prüfstein für das Publikum: die meisten fallen ab, man sieht deutlich, wie weit Geist und Bildung reicht. Die Enthusiasten der Oper dauern am schlechtesten aus, man fühlt peinlich, wie die Theatermusik und das Orchester auch gute Ohren für diese vornehmen, aber pomposen Kunstwerke abgestumpft und unfähig gemacht haben. Wenn Sie das heutige Andante ma non troppo gehört hätten, könnte ich mir alle Worte sparen. Da saßen die vier Geiger jämmerlich unverstanden auf ihren Stühlchen.
(Brief, 19.2.1899, aus Tübingen an Helene Voigt-Diederichs)

Eine gute Aufführung der Meistersinger war der Abschluß. Das Preislied hat mir wieder sehr wohlgetan, auch war eine sehr gute Frauenstimme da, aber ich spürte doch auch mein altes Aber gegen die Bühne und ihre Grobheiten wieder. Das Theater ist mir kein Bedürfnis und immer auch nur ein halber Genuß. Es ist Kunst zweiter Güte, auch widersteht meinem Geschmack der große Apparat, welcher den Eindruck hundert Zufällen aussetzt. Die »Meistersinger« selber hab ich immer gern gehabt.

(Brief, 8.3.1899, an die Eltern)

Danke schön für Ihren letzten Brief! Denken Sie: fast zu gleicher Zeit als Sie Sarasate hörten, war ich hier in einem Konzert Joachims[1]. Er war imponierend, hat aber Sarasate bei mir nicht verdrängt. Ohne Zweifel ist Joachim der gebildetere Künstler und der tiefere Musiker, aber Sarasate hat eben das brillante Wesen des Romanen, die Gelenkigkeit und das Temperament des Südländers, er ist virtuos mit allem Bewußtsein und aller Eitelkeit, und eben das liebe ich an ihm.
Außerdem hörte ich Anthes als Tannhäuser und die Hiedler als Elsa, aber das hiesige Theater ist so schlecht, daß ich beschloß nimmer hinzugehen.

(Brief, 28.2.1900, aus Basel an Helene Voigt-Diederichs)

Ich muß Sie doch schnell noch grüßen! Eben verließ ich den kleinen Musiksaal, wo Otto Hegner ein brillantes Klavierkonzert gab. Da war besonders ein Andante von Haydn, im elegantesten Rokoko, kühl, silbern und

---

[1] Joseph Joachim, Direktor der Berliner und Weimarer Hochschule für Musik, hervorragender Violinist, dem u. a. Brahms und Dvořák ihre Violinkonzerte widmeten.

wohllaut, und eine kleine Romanze von Hans Huber[1], so leicht, regellos und traurig wie ein großer dunkler Schmetterling in der Sonne. Ich genoß wie selten.
Wundert es Sie, daß ich einen solchen Genuß extra verzeichne und rühme, da ich doch oft Musik höre? Aber leider kann ich eben nicht immer voll genießen. Oft im tiefen Wald, wenn alle Schönheit und Ruhe der Natur um mich ist, verlangt mich plötzlich, lieber zu Hause zu sitzen und bei Zigarre und Kerzenlicht einen romantischen Schmöker von 1800 zu lesen. Und ein ander mal wenn ich in einem guten Konzert sitze, hört mir oft urplötzlich die Lust auf und ich sehne mich irgendwo allein in einer Schlucht zu liegen, nur Felsen und Farnkraut über mir. –
Aber in den Augenblicken, wo eine vorzügliche Musik mich wirklich »hat«, wo der kühle, vornehme Glanz eines Holbein zu mir redet oder wo ich im grünen Wald mich entkleide um ein rasches Bad im Bach zu nehmen – in diesen Augenblicken erfüllt mich die Lust des Lebens so farbig, so reich und zitternd, daß ich nicht weiß ob andere so voll und selig sein können.
Heute bei diesem Stückchen Haydn ging mir in einem kurzen, süßen Augenblick das Wunder dieser zarten Vollkommenheit so hell und glücklich auf, daß ich heute noch irgend jemandem sagen muß, ich sei glücklich gewesen.

(Brief, 30. 5. 1900, an Helene Voigt-Diederichs)

Vorausgesetzt, die Lehre von Reinkarnation und Seelenwanderung sei richtig, dann glaube ich, die paar großen Musiker (Beethoven) sind auf späten, hohen Stufen der Vollendung, in ahnungsvollen Stunden schon eins

[1] Hans Huber (1852-1921), schweiz. Komponist, damals Direktor der Allgem. Musikschule Basel.

mit dem Wesen der Welt. Denn ihre Verkündigungen sind das Reinste, Heiligste und Edelste, was von Menschen ausgehen kann.

(»Notizen« aus dem Jahre 1907)

Diese Dichtung ist ein Versuch, die romantische Oper zu erneuern. Verse und Gesang gehen durch, ohne unterbrechende Prosa, die Höhepunkte sind durchaus liedhaft lyrisch, die Dramatik ruht in der Handlung selbst und im Ton des Dialogs, der teils an die Ballade, teils ans Volkslied anklingt. Daß diese Form ungewöhnlich hohe Anforderungen an den Komponisten stellt, sehe ich wohl ein, doch schien mir das kein Grund, den Versuch zu unterlassen.

(Begleittext zu dem bisher unveröffentlichten Opernlibretto Bianca, 1908/1909)

Ich mochte lange Zeiten auf fremden Wassern treiben, kein Notenheft und kein Instrument anrühren, eine Melodie lag mir doch zu jeder Stunde im Blut und auf den Lippen, ein Takt und Rhythmus im Atemholen und Leben. So begierig ich auf manchen anderen Wegen nach Erlösung, nach Vergessen und Befreiung suchte, so sehr ich nach Gott, nach Erkenntnis und Frieden dürstete, gefunden habe ich das alles immer nur in der Musik. Es brauchte nicht Beethoven oder Bach zu sein: – daß überhaupt Musik in der Welt ist, daß ein Mensch zuzeiten bis ins Herz von Takten bewegt und von Harmonien durchblutet werden kann, das hat für mich immer wieder einen tiefen Trost und eine Rechtfertigung alles Lebens bedeutet. O Musik! Eine Melodie fällt dir ein, du singst sie ohne Stimme, nur innerlich, durchtränkst dein Wesen mit ihr, sie nimmt von allen deinen Kräften und Bewegungen Besitz – und für die Augenblicke, die sie in dir lebt, löscht sie alles Zufällige, Böse, Rohe, Traurige in dir aus, läßt die Welt mitklingen, macht das Schwere leicht und das Starre beflügelt! Das alles kann die Melodie eines Volksliedes tun! Und erst die Harmonie! Schon jeder wohllautende Zusammenklang rein gestimmter Töne, etwa in einem Geläut, sättigt das Gemüt mit Anmut und Genuß, und steigert sich mit jedem hinzuklingenden Ton, und kann zuweilen das Herz entzünden und vor Wonne zittern machen, wie keine andere Wollust es vermag.

Von allen Vorstellungen reiner Seligkeit, die sich Völker und Dichter erträumt haben, schien mir immer die höchste und innigste jene vom Erlauschen der Sphärenharmonie. Daran haben meine tiefsten und goldensten Träume gestreift – einen Herzschlag lang den Bau des Weltalls und die Gesamtheit alles Lebens in ihrer geheimen, eingeborenen Harmonie tönen zu hören. Ach, und wie kann denn das Leben so wirr und verstimmt und verlogen sein, wie kann nur Lüge, Bosheit, Neid und Haß unter Menschen sein, da doch jedes kleinste Lied und jede bescheidenste Musik so deutlich predigt, daß Reinheit, Harmonie und brüderliches Spiel klargestimmter Töne den Himmel öffnet!

(Aus dem Musikerroman »Gertrud«, entstanden 1909)

Wo wir etwas finden, das wie Musik ist, da müssen wir bleiben; es gibt im Leben gar nichts andres zu Erstrebendes als das Gefühl der Musik, das Gefühl des Mitschwingens und rhythmischen Lebens, der harmonischen Berechtigung zum Dasein. Wo das ist, darf sonst viel spuken, und es spukt ja auch bei uns allen.

(Brief, 24.11.1910, an Ludwig Renner)

Die Briefe Beethovens in einer Gesamtausgabe von beinahe tausend Seiten kann man jetzt im Verlag Hesse & Becker in Leipzig für die Bagatelle von vier Mark kaufen! Es ist nicht nur die billigste, sondern auch die weitaus vollständigste Sammlung mit anderthalbtausend Briefen. Das ist ein merkwürdiges Durcheinander, wenig »Schönes« und Literarisches drin, dafür viel Torheiten und Augenblicksscherze, Wortspiele, Ulknamen, rechte Musikantenwitze, Geldangelegenheiten, dann die lange traurige Sache mit dem Neffen Carl. Der Kopist wird schweinisch angeflucht, der Verleger kaum zarter, eine Geliebte wird schwelgerisch gepriesen, aber mit dem ärgerlich abbrechenden Schluß: »Hol Sie der Teufel!« Es ist alles so menschlich wie möglich, dazwischen das damalige Wien, und darüber gelegentlich durch Wolken ein Blick in Beethovensche Himmel. So lieb und wienerisch nett er gelegentlich sein kann, so nervös und mißtrauisch er dann wieder ist, immer wieder spürt man doch eine dünne Luft von Fremdheit um ihn her, wie sie sein Bildnis und seine Musik umgibt, aber nie den leisesten Schatten einer falschen Größe, einer Eitelkeit, einer Maske. Die Briefe sind nicht derart, daß sie zusammen eine Biographie ergäben, aber sie ergeben ein Bild des Beethovenschen Alltags, und sie zeigen rührend, was für ein zarter, gütiger Mann hinter dem explosiven Grobian und dem kalauernden Kameraden gesteckt hat.
(»*Beethovens Briefe*«, *Rezension in der Zeitschrift* »*März*«,
München, vom 24.8.1912)

Es gibt zweierlei Musik. Die eine ist klassisch, die andere romantisch. Die eine ist architektonisch, die andre malerisch. Die eine ist kontrapunktisch, die andere koloristisch. Wer wenig von Musik versteht, genießt meistens die romantische leichter. Die klassische hat keine solche

Orgien und Räusche zu bieten wie jene, sie bringt aber auch nie Dégout, schlechtes Gewissen und Katzenjammer.

(»Notizen« aus dem Jahre 1912)

Mein Verhältnis zur Musik ist, wie Sie vermuten, ein unmittelbares. Ich selber mache keine Musik, nur daß ich viel singe und pfeife. Aber ich brauche stets Musik, und sie ist die einzige Kunst, die ich bedingungslos bewundre und für absolut unentbehrlich halte, was ich von keiner andern sagen möchte.

(Brief, ca. 1913, an Alfred Schaer)

Neulich hörte ich in Zürich Mahlers 8. Symphonie. Viel zuviel Aufwand (Mozart und Bach erreichen mit einem Viertel an Stimmen mehr) und gar kein Bezwingen des Goethe-Textes, aber eine Reihe unendlich feiner, ohne weiteres schön wirkender klanglicher Kostbarkeiten. Aber die Hauptsache fehlt doch.

(Brief, 24.12.1913, an Otto Blümel)

Über Mozart, den größten und geliebtesten deutschen Musiker, wissen wir eigentlich sehr wenig, und das ist vielleicht ganz gut. Wir wissen vor allem, daß er so ziemlich sein ganzes kurzes Leben lang, von den Kinderjahren an, ununterbrochen fleißig gewesen ist! Sonst wissen wir wenig von ihm, als was in seinen Briefen und in seiner Musik steht. Die Briefe sind zumeist aus seiner Jugendzeit und zeigen einen lieben, munteren, lustigen Kerl, den man gern hat, ohne daß er einem sehr imponierte. Die Musik hingegen umfaßt alle Register der Seele, sie geht von kleinen Serenaden und galanten Tändeleien bis zum Requiem und von Drehorgelstückchen bis zum Don Giovanni. Und hinter ihr müssen wir einen Menschen ahnen, einen Menschen mit Hoffnungen, Bedürfnissen, Räuschen, Leiden, Enttäuschungen ohnegleichen, einen Menschen voll unbegreiflicher Einsamkeit, denn wir kennen kaum eine Klage, kaum einen Seufzer von ihm, und doch muß er tief gelitten haben. Hat seine Seele immer diese kristallene süße Helligkeit geatmet, die aus seiner Musik strömt; oder floh sie in diese Traumschönheit nur aus tiefer Not und Lebensunfähigkeit?

Wir sähen es gerne und wären dankbar dafür, wenn wieder einmal ein Mann, der Mozart liebt und kennt, uns sein Bild neu zeichnen würde, ganz persönlich und meinetwegen subjektiv-romantisch, meinetwegen auch ganz dichterisch wie Mörike in seiner Novelle (welcher Oskar Bie in seinem übrigens prachtvollen Buch über die Oper nicht gerecht wird). Von Mozart zu hören werden wir nie müde, wir würden eine schöne neue Melodie zum Liede vom strahlenden Götterliebling nicht zurückweisen, aber auch für einen neuen Mozart dankbar sein, für einen dunklen, geheimnisvollen, leidenden, aus dämonischen Quellen Gespeisten.

Einen Versuch dazu hat Schurig in seinem großen Mozartwerk gemacht, das in zwei starken Bänden beim Insel-Verlag erschienen ist. Er verspricht Neues und er rechnet von Anfang an mit den früheren Biographen, vor allem mit dem für klassisch geltenden Jahn, so schneidig ab, daß unsere Erwartungen gespannt sind.

Pietätlosigkeit ist eine herrliche Tugend, wenn sie naiv geübt wird. Als Absicht, als Programm aber wirkt sie verstimmend, und so tut sie es auch in Schurigs Buch. Der Autor geht von der Überzeugung aus, daß durch Jahn und andere viel Falsches über Mozarts Leben in Umlauf gekommen sei; namentlich denkt er sehr schlecht über Mozarts Vater, seine Schwester, seine

Frau. Er hat vor allem den Willen, Legenden zu zerstören, und das ist eigentlich das einzige, worin ich nicht mit ihm einig bin; denn ich halte zwar das Zerstören von Legenden unter Umständen für notwendig, als treibende Kraft in einer großen Biographie jedoch sehe ich lieber den Willen zum Aufbauen.
Mag Mozarts Vater kein Genie gewesen sein (wer verlangt es von ihm?), so ließ sich das rasch und einfach abtun, und einen guten Witz über die Verehrung früherer Mozartianer für diesen Vater hätte niemand übel genommen. Statt dessen sehen wir den armen Salzburger Musikanten, der sich immerhin mit seinem Söhnchen eine gewaltige Mühe gegeben hat, durch das ganze Buch hindurch mit einer Konsequenz und Bissigkeit verfolgt, die uns nur stutzig macht. Ebenso ist Mozarts Frau Konstanze dem Biographen ein Dorn im Auge, und er mag auch hier recht haben, aber auch hier kommt es gelegentlich zu wenig sympathischen Kritteleien. Zum Beispiel, als Konstanze 1789 krank ist und eine Kur in Baden machen soll, zu der aber das Geld schwer aufzubringen ist, sagt Schurig: »Ob diese kostspielige Sommerfrische in Anbetracht der schlimmen Geldverhältnisse ihres Mannes unbedingt erforderlich war, läßt sich nicht feststellen. Man darf es bezweifeln.« Kleinlicher ist auch der von Schurig weit über Gebühr angegriffene Biograph Jahn nirgends gewesen.
Im Musikalischen schließt sich Schurig vollkommen an das epochemachende Mozartwerk von Th. von Wyzewa und G. von Saint-Foix an, so vollständig, daß er so ziemlich alle musikalisch-technischen Analysen, Vergleiche und Urteile direkt aus Wyzewa übersetzt und sich begnügt, für die rein musikalische Beurteilung sich als Anhänger zu dem französischen Werk zu bekennen. Dafür geht Schurig desto eifriger der Darstellung des Menschen Mozart nach; das ist es auch, was wir von ihm erhofften,

und hier gibt er vieles, was unseren Dank verdient. Vor allem die letzten Kapitel, über Mozarts Kranksein und Tod, die Abschnitte über »Mozart-Anekdoten« und »Mozart als Mensch und Künstler« bringen sehr viel Schönes und Echtes. Auch wird das ganze Schurigsche Werk durch seine schöne Lesbarkeit und durch die reiche, sehr gut eingeordnete Auswahl aus den Familienbriefen gewiß vielen lieb und wichtig werden. Aber noch schöner, scheint mir, wäre es gewesen, wenn der Autor den Mut gehabt hätte, auf alle Briefe, Zitate und zeitgeschichtliche Dokumente sowie auf das rein Musikgeschichtliche (worin er ohnehin von Wyzewa abhängt) ganz zu verzichten, allerdings auch auf sein Programm der beständigen Polemik gegen Werke und Meinungen seiner Vorgänger. Er hätte uns in direkter, ununterbrochener Darstellung ein Bild des Meisters geben können, einen modern gesehenen Mozart. Damit tue ich seinem Werk Unrecht, das eine Menge von redlicher und schwerer Arbeit umschließt, aber ich tue dem Autor die Ehre an, daß ich ihm zutraue, er hätte statt eines historisch-kritischen Wälzers auch ein frisches, ganz und gar anschauliches Buch geben können. Ich schließe das aus mancher lieben, beseelten Stelle des großen Werkes.

Was dieses sonst bietet, sei herzlich willkommen geheißen. Die Quellen sind gut benützt, die Anwendung der Lehren Wyzewas ist reinlich durchgeführt, manche Kapitel sind erzählerisch voll Reiz, und wertvoll ist auch die Sammlung von Bildnissen, in welche nur erweisbar echte aufgenommen wurden. Eine spätere Auflage müßte vielleicht gar nicht so gar viel ändern, um dem Ganzen den Zug von polemischer Voreingenommenheit zu nehmen. Es müßte nur hie und da die Entrüstung durch Humor ersetzt werden, und von der Liebe, mit welcher der Salzburger Brotherr und Quäler Mozarts gerechtfertigt wird, müßte ein Hauch auch für den armen Vater und die

Familie des Meisters abfallen, denn schließlich hat Mozart selber alle diese Leute doch auch nicht bloß ertragen, sondern sie herzlich geliebt.
(»Arthur Schurig's Mozartwerk«, Rezension in der Zeitschrift »März«, München, Januar 1914)

Mozarts Briefe hat Schiedermair in einer entzückend vollständigen Ausgabe gesammelt, in zwei Bänden bei Georg Müller. Die Briefe seiner Angehörigen, unter denen ja die des Vaters sehr wichtig sind, sollen nachfolgen. Ich schwärme gewiß nicht für Briefpublikationen, aber da es sich um Mozart handelt, und da wir über ihn so erstaunlich wenig wissen, begrüße ich diese Ausgabe mit heller Freude. Zwar lösen auch diese Briefe das tiefe Rätsel dieses rätselhaftesten Genies nicht, er bleibt seltsam fremd – ein Mensch, der Tag und Nacht arbeitet, dabei stets von einer kindlichen Fröhlichkeit und Laune übersprudelt, und von dem wir nicht ahnen können, wie er die tiefe Vereinsamung seines Wesens, die Not seiner Armut, die Enttäuschungen in Kunst und Leben ertragen hat – wir wissen nur, daß seine Musik vom frohesten Übermut bis zum tiefsten Ernste geht, während von seinem Leben nur der harmlose äußere Teil bekannt ist. Aber da und dort steht doch in den Briefen ein Hauch, eine Andeutung, ein Ausdruck, der weiter ins Innere führt, und überall lacht und strahlt die Güte und Liebesfähigkeit dieses herrlichen Menschen sieghaft hervor. Bis ein genialer neuer Biograph uns ein vollkommenes Bild dieses Geliebten schenkt, müssen wir dies Bild aus allerlei Quellen zusammenlesen, darunter stehen obenan diese Briefe.
(Aus einer Sammelrezension »Für Bücherliebhaber« in der ›Münchner Zeitung‹ vom 5.6.1914)

Der Schurigschen Mozartbiographie, welche kürzlich hier angezeigt war, folgt nun auf dem Fuß eine zweite noch wichtigere Mozartpublikation: die Briefe Mozarts und seiner Familie samt einer Mozart-Ikonographie, in fünf Bänden, besorgt von dem Bonner Historiker L. Schiedermair. Das große Werk, das soeben fertig wurde, ist bei Georg Müller in München erschienen.

Je mehr man Mozart liebt, je mehr man sich mit ihm beschäftigt, desto rätselhafter wird seine Persönlichkeit. Es gibt Bilder des etwa Elfjährigen, die einen frühreifen, fertigen, unheimlich abgeschlossenen und in sich versunkenen Menschen zeigen, und es gibt Bilder und Briefe des viel Älteren, aus denen ein Kind uns ansieht. Wer Mozarts Leben an Hand der bekannten Biographien verfolgt, dem gleitet fast überall gerade da, wo man neugierig ist und Aufschlüsse erwartet, das Bild des Unbegreiflichen wieder ins Gestaltlose zurück; oft scheint es, als habe Mozart mit einer verzehrenden Intensität gelebt, geliebt und gelitten, dann wieder gewinnt man den Eindruck, er habe überhaupt nicht gelebt, es sei jeder Reiz und Ruf der Wirklichkeit in diesem seligen Geist ohne Umwege sofort zu Musik geworden. Und je schwerer man es findet, irgend ein Urteil über Mozarts Menschentum, über seinen Charakter, seine Reizbarkeit, seine Liebefähigkeit, sein mutmaßliches Leiden auszusprechen, desto persönlicher, umrissener, eindeutiger scheint dem langsam Eindringenden die Musik des Meisters von seiner Seele zu erzählen. Damit ist der Zauberkreis wieder geschlossen und wir beginnen aufs neue, diesen geliebtesten Meister mit dankbarer Liebe und heilig-ehrfürchtiger Neugierde zu studieren.

Auf dem dunklen Wege zu Mozarts eigentlicher, innerer Biographie gibt es außer seiner Musik, die am Ende vielleicht doch allein recht behält, keinen treueren Führer als seine Briefe und die seines Vaters. Das Vorhandensein

einer älteren, recht sorglos gemachten und lückenvollen Ausgabe sowie die Reserve, in der sich das Salzburger Mozarteum durch Jahrzehnte hielt, haben eine neue, kritische, vollständige Ausgabe dieser überaus wichtigen Dokumente bis heute verzögert. Jetzt ist sie da und macht in jeder Hinsicht den Eindruck einer soliden, treuen Arbeit. Zwei Bände umfassen Mozarts Briefe, in einer bisher nicht gekannten, kaum geahnten Vollzähligkeit, zwei weitere Bände enthalten die Briefe des Vaters (vollständig) und eine Auswahl aus den Briefen der Mutter, der Schwester, der Frau und einiger anderer Angehöriger, aus der Zeit zwischen Mozarts Geburts- und Todesjahr. Der fünfte Band enthält ausschließlich die Bildnisse, darunter fünfunddreißig Porträts des Meisters, nebst vielen Faksimiles nach Handschriften und Zeichnungen. Dieser Luxus der Reichhaltigkeit, ja Vollständigkeit, wie wir ihn sonst beinahe nur in der Goetheforschung kennen, hat etwas Beglückendes, und es wird vielen Mozartverehrern nun zu einem nachdenklichen Studium werden, dem vielstimmigen Rauschen dieser Quellen deutend nachzugehen. Gewiß wiegen alle diese fünf Bände nicht die Figaro-Ouvertüre, nicht die Cherubin-Arie, nicht zehn Takte des Requiem auf; aber sie geben uns neue, lockende Möglichkeiten zur Erforschung dieses merkwürdigen und einzigen Geistes, den wir niemals ganz verstehen werden und den zu lieben uns so natürlich ist wie die Liebe zum Licht und zum Frühling.
(»*Die Briefe Mozarts*«, *Rezension in der Zeitschrift* »*März*«, *München, vom Juni 1914*)

Der Insel-Verlag hat die gute Idee gehabt, die frei gewordenen literarischen Werke Richard Wagners in zwanzig kleinen Bänden herauszubringen, deren jedes, als Stück der »Inselbücherei«, fünfzig Pfennig kostet. Ich begnüge

mich mit der Anzeige. Daß Wagners polemische und programmatische Aufsätze jetzt noch wesentliche Wirkungen tun könnten, ist nicht wahrscheinlich; daß sie in ihrem oft schönen Fanatismus noch manche junge Köpfe erhitzen werden, schadet gewiß nichts. Die Dichtungen freilich sehen so in Einzelausgaben und ohne Musik wenig liebenswert aus, und ein Text, wie der des »Parsival«, ist ohne den ständigen Gedanken an die geniale Musik schlechthin ungenießbar. Es werden nun eben auch diese literarischen Werke Wagners, gleich seinen Opern, die Welt noch einmal überschwemmen und die Jugend noch einmal aufregen, desto eher ist dann auf Ruhe zu hoffen. Man wird über diese Dichtungen schweigen, wird die Wagnersche Theatralik in der Kunstgeschichte neben Makart und der neudeutschen Renaissance nennen, und wird die Musik des Tristan, der Meistersinger, des Parsival als unvergänglich in ihrer Schönheit und leidenden Größe mit in die Zeiten nehmen.
(Aus einer Sammelrezension »Für Bücherliebhaber« in der ›Münchner Zeitung‹ vom 21.8.1914)

Jedermann weiß, daß der Komponist der »symphonie phantastique« ein stark literarisches Talent war, nicht nur in der Musik, aber seine Schriften sind trotzdem in Deutschland fast nur bei Musikern bekannt. Das literarische Hauptwerk, die »Lebenserinnerungen«, ist jetzt zum erstenmal in einer ziemlich wohlfeilen, einbändigen Ausgabe deutsch erschienen, übersetzt von Hans Scholz, im Verlag Beck in München.
Der phantastische Mensch und romantische Charakter, der eine Oper über Benvenuto Cellini geschrieben hat, zeigt in seinen Memoiren, die glänzend geschrieben sind, manche Züge von Verwandtschaft mit dem italienischen Kraftmenschen, an Leidenschaftlichkeit und mißtrau-

isch eifersüchtigem Selbstbewußtsein, jedenfalls steht er ihm nicht nach; nur ist er ebenso romantisch wie jener naiv war. Sein Buch zu lesen ist ein großer Genuß, auch für Leser, die nicht Musikkenner sind. Die Scholzsche Übersetzung ist recht gut und, was wichtig ist, vollständig.
Der große Pate der modernen Orchestertechnik wird auch als Schriftsteller fortleben. Da außerdem sein Leben nicht nur psychologisch interessant, sondern voll äußerer Bewegung und Abenteuerlust war, gehören seine Erinnerungen zu den fesselndsten Künstlerbekenntnissen, die wir haben.
Ein paar Sätze als Stilproben:
»Es ist ebenso vergeblich und gefahrvoll für einen fremden Willen, dem meinen entgegenzuarbeiten, wenn ihn Leidenschaft beseelt, als zu glauben, man könne die Explosion von Schießpulver durch Druck verhindern.«
(Über die Wiedergabe von Orchesterwerken auf dem Klavier): »Das Klavier ist für die Instrumentalkomponisten eine wahre Guillotine, mit der Bestimmung, alle vornehmen Köpfe abzuschlagen, wobei allein der Pöbel nichts zu fürchten hat.«
»Ich brauche nicht erst zu sagen, daß ich im katholischen Glauben erzogen wurde. Diese Religion hat, seit sie niemand mehr verbrennt, viel Liebenswürdiges und ist mein Glück gewesen, sieben volle Jahre; obgleich wir seit langem uneins geworden, habe ich ihr doch immer eine sehr zärtliche Erinnerung bewahrt.«
(»*Hector Berlioz' Erinnerungen*«, *Rezension in der Zeitschrift* »*März*«, *München, 1914, III*)

Über diesen Tag, über diese Seite meiner bunten Lebensblätter möchte ich ein Wort schreiben, ein Wort wie »Welt« oder »Sonne«, ein Wort voll Magie, voll Klang,

voll Fülle, voller als voll, reicher als reich, ein Wort mit der Bedeutung vollkommener Erfüllung, vollkommenen Wissens.
Da fällt das Wort mir ein, das magische Wort für diesen Tag, ich schreibe es groß über dies Blatt: MOZART. Das bedeutet: die Welt hat einen Sinn, und er ist uns erspürbar im Gleichnis der Musik.

(Tagebuchnotiz, ca. November 1920)

Dem guten Busoni gönne ich es, daß er nun des Betriebes enthoben ist.[1] Er war in den letzten Jahren sehr geplagt, ich habe seinen Tod schon seit einigen Jahren stets erwartet. Als ich seinen Tod erfuhr, fiel mir ein Augenblick ein, vor etwa sieben oder acht Jahren: ich war in Zürich in ziemlich großer Gesellschaft mit ihm zusammen, er hatte während des Abends in seiner sehr witzigen und etwas provokanten Art manches überaus Harte über deutsche Musik gesagt. Nachher, als musiziert werden sollte, bat er um ein Mozart-Quartett (das Zürcher Tonhallenquartett war dabei), sie spielten, und während Busoni zuhörte, sah ich, wie ihm hinter der vorgehaltenen Hand die Tränen hinab liefen.

(Brief, 5.8.1924, an Rolf Schott)

Das Hübscheste, was der Insel-Verlag mir diesmal zugeschickt hat, ist Leitzmanns »Mozart«, eine Zusammenstellung von Berichten der Zeitgenossen und Briefen Mozarts und seiner Familie. Viele gute Stunden habe ich in diesem Buch gelesen, dessen trockenste Berichte noch wie holde Märchen klingen, da sie das Höchste und Liebenswerteste zum Gegenstand haben, was Deutschland

[1] Ferrucio Busoni (* 1866), Pianist, Dirigent und Komponist, war am 27.7.1924 in Berlin gestorben.

hervorgebracht hat: Mozart. Noch in diesem Winter, einem unruhigen und schwierigen, in der Stadt verbummelten Winter habe ich dreimal wieder die Zauberflöte gehört, und diese Stunden strahlen mir hell aus dem Wust und Chaos vertaner Tage. Nun habe ich dies liebe Mozart-Buch neben meinem Stuhl in der Sonne liegen, auf der kleinen Terrasse, und lese viel darin und bete meinen Gott an, und erbaue mich an den Berichten von seinem Leben, das so schön und so traurig war, und so vorbildlich wie das Leben einer Blume.
(Aus einer Sammelrezension »Der Bücherberg« in ›Berliner Tageblatt‹ vom 29.4.1926)

Lange hatte ich auf diesem Nachtgang auch über mein merkwürdiges Verhältnis zur Musik nachgedacht und hatte, einmal wieder, dies ebenso rührende wie fatale Verhältnis zur Musik als das Schicksal der ganzen deutschen Geistigkeit erkannt. Im deutschen Geist herrscht das Mutterrecht, die Naturgebundenheit in Form einer Hegemonie der Musik, wie sie nie ein andres Volk gekannt hat. Wir Geistigen, statt uns mannhaft dagegen zu wehren und dem Geist, dem Logos, dem Wort Gehorsam zu leisten und Gehör zu verschaffen, träumen alle von einer Sprache ohne Worte, welche das Unaussprechliche sagt, das Ungestaltbare darstellt. Statt sein Instrument möglichst treu und redlich zu spielen, hat der geistige Deutsche stets gegen das Wort und gegen die Vernunft frondiert und mit der Musik geliebäugelt. Und in der Musik, in wunderbaren seligen Tongebilden, in wunderbaren holden Gefühlen und Stimmungen, welche nie zur Verwirklichung gedrängt wurden, hat der deutsche Geist sich ausgeschwelgt und die Mehrzahl seiner tatsächlichen Aufgaben versäumt. Wir Geistigen alle waren in der Wirklichkeit nicht zu Hause, waren ihr fremd und feind, darum war auch in unsrer deutschen Wirklichkeit, in unsrer Geschichte, unsrer Politik, unsrer öffentlichen Meinung die Rolle des Geistes eine so klägliche. Nun ja, oft hatte ich diesen Gedanken durchgedacht, nicht ohne zuweilen eine heftige Sehnsucht danach zu fühlen, einmal Wirklichkeit mit zu gestalten, einmal ernsthaft und verantwortlich tätig zu sein, statt immer bloß Ästhetik zu treiben und geistiges Kunstgewerbe. Es endete aber immer mit der Resignation, mit der Ergebung ins Verhängnis. Die Herren Generäle und Schwerindustriellen hatten ganz recht: es war nichts los mit uns »Geistigen«, wir waren eine entbehrliche, wirklichkeitsfremde, verantwortungslose Gesellschaft von geistreichen Schwätzern.

(Aus dem »Steppenwolf«)

Mit der Elegie[1] von Schoeck ist es so: in diesem Werk handelt es sich, scheint mir, nicht um einzelne Lieder, und es ist weniger Melodie da, und möglicherweise gibt der Klavierauszug viel zu wenig, denn die Instrumentation für kleines Kammerorchester ist von einer zauberhaften Duftigkeit und ist beinahe die Hauptsache. Ich empfinde, ohne mit Schoeck darüber gesprochen zu haben, dies Werk etwa so: es steht einer, der Sänger, und spricht in diesen wunderbaren Gedichten sein Leid und Glück vor sich hin, ergebend erinnernd, mehr rezitierend oder in sich hinein als eigentlich singend, und dazu musiziert im kleinen Orchester die ganze Welt seiner Liebe und Träume, Bach und Wald. Nun ja, Sie werden ja sehen. Hoffentlich gibt der Klavierauszug eine Ahnung.

(Brief, 25.12.1927, an Heinrich Wiegand)

[1] Othmar Schoeck, »Elegie«, Liederfolge nach Gedichten von Lenau und Eichendorff für eine Singstimme und Kammerorchester, 1923 in Zürich uraufgeführt.

Dieser einsame Hugo Steppenwolf[1] mit seinem furchtbaren Blick und seiner schönen Figur ist zeitlebens einer meiner Intimen gewesen, d. h. seit etwa meinem 17. Jahr, wo ich zum erstenmal Lieder von ihm kennen lernte.
(Brief, 27.1.1928, an Heinrich Wiegand)

Z. B. waren wir am Montag abend im Konzert der Philharmoniker. Programm: eine Mozartsymphonie, ein Brandenburgisches Konzert von Bach und die 5. Symphonie von Beethoven. Ich bereitete R. vorsichtig darauf vor, daß ich vielleicht nach dem Bach verschwinden werde, und es gelang, sie zu verführen, wir gingen alle vor dem Beethoven weg und haben so die Eindrücke vom 1. Teil des Konzerts gerettet. Es war herrlich. Was für eine Mozartsymphonie, kluges Mädchen? Die in G-Moll, dieselbe, die wir in Arosa hörten! Der Beginn des Andantesatzes war für mich wieder der Höhepunkt, das Orchester wunderbar. Furtwängler, obwohl nicht eigentlich überlegen dirigierend und allzu sehr ins Kleinste gehend, war mir höchst sympathisch. Das Bachkonzert mit Flöte, Geige und Klavier entzückend, verspielt und träumerisch in sich versunken, schön langatmig, wie es von den Späteren nur Bruckner oft ist.
(Brief, Ende März 1928, an seine Frau Ninon)

Die Aufführung der Matthäus-Passion war schön, mit großen guten Chören, aber einwandfrei war sie nicht, und von den Solisten war nur die Altsängerin bedeutend. Aber das Werk war wieder unendlich, und an einzelnen Stellen (beim Choral »Wenn ich einmal soll scheiden« und beim Vorspiel des Schlußchors) liefen mir die dicken

1 [Hugo Wolf].

Tränen übers Gesicht. Da so mitten in Berlin den Heiland sterben zu sehen, war merkwürdig.

(Brief, 8.4.1928, aus Berlin an Ninon Hesse)

Die Opern von Mozart sind für mich der Inbegriff von Theater, so wie man als Kind, noch eh man es gesehen hat, sich ein Theater vorstellt: wie der Himmel, mit süßen Klängen, mit Gold und allen Farben. Ich habe mich für das eigentliche Theater ja niemals interessieren können, das heißt für die Schauspieler und die Dramen: ich bin niemals freiwillig in ein Schauspiel gegangen, nur wenige Male aus Pflicht oder weil Freunde mich mitschleppten.
Ich habe weder den Hamlet noch den Lear noch den Faust oder Don Carlos oder irgendein Stück von Hauptmann usw. jemals auf der Bühne gesehen, ich habe einfach kein Interesse dafür. Desto lieber aber gehe ich in die Oper, d. h. nicht in jede, sondern zu Mozart, auch zu Rossini, Donizetti, Lortzing oder zur Carmen. Wie oft ich die Zauberflöte und den Figaro gehört habe, das kann ich nicht mehr zählen.

(Brief, 10.1.1929, an Emmy Ball-Hennings)

Ich war in Basel bei den Mozartfestspielen, ich hoffe, so über die Zeit von Ninons Abwesenheit hinweg zu kommen. Es war musikalisch sehr schön und auch die Luft von Basel, das für mich voll Erinnerungen seit der Kindheit her ist, war mir wieder ein Erlebnis. Ich sah sogar das Mädchen wieder, das ich einst in Basel liebte, noch ehe ich Deine Mutter kannte: die Elisabeth des Camenzind und der Gedichte, nach etwa 27 Jahren sahen wir uns wieder, alt und grau geworden.

(Brief, 26.5.1930, an seinen Sohn Bruno)

Eine junge Dame in Schlesien aber schreibt mir, ebenfalls heute, sie würde so gern ein Aquarell von mir besitzen, aber das arme, geknechtete Deutschland sei ja viel zu arm für so etwas. Dagegen werde sie dafür Sorge tragen, daß meine Gedichte vertont und überall aufgeführt würden, denn ein Gedicht werde doch erst dann lebendig, wenn es vertont sei und gesungen werde, und sie wolle eine »Hesse-Gemeinschaft« zu diesem Zweck gründen. Da haben sie in naivster Deutlichkeit den Kern des Verhältnisses der Deutschen zur Musik. Sie lieben die Musik, um dafür im Geistigen recht verantwortungslos sein zu dürfen.

(Brief, 15.7.1930, an Heinrich Wiegand)

Für mich sieht es ganz anders aus. Rein künstlerisch ist der »Steppenwolf« mindestens so gut wie »Goldmund«, er ist um das Intermezzo des Traktats herum so streng und straff gebaut wie eine Sonate und greift sein Thema reinlich an. Aber er erinnert an den Krieg (der übermorgen wieder da sein wird) und an Jazzmusik und Kino und Euer ganzes heutiges Leben, dessen Hölle aufzuzeigen Ihr dem Dichter nicht erlauben wollt. Natürlich wissen das die Leser nicht, sie lesen ehrlich und folgen dem Gesetz des geringsten Widerstandes, es zieht sie dahin, wo es weniger weh tut. Das Problem des »Goldmund« ist das des Künstlers, ein furchtbares, tragisches Problem – aber der Leser ist ja selber nicht Künstler, er kann da gefahrlos aus der Ferne zusehen. Während beim »Steppenwolf« muß er seine eigene Zeit, seine eigenen Probleme sehen, muß sich vor sich selbst schämen, und das will er nicht. Kunst ist ja nicht da, um weh zu tun, meint er. Und denkt nicht daran, daß er auch Bachs Musik nur darum ertragen, ja »genießen« kann, weil Bachs Glaube und seine Probleme ihn nicht mehr viel angehen.

(Brief, 13.11.1930, an M. W.)

Othmar Schoeck (1886-1957)

Othmar Schoeck. Eine Monographie mit 91 Notenbeispielen von Hans Corrodi im Verlag Huber & Co., Frauenfeld, ist der erste Versuch, dem Musiker Schoeck als Gesamtphänomen gerecht zu werden. Es ist ein Werk der Liebe und Begeisterung, des unbedingten Jasagens, und ich kann diesem Ja nur von Herzen zustimmen, denn es gibt sehr wenige Künstler in unsern Tagen, denen ich so unbedingt glaube, deren Wert ich so dankbar und vorbehaltlos anerkennen kann, wie den Komponisten Othmar Schoeck. Er ist, unbegreiflicherweise, noch immer der Musiker einer heimlichen Gemeinde, mit

eigensinniger Unbekümmertheit entzieht er sich dem Tagesbetrieb der Theater und Konzerte, pfeift auf den Ruhm, singt sein Lied für sich und ein paar Freunde. Aber er wird übrig bleiben, wenn weniges mehr vom heutigen Kunstmarkt übrig sein wird. Corrodi spricht von Schoecks Person und Leben mit angemessener Kürze und Reserve, um desto nachdrücklicher sein Werk darzulegen und zu entfalten, nicht etwa nur für Musiker vom Fach, sondern für jeden, der irgend ein nahes Verhältnis zur Musik hat.
(Rezension in der Zeitschrift »Der Bücherwurm«, München und Dachau, vom 22.3.1931)

Dein Brief hat mich sehr gefreut. Daß Schoeck Dir etwas fern liegt, hatte ich mir wohl gedacht, Dein Weg zu ihm aber, so schien mir, führe über seine ganz ursprüngliche Melodiefreude und dann über sein tiefes Verständnis für echte Lyrik. Es wird schon noch kommen, daß Du einmal seine »Elegie« oder einen andern Zyklus hörst.
(Brief, ca. 11.4.1931, an Carlo Isenberg)

Über den Musiker, den ich für den echtesten, naturhaftesten und liebenswertesten unserer Zeit halte, über Othmar Schoeck, ist eine erste Monographie erschienen unter dem Titel: Othmar Schoeck, von Dr. Hans Corrodi (Verlag Huber & Co. in Frauenfeld). Als Liederkomponist ist Schoeck gewiß der erste unserer Zeit; seine Lieder, die Linie Schubert-Wolf fortführend, sind auch weithin bekannt geworden und werden viel gesungen. Von seinen Opern hat der »Don Ranudo« sich durchgesetzt, und das Märchenspiel »Der Fischer un syne Fru« wird vermutlich mit seiner lapidaren Gewalt bald überall durchdringen; in Zürich hat es in zahlreichen Auf-

führungen, als erste Oper Schoecks, nicht bloß die Musikalischen entzückt, sondern die breitesten Schichten erreicht. Der Augenblick für dieses erste Buch über Schoeck war also günstig. Es ist ein Werk der Begeisterung und Liebe, aber auch gründlichen Studiums und zeichnet sich durch eingehende Analysen mit zahlreichen, instruktiv gewählten Notenbeispielen aus.
(Aus einer Sammelrezension »Bücher der Kultur und Kunst« in der ›Münchner Zeitung‹ vom 19.6.1931)

Wir haben auch wirklich herrliche Sachen gehört, das Schönste ein Quartett von Haydn, ein Konzert für zwei Klaviere von Mozart, ein Quintett von Boccherini, übrigens auch etwas Modernes: ein neuer Strawinsky, mit Chor, nicht überzeugend, aber stark und lebendig. Mit »nicht überzeugend« meine ich, daß ich den Chor nicht als notwendig empfand und die Musik nicht als Beziehung zu dessen Text empfinde. Sonst aber eine kräftige, formal reiche, schöne, originelle Musik.
(Brief, 18.3.1932, an Alice Leuthold)

Daß Goethe den Beethoven bloß halb verstanden hat (ein wenig kapierte er doch, es gibt ein schönes Wort über Beethoven von ihm), das hat mich nie gewundert. Mit Beethoven beginnt in der Musik das, was in der Literatur mit Schiller etc. und in der Politik mit der Pariser Revolution begann und was genau das Gegenteil zu allem Goetheschen Wesen ist. Ich empfinde selber ähnlich, da ich in der Musik, mit einigen kleinen Ausnahmen, sehr reaktionär bin. Ich empfinde Beethoven absolut nicht als zu Bach und Mozart gehörig, sondern als Beginn des Niedergangs, einen grandiosen, heldischen, herrlichen Beginn, aber doch als etwas mit halb negativem Vorzeichen. So bin ich auch dies Jahr recht betrübt, daß man in Zürich zu Ostern keine Bach-Passion aufführt, sondern Beethovens Missa solemnis. Ich höre sie morgen, aber ich würde viel drum geben, statt ihrer die Matthäus- oder Johannes-Passion zu hören.

(Brief, ca. 24.3.1932, an Ludwig Finckh)

[...] Denke Dir, wie ich an der Tonhalle vorüberkomme, sehe ich ein Programm hängen, für heut abend, und was wird da gespielt? Es wird, ungelogen, die schönste und mir liebste von allen Mozart-Sinfonien gespielt, die in G-moll, deren erster Satz so wunderbar vergnügt und deren zweiter so geheimnisvoll spannend anfängt! Das ist nun zum drittenmal in diesem halben Jahr, daß ich sie höre, jedesmal an einem anderen Ort, mit einem anderen Dirigenten, von einem anderen Orchester, und jedesmal war es ein Zufallsfund, auf der Reise, und jedesmal war es ein Glückszeichen.

(Brief, April 1932, an Ninon Hesse)

In der Musik bis und mit Bach inklusive Mozart sehe ich überhaupt die deutsche Klassik. Goethe und Schiller, Herder und Lessing sind edle schöne Erscheinungen, aber keine Klassik, sie haben weder den Bogen über ein hohes Erbe gewölbt, noch ein ernstliches neues Ideal errichten können. Was das Deutschland nach dem Mittelalter der Welt zu geben hatte, gab es in der Musik. Wenn ich mich manchmal darauf zu besinnen suche, was ich an Christentum in mir habe, oder wo die letzte reine Gestaltwerdung dieses Christentums liegt, so fallen mir unfehlbar die Kantaten und Passionen von Bach ein; dort, nicht in der Dichtung, ist zum letztenmal Christentum Form geworden. Und daß Du in der Kirchenmusik auch

heute noch an den Ufern dieses Stromes sitzt, ist ein schönes Amt, trotz allem.
(Brief, 10. 11. 1932, an Carlo Isenberg)

Du hast mir einmal eine Bach-Platte geschenkt, darauf ist ein Choral, ich glaube er heißt »Ach bleib bei uns«, der ist mir fast zur liebsten Musik der Welt geworden und paßt in meine innernsten und besten Besinnungen und Stimmungen. Es ist jetzt schwer zu leben, sehr schwer, aber diese Musik ist ewig, wir haben teil an ihr, sie geht durch uns durch, und wenn die übrige Luft auf Erden kaum mehr zu atmen ist und so beengend nach Zyankali schmeckt, dann zieht unsre Seele immer noch aus Sachen wie diesem Choral ihre liebe Nahrung. Diese Musik ist Tao. Auch das nämlich ist eine der 1000 Erscheinungsformen des Tao: die vollkommene Form, die den »Inhalt« verschluckt und aufgelöst hat und in sich selber schwebend nur noch atmet und schön ist. Man wünscht sich, diese Musik im Augenblick des Sterbens zu hören – vielmehr: so zu sterben wie diese Musik ist, so sich hinzugeben und dem Schweren zu entschweben und mit dem Einen eins zu werden.
(Brief, Juli 1933, an Fanny Schiler)

Inzwischen habe ich Schoecks »Venus«[1] wiedergehört, eine ganz zauberhaft schöne Musik, die aber dadurch, daß sie der Verherrlichung der nur triebhaften Leidenschaft dient, eben jenen letzten Adel doch nicht hat und nicht haben kann.
(Brief, 28.11.1933, an Otto Basler)

---

[1] Othmar Schoeck, »Venus«, Oper in drei Akten nach einer Novelle von Merimée, 1922 in Zürich uraufgeführt.

Daß ich meinem letzten Brief an Sie jene Zeitung mit dem Bericht über die Leipziger Wagner-Orgie beilegte, war zunächst einfach Zufall – sie war grade am selben Morgen angekommen, an dem ich Ihnen schrieb, und da ich selbst nur sehr selten deutsche Zeitungen zu sehen kriege, vergaß ich für einen Moment, daß Sie ja viel mehr Gelegenheit haben als ich, solche Dokumente der Zeit zu sehen. Aber wenn ich mich genauer prüfe, war leider auch etwas Bosheit oder Schadenfreude dabei: Sie wissen ja, daß ich in dem, was Sie Abschätziges und Kritisches über Wagners Theatralik und Großmannssucht sagen, sehr mit Ihnen übereinstimme, während Ihre Dennoch-Liebe zu Wagner mir zwar ehrwürdig und auch rührend, aber doch nur halb verständlich ist. Ich kann ihn, offen gesagt, nicht ausstehen. Und vermutlich empfand ich beim Blick auf jene Zeitung mit Hitlers Superlativen über Wagner Ihnen gegenüber etwas wie »Da haben Sie Ihren Wagner! Dieser gerissene und gewissenlose Erfolgmacher ist genau der Götze, der ins jetzige Deutschland paßt, und daß er doch wohl Jude ist, paßt erst recht dazu!« Irgend so etwas war wohl mit im Spiel.

Daß Sie nicht in Deutschland leben könnten, ist auch mir ganz klar. Wenn es auch ganz hübsch ist, daß dort allmählich alles irgendwie Geistige in Konflikt mit der Macht gerät und in die Christenverfolgung mit einbezogen wird (sogar ein recht harmloser Vortrag von Kolbenheyer wurde polizeilich verboten) – so sieht das Ganze doch wohl sehr ernst aus, denn es ist kein Zweifel, daß drüben ganz gewaltig gerüstet wird. Ich weiß nicht recht, was ich wünschen oder anordnen würde, wenn ich für eine Minute Weltgeschichte machen müßte – ich glaube beinahe, ich würde Frankreich über den Rhein marschieren und Deutschland jetzt einen Krieg verlieren lassen, den es in ein paar Jahren vielleicht gewinnt.

(Brief, März 1934, an Thomas Mann)

Wunderlich ist es mir wieder einmal zu sehen, wie sehr anders eine vergangene Zeit aussieht, wenn man genötigt ist, sich wirklich in sie zu versetzen! So von weitem her wäre das Deutschland um 1730 ja einfach das Land von Sebastian Bach etc. etc. In Wirklichkeit haben 99 Prozent der damaligen Leute keineswegs in der Luft von Bach etc. gelebt, sondern waren geistig und kulturell um ein bis zwei Generationen früher beheimatet. Alte Geschichte, fällt einem aber jedesmal wieder auf.
(Brief, Frühjahr 1934, an Carlo Isenberg)

Ostern vergeht, ohne daß ich einen Ton Musik höre. Ich hätte jetzt etwas Bach sehr nötig, das liebste wäre mir die Johannes-Passion, deren Schluß ist mir besonders lieb, oder wenn ein Klavier da wäre, und jemand mir den Aktus tragicus spielte.
(Brief, Frühjahr 1934, an Carlo Isenberg)

Wir stellen, denke ich, ein gemietetes Klavierchen bei uns auf, und ich werde Dich bitten, gelegentlich mit mir etwas über Musik zu sprechen. Ich möchte nicht Bestimmtes hören, sondern womöglich ein Schrittchen weiterkommen in dem Problem, ob und wie Musik, oder doch Erinnerung an Musik, auf intellektuellem oder dichterischem Weg reproduzierbar ist. Also z. B.: wie weit die Analyse einer klassischen Musik in Worten heute möglich ist. Ich habe nicht im Sinn, gelehrt zu werden, aber ich komme vielleicht dem Verständnis der Wirkung näher, die einzelne Musiken auf mich tun, und werde die Grenze besser sehen, zwischen einem völlig freien dichterischen Phantasieren über Musik und einer Analyse mit den heutigen Mitteln. Wenn ich z. B. von Dir erfahren würde, daß das Strahlende, zugleich Süße

und Männliche, was Händel immer für mich hat, auf der Bevorzugung ganz bestimmter Akkorde etc. beruhte, so wäre das ein Schrittchen. Viel werde ich dich nicht damit plagen . . .
Bringe was von Bach mit, und von denen kurz vor Bach, Pachelbel, Schütz oder so, und womöglich etwas Händel.
(Brief, Anfang August 1934, an Carlo Isenberg)

Seit einigen Tagen ist mein Neffe[1] hier, Organist, Musiklehrer und einer der gründlichsten Kenner des Volkslieds, er war fast in allen Gegenden Europas, wo noch Reste eines lebendigen Volkslieds existieren und hat dort Melodien etc. etc. aufgezeichnet, namentlich im Balkan, Serbien, Bosnien, Mazedonien etc. Er spielt mir jeden Tag ein wenig alte Musik vor, und ich habe häufige Unterredungen mit ihm sowohl über Struktur und Technik der klassischen Musik wie auch über deren geistige, kulturelle Funktion und Bedeutung
(Brief, 8. 8. 1934, an Hans Popp)

---

[1] Carlo Isenberg (1901-1945), Philologe, Musiker und Musiktheoretiker, Mitherausgeber der dokumentarischen Lebensbilder von Hölderlin, Novalis, der Geschwister Brentano, Schubarts etc., die von 1925-1927 u. d. T. »Merkwürdige Geschichten und Menschen« von Hesse im S. Fischer Verlag vorgelegt wurden. Als »Ferromonte« figuriert er im »Glasperlenspiel«.

Aus den Vorarbeiten zum »Glasperlenspiel«

Drama innerhalb eines *Sonaten*satzes: Zuerst Streben zur Dominante und Gewinnung der Dominante, dann Mittelteil: Kampf um das Behaupten der erreichten Dominante, was aber vergeblich ist und tragische Spannung bringt, nun Suchen und Getriebenwerden durch fremde Tonarten hindurch, bis bei Beginn des 3. Teiles der Reprise die Haupttonart wieder gewonnen wird. Die Reprise wiederholt den ganzen ersten Teil, steuert aber nicht wie jener nach der Dominante, sondern nach der Haupttonart.
Sequenz-Wiederholung eines Motivs auf tieferer oder höherer Tonstufe, meistens geht diese Verschiebung in Sekunden, kann aber auch z. B. in Terzen wie in Terrassen herabfallen.
»Schusterfleck« alter Ausdruck für allzu billige harmonische Sequenzen.

Harmonik der ältern und neuern Musik.
Im 16. und weit bis ins 17. Jahrhundert herrschten die Akkorde auf dem Grundton vor, die der Musik etwas Festes, Statisches geben (noch bei Händel sehr zu spüren), und Dissonanzen sind selten. Kommt ein dissonierender Ton vor, so wird er meist zuerst in konsonanter Funktion eingeführt.
alte Musik: fester, statischer
neuere: leichter, schwebender, fließender.

Beispiel für eine Improvisationsübung:
Von Händel gibt es Sätze von Orgelkonzerten, in denen einzelne Orgel-Soli nur angesponnen sind, d. h. es stehen nur einige erste Takte da, in denen das motivische Material für die folgenden gegeben ist (diese sind meist sequenzenartig auszuspinnen), außerdem steht nur die

Klausel oder die Überleitung zum nächsten Tutti ausgeschrieben. Der Organist muß die Leere zwischen jenen Anfangstakten und der Klausel durch eigene Improvisation füllen. Es kommt dabei darauf an, ein harmonisches Schema zu finden, das in den Zielpunkt einmündet, und es virtuos durch mannigfache Brechung auszuschmükken.

Eine andre wichtige Improvisationsübung ist die Kolorierung des Adagio. Der Komponist hat nur das Gerippe der Adagio-Kantilene vorgeschrieben, dieses muß der Improvisierende durch Synkopierung, Durchgangs- und Wechselnoten, durch melismatische Ausweitungen aller Art sowie durch kleine Verzierungen (Manieren) ausschmücken. So kann es vorkommen, daß er das Vielfache an Noten spielt als in der Partitur steht. Hätte er, in der Art etwa heutiger Solisten, ein Adagio von Händel oder Corelli notengetreu abgespielt, so wäre er von den Hörern oder dem Lehrer sehr verspottet worden.

Auf der selben Technik beruht die Kunst, ein koloriertes Choral-Vorspiel zu improvisieren.

Bei den Alten erwartete man z. B. auch vom Solisten, daß er eine Arie beim da capo nicht nur wiederholt, sondern sie auch leicht variiert und bereichert.

Dritte Improvisationsübung: die Technik der Kadenz erstens in ihrer Funktion als Überleitung (Passagen oder gebrochene Akkorde), zweitens als Ausschmückung und Krönung der Schlußkadenz, z. B. in der Mozartzeit die große Kadenz auf dem Quart-Sextakkord.

Weitere wichtige Übungen: Fuge und Präludium.

Fünfte Improvisationsübung: Variationen über ein gegebenes Thema. Dabei wichtig: die Technik der Diminution, d. h. Zerschlagung der Melodielinie in kleine Notenwerte: etwa in der Folge: Viertel, Achtel, Achteltriolen, Sechzehntel, Sechzehntelsextolen, Zweiunddreißigstel. Ferner (auch bei der Fuge stets zu üben) die

Technik, die Sopranmelodie in die Alt-Tenor-Baßlage zu verlegen und mit neuen Gegenstimmen zu umspielen. Ferner: Variierung durch mannigfache Brechung der Grund-Harmonie.

Die Fuge:

möglichst wenig Klauseln im Fluß bleiben. Wenn eine Klausel kommt, wennmöglich gleich wieder durch neuen Ansatz antreiben.

keine Pausen!

[Eine] Fuge hat meist 3 Teile.

1. Exposition (meist die ersten 3 bis 5 Einsätze, alle in Quinten – beziehungsweise Quartenabstand!). Erster Teil schließt häufig mit einer Klausel in der Dominante.

2. Ein freierer, modulierender Teil, nicht mehr an den Quintenabstand gebunden, ergeht sich in verwandten Themen, hier auch Einführungen möglich oder eine Verlängerung des Themas. Neue Kontrapunkte?

3. Schlußteil: Bestätigung der Haupttonart, oft durch eine kleine Modulation in die Subdominanten. Häufig Stauung der Bewegung durch eignen Orgelpunkt.

Die Dominante wirkt erregend, steigernd, die Subdominante beruhigend, bedeutet auch Inversion im Sinn von Meditation etc.

Bei Musik, die ich gut kenne und sehr liebe, kann ich mir alles durch Erinnerung und ein bißchen Summen, Singen oder Pfeifen vorzaubern, etwa Stücke aus den großen Oratorien, dem Figaro, der Zauberflöte etc. Die Linie zur spätern Musik führt für mich nicht über Beethoven, zu dem ich ein schwaches Verhältnis habe, sondern über Schubert und Chopin.

(Brief, 1934, an Fanny Schiler)

Der eine von unsern jetzigen Gästen bringt mir auch viel Gutes und nützt auch meiner Arbeit.[1] Es ist mein Neffe, Organist, ich habe ihm für 14 Tage ein Klavier gemietet, er spielt uns abends alte Musik und nimmt öfter auch mit mir irgend etwas Theoretisches, meist Kontrapunktisches durch, da ich das für meine spätere Arbeit brauche.

(Brief, 24. 8. 1934, an Helene Welti)

Mein theoretisches Interesse für Musik ist sehr beschränkt, hätte auch wenig Wert, da ich nicht ausübend bin. Es interessiert mich die Kontrapunktik, die Fuge, der Wechsel der Harmonik-Moden, aber hinter diesen bloß ästhetischen Fragen sind mir die andern lebendig, der eigentliche Geist der echten Musik, ihre Moral. Darüber wissen und sagen die alten Chinesen mehr als unsere Musiktheoretiker. Bei Lü Bu We (»Frühling und Herbst«, Kapitel 2) heißt es unter anderem: »Die vollkommene Musik hat ihre Ursache. Sie entsteht aus dem Gleichgewicht. Das Gleichgewicht entsteht aus dem Rechten, das Rechte entsteht aus dem Sinn der Welt. Darum vermag man nur mit einem, der den Weltsinn er-

---

[1] Damals entstand »Der vierte Lebenslauf Josef Knecht«, der aber unvollendet blieb und nicht wie die anderen 3 fiktiven Lebensläufe in das endgültige Manuskript des »Glasperlenspiels« aufgenommen wurde.

kannt hat, über die Musik zu reden.« Auch über Wagner, den Rattenfänger und Leibmusikanten des zweiten und noch mehr des dritten deutschen Reiches weiß Lü Bu We schon genau Bescheid. Es heißt bei ihm: »Je rauschender die Musik, desto melancholischer werden die Menschen, desto gefährlicher wird das Land, desto tiefer sinkt der Fürst« etc. Oder: »Rauschend ist ja eine solche Musik, aber sie hat sich vom Wesen der eigentlichen Musik entfernt. Darum ist diese Musik nicht heiter. Ist die Musik nicht heiter, so murrt das Volk, und das Leben wird geschädigt« und »Die Musik eines wohlgeordneten Zeitalters ist ruhig und heiter und die Regierung gleichmäßig. Die Musik eines unruhigen Zeitalters ist aufgeregt und grimmig, und seine Regierung ist verkehrt. Die Musik eines verfallenden Staates ist sentimental und traurig, und seine Regierung ist gefährdet.«

(Brief, 25.8.1934, an Otto Basler)

Daß Sie, von einer andern Seite her und mit der viel größern praktisch-musikalischen Erfahrung, im ganzen meine Musik-Auffassung bestätigen, ist mir lieb, denn sie ist einer der Pfeiler für meine jetzige Arbeit, die mich seit mehr als drei Jahren beschäftigt, aber nur sehr langsam vorrückt. Diesen Sommer hatte ich Carlo Isenberg eine Weile da, und für ihn ein Piano gemietet, das war die erste Konfrontierung meiner ganz persönlichen und laienhaften Musik-Auffassung mit einem Fachmann, und sie fiel auch positiv aus.

(Brief, Herbst 1934, an Adelheid Lang)

Für Sie, den Arzt, ist Sublimieren etwas Gewolltes, Überführung eines Triebs in ein uneigentliches Gebiet der Anwendung. Für mich ist Sublimierung zwar letzten Endes auch »Verdrängung«, aber ich wende das hohe

Wort nur an, wo es mir erlaubt scheint von »geglückter« Verdrängung zu reden, also von Auswirkung eines Triebs auf einem zwar uneigentlichen, aber kulturell hochrangigen Gebiet, zum Beispiel dem der Kunst. Ich halte zum Beispiel die Geschichte der klassischen Musik für die Geschichte einer Ausdrucks- und Haltungstechnik, in welcher ganze Reihen und Generationen von Meistern, fast immer ohne es irgend zu ahnen, Triebe auf ein Gebiet überführt haben, das dadurch, auf Grund dieser echten »Opfer« zu einer Vollendung kam, zu einer Klassik. Eine solche Klassik ist mir jedes Opfer wert, und wenn zum Beispiel die klassische europäische Musik auf dem raschen Weg ihrer Vollendung von 1500 bis ins 18. Jahrhundert ihre Meister, viel mehr Diener als Opfer verschlungen hat, so strahlt sie dafür seither ununterbrochen Licht, Trost, Mut, Freude aus, ist für Tausende, ebenfalls ohne daß sie es richtig wußten, eine Schule der Weisheit, der Tapferkeit, der Lebenskunst gewesen und wird es noch lange sein.

Und wo ein begabter Mensch mit einem Teil seiner Triebkräfte solche Dinge fördert, finde ich seine Existenz und sein Tun von höchstem Wert, auch wenn er vielleicht als Individuum pathologisch ist. Was mir also während einer Psychoanalyse unerlaubt scheint: das Ausbiegen in ein Scheinsublimieren, das scheint mir erlaubt, ja höchst wertvoll und erwünscht, wo es gelingt, wo das Opfer Frucht trägt.

Eben darum ist ja die Psychoanalyse für Künstler so sehr schwierig und gefährlich, weil sie dem, der es ernst nimmt, leicht das ganze Künstlertum zeitlebens verbieten kann. Geschieht das bei einem Dilettanten, dann ist es gut – geschähe es bei einem Händel oder Bach, so wäre es mir lieber, es gäbe gar keine Analyse und wir behielten dafür den Bach.

(Brief, September 1934, an C. G. Jung)

Nie habe ich gesagt oder würde sagen, man solle nicht alles »lieben«, genau wie ich auch meine, man solle alle Menschen lieben, soweit man es eben vermag. Dagegen habe ich oft gesagt, es sei keineswegs alle Kunst gleich gut, sondern es gebe klassische und es gebe Verfallskunst, und z. B. die Musik von Bach sei gut, die von Richard Strauss nicht. Genau dasselbe stellst Du in Rom fest, Du hast auf Deinem Gebiet das Klassische reiner erkannt, und lehnst jetzt das Imitierte und Epigone ab.
Natürlich ist die Kunst jener Kopien etc. ein echtes und legitimes Ergebnis geschichtlicher Zustände, sie entspricht der Seele der späteren Römer ganz genau, ebenso wie die rauschende Musik von Strauss und Wagner der Seele eines heutigen deutschen Großstädters entspricht. Darum kann man sie »lieben«, nämlich als Ausdruck von einem Stück Menschentum und Geschichte. Zwischen lieben und für »richtig (oder klassisch)« halten ist aber zweierlei. Man kann auch das Entartete und Kranke lieben, man kann und soll es aber nicht für »richtig« halten, sondern für das, was es ist. Denn wie sagt Lü Bu We? Wenn die Musik rauschend wird, zerfallen die Sitten, und die Staaten sind bedroht.
(Brief, 3.11.1934, an Ninon Hesse, nicht mehr abgeschickt)

Daß Wagner den Musikanten trotz allem immer wieder fasziniert, davon kenne ich viele Beispiele, das ist der alte Zauber, den alle schwarze Magie ausübt. Am Ende dieser Faszinierungen stehen die Kriege und Kanonen, und alles andre was Gott verboten hat. Nun, auch der »faustische« Mensch will seine Freuden haben, schade daß wir andern sie so sehr mitbezahlen müssen. Nun, mich wird es bald nicht mehr berühren können.
(Brief, 7.12.1934, an Hans Popp)

Ich reise heut nach Zürich, teils um die H-Moll-Messe einmal wieder zu hören, teils um leider mit meinem Verleger eingehend seine und meine Lage zu besprechen, keine angenehme Aussicht. Heut Nachmittag also werde ich einmal wieder durch Rüschlikon und an dem Hügel vorbei fahren, auf dem Sie eine Weile wohnten.[1] Auch damals hörte ich einst eine Aufführung der H-Moll-Messe mitten im Krieg und das dona nobis pacem war damals kaum zu ertragen, so schnitt es ins Herz.
(Brief, 18.4.1935, an Stefan Zweig)

Natürlich kann man eine Musik nicht in einem Gedicht nachzeichnen, höchstens ihren »Inhalt«, das heißt: das, was der Hörer sich vorgestellt hat, und bei einer Toccata (wir haben sie als Platte) sehe ich beim Hören jedesmal ein Bild, unter das man schreiben könnte »Es werde Licht«, d. h. also einen Moment der Weltschöpfung, wo aus dem finsteren Chaos die gestaltete Welt anfängt, sichtbar zu werden.
(Brief, 1935, an Alice Leuthold)

Zu einer Toccata von Bach

Urschweigen starrt . . . Es waltet Finsternis . . .
Da bricht ein Strahl aus zackigem Wolkenriß,
Greift Weltentiefen aus dem blinden Nichtsein,
Baut Räume auf, durchwühlt mit Licht die Nacht,
Läßt Grat und Gipfel ahnen, Hang und Schacht,
Läßt Lüfte locker blau, läßt Erde dicht sein.

---

[1] 1918/19 lebte Stefan Zweig in enger Kooperation mit dem Roten Kreuz und den pazifistischen Kreisen um Romain Rolland im Hotel Belvoir in Rüschlikon über dem Züricher See.

Es spaltet schöpferisch zu Tat und Krieg
Der Strahl entzwei das keimend Trächtige:
Aufglänzt entzündet die erschrockne Welt:
Es wandelt sich, wohin die Lichtsaat fällt,
Es ordnet sich und tönt die Prächtige
Dem Leben Lob, dem Schöpfer Lichte Sieg.

Und weiter schwingt sich, gottwärts rückbezogen,
Und drängt durch aller Kreatur Getriebe
Dem Vater Geiste zu der große Drang.
Er wird zu Lust und Not, zu Sprache, Bild, Gesang,
Wölbt Welt um Welt zu Domes Siegesbogen,
Ist Trieb, ist Geist, ist Kampf und Glück, ist Liebe.

(entstanden am 10. 5. 1935)

Im Bachgedicht stört, daß das Gedicht ja nicht eigentlich von der Musik handelt, sondern von dem Bild, das jene Musik mir suggeriert: der Schöpfung des Lichts. Ich sehe über dem Chaos Strahlen hinzucken und Gesicht und Gestalt in die Welt bringen. Hell und Dunkel, Körper, Vorn und Hinten, das ist ein dynamischer Vorgang, während Bachs Musik selber ja schon ganz und vollkommen Kosmos und Gestalt ist.
(Brief, Ende Juni 1935, an Carlo Isenberg)

Die Poesie ist ebensowenig wie die Musik eine exakte Wissenschaft, sondern eben eine Kunst, und es spielt überall Zufall, Assoziation etc. seine Rolle. So auch bei den Überschriften von Gedichten. Sie finden jene Überschrift »Toccata« ganz zufällig. Für mich ist seit einer Reihe von Jahren mit einer bestimmten Toccata (ich kann das Opus nicht näher benennen) unweigerlich die

Vorstellung der Weltschöpfung verbunden, und zwar der Moment des Lichtwerdens. Da ich sonst gar nicht zu kosmischen Phantasien neige, und die Vorstellung, aus der das Gedicht entstand, nicht aus Reflektieren über die Schöpfung, sondern eben einzig aus dem Hören jener Toccata entstand, war es für mich selbstverständlich, diese Abhängigkeit im Titel auszusprechen.
Daß mein Gefühl, es sei mit diesem Gedicht, gegen dessen Niederschrift ich mich längere Zeit wehrte, etwas nicht in Ordnung, durch Ihre Analyse und Kritik mehr als bestätigt wird, macht mir eher Spaß als Verdruß.
(Brief, ca. 1950, an Justus Hermann Wetzel)

Zur Toccata wäre etwa zu sagen: Das Gedicht gehört zu Josef Knecht und dem Glasperlenspiel, ist also nur halb von mir. An sich ist es mir zu pathetisch, ich habe die großen Töne nicht so gern, aber es glückte eben diesmal nicht anders. Natürlich kann man Musik nicht in Versen wiedergeben. Sondern, was in den Versen steht ist nicht die Toccata, sondern mein subjektives Erlebnis, meine Assoziation beim Hören dieser speziellen Musik, die sich seit Jahren bei jedem Wiederhören wiederholt hat. Ich sehe oder fühle bei dieser Musik den Vorgang der Schöpfung, und zwar den Moment der Lichtwerdung. Das ist wiederzugeben versucht, nicht mehr.
(Brief, 22.7.1935, an C. Clarus)

Wegen des Wagner-Aufsatzes ist Thomas Mann seinerzeit in München von seinen vormaligen Kollegen und Freunden, den dortigen »Intellektuellen«, in ebenso häßlicher wie törichter Weise angegriffen und denunziert worden, weil trotz seiner lebenslangen tiefen Liebe zu Wagner sein Verständnis für das Fragwürdige und Pathologische in diesem Genie etwas tiefer reicht als das der

Kapellmeister. Ich teile Manns tiefe Liebe zu Wagner nicht, aber ich muß diesen Wagner-Aufsatz ganz besonders rühmen.

(Aus »Bonniers Litterära Magasin«, Stockholm, vom September 1935)

Ferruccio Busonis Briefe an seine Frau hat Friedrich Schnapp herausgegeben, und der Zürcher W. Schuh hat ein schönes Vorwort dazu geschrieben (Rotapfelverlag). Unter den vielen Musikern, die ich gekannt habe, ist Busoni der geistig wachste, rascheste, helläugigste gewesen. Er konnte blendend witzig sein, hatte Freude am Paradox, und gerade sein Witz war das Fenster, durch das man in sein Inneres sehen konnte, nämlich in einen dauernden Streit zwischen einem modern geschulten, bewußt unsentimentalen und anti-romantischen Intellekt und einer kindlich-zeitlosen, heimlich der Romantik sehr nahestehenden Seele.[1] Auch in diesen lesenswerten Briefen kommt diese Doppelnatur zum Ausdruck; es ist rührend zu sehen, wie beinah knabenhaft der große Virtuose und kluge Spötter an seiner Frau hängt, der Empfängerin dieser Briefe. Es dürfte kein zweiter Musiker seiner Generation [seit Bülow[2]] Briefe von solchem Niveau geschrieben haben.

(Aus einer Sammelrezension in »Bonniers Litterära Magasin«, Stockholm, April 1936)

1 In seinem Buch »Wanderung« (entstanden 1918/19) schreibt Hesse über Busoni: »Ich freute mich wieder an der flotten Bewußtheit dieses glänzendsten Anti-Philisters, den wir heut noch haben.«
2 Eine ähnliche Fassung dieser Besprechung veröffentlichte Hesse im Februar 1936. Dort heißt es »seit Bülow«.
Hans G. v. Bülow (1830-1894), Dirigent, Pianist, Komponist, Hofkapellmeister der kgl. Musikschule in München, erster Gatte von Cosima Wagner geb. Liszt; dirigierte die Uraufführungen des ›Tristan‹ (1865) und der ›Meistersinger‹ (1868). Bülows Verdienst war es, das Virtuosentum bekämpft und die nachschaffende Kunst wieder ganz in den Dienst des reproduzierten Werkes gestellt zu haben. Auch seine von 1895-1908 erschienenen »Briefe und Schriften« hatten eine starke Wirkung.

Mozart gehört zu jenen paar größten Künstlern, welche eigentlich keine Biographie und keine Psychologie mehr haben, welche dadurch so vollkommen unbegreiflich und zauberhaft geheimnisvoll werden, daß ihre Person sich nach oben hin verliert, nach oben hin sich uns entzieht und Geheimnis wird, weil sie von der Kunst, vom Überpersönlichen und Überzeitlichen, mehr als zur Hälfte aufgesogen wird. Von den Dichtern historischer Zeiten hat kaum einer dies Geheimnis, es sei denn Shakespeare, von den Musikern hat es jener andre Unbegreifliche, Bach, mit Mozart gemeinsam, obwohl Bachs Biographie immerhin noch etwas mehr Körper besitzt als die von Mozart. Es ist nicht das Fehlen von Quellen und Dokumenten, was das Leben dieser Meister so rätselhaft machte, es fehlt bei Mozart weder an Briefwechseln noch an Zeugnissen und Berichten der Zeitgenossen. Sondern es ist das Durchdrungensein und Aufgesogensein dieser Künstler von oben her, aus den seraphischen Bezirken ihrer Kunst, was ihren Personen und ihren Biographien diese seltsame Leere, diese teils engelhafte, teils gespenstische Jenseitigkeit gibt.

Eine neue Biographie Mozarts zu lesen hat darum nur dann einen Sinn, wenn ihr Autor entweder das tatsächlich Biographische durch neue Schlußfolgerungen aus den bekannten Quellen bereichert, oder wenn er durch die Gewalt der Liebe, des Ergriffenseins zum Künder wird. Zu dieser zweiten Art gehört das schöne, eigenartige, eigenwillige und von tiefer und tapferer Liebeskraft beseelte Buch von Annette Kolb. Einer seiner Reize besteht darin, daß es zu Mozart keine andre Beziehung und Einstellung kennt als die der unbedingten, dankbaren Liebe, für alle Mitspieler und Nebenfiguren von Mozarts Leben aber zu Kritik und Angriff, Schätzung und Abschätzung temperamentvoll bereit ist. Es wird hier nicht der Versuch gemacht, dem großen Geheimnisvollen eine bürgerliche Biographie anzudichten, d. h. ihn mehr oder weniger auf eine Stufe mit den Figuranten seines Lebens zu stellen, womöglich gar die Menschen, unter denen Mozart am schwersten zu leiden hatte, reinzuwaschen; nein, es wird über den Colloredo sowohl wie über die Familie Weber, über das Verhältnis des Vaters zu Mozart wie über seine Ehe, mit einer Freimütigkeit gesprochen, der es an Lust zu kräftigen Urteilen und Angriffen nicht fehlt. Aber – und das gibt dem Buch seinen Rang – es wird nie vergessen, daß diese Figuren alle andere und bessere hätten sein können, ohne daß darum die abgründige Tragik in Mozarts Erdenleben kleiner sein würde. Die Lebensgeschichte Mozarts ist zur größern und edlern Hälfte eine überpersönliche, ist die Geschichte des Geistes auf Erden, des Genius unter den Bürgern – und auch Könige und große Figuranten der Weltbühne werden hier zu Bürgern. Das ist die Grundmelodie des Buches: die Hoffnungslosigkeit und schauerliche Tragik dieses Lebens, das dennoch einen Sieg und Triumph bedeutet. Schöner als in jedem andern mir bekannten Mozartbuch kommt die gepreßte, geladene Atmosphäre seiner letzten Jahre hier zur Darstellung, das Tempo dieser unheimlich produktiven und unheimlich leidensvollen Zeit, das heilige Fieber der Zeit zwischen Figaro und Zauberflöte.

Und nun ist ja dieses Buch nicht von irgendwem geschrieben, der Mozart kennt und liebt und etwas über ihn sagen möchte, sondern es ist geschrieben von einer Dichterin und Kämpferin, deren Waffen in vielen Gängen bewährt und gestählt sind. Sie mag sich hier geirrt oder dort verhauen haben, das mögen die Leute vom Fach nachprüfen. Aber ihr Kompaß weist unfehlbar die rechte Richtung, wo es um das Los des Geistes (und des Genius) auf Erden, um die Tragik der Schöpfer, um die Sendung der Musik geht. Und es steht ihrer Liebe und

Ehrfurcht, es steht ihrem Wissen und Ahnen ein zartes, geschultes, hochkultiviertes Ausdrucksvermögen zur Verfügung, das uns ein Buch von ihr mit Hingabe lesen ließe, auch wenn es nicht ein so erhabenes Phänomen zum Gegenstand hätte.

(»Annette Kolbs Mozartbuch«, Rezension in der National-Zeitung, Basel, vom 9.5.1937)

Im Gedicht [Orgelspiel][1] ist natürlich nicht bloß und nicht immer die wirkliche Orgel gemeint, sondern sie ist Symbol für die in vielen Generationen aufgebaute »geistige« Kultur und Geistesmoral, und das ist eine Orgel, auf der heute noch viele Junge zu spielen wissen.

(Brief, 25.7.1937, an Carlo Isenberg)

Daß Ihr die M[atthäus]-Passion habt aufführen können, ist großartig! [In Calw] hab ich sie, stark bearbeitet und mäßig aufgeführt, aber trotzdem gewaltig wirkend, als Bub zum erstenmal gehört.[2] Dein Vater dirigierte, Vinçon saß an der Orgel, meine Brüder sangen den Evangelisten und den Christus, Deine Schwestern und Adele sangen im Chor. Diesmal in Zürich hörte und begrüßte ich auch alte Freunde wieder: Volkmar Andreä[3], die [Ilona] Durigo[4], [Karl] Erb[5] etc.

(Brief, 1937, an Fanny Schiler)

---

1 Vgl. S. 31 ff.
2 Am 4. 4. 1890. Siehe Abbildung.
3 Volkmar Andreae (1879-1962), Komponist und Dirigent, Direktor des Konservatoriums Zürich, einer der bedeutendsten Bruckner-Interpreten. Etwa seit 1905 mit Hesse befreundet, von dem er 1912 vier Lieder vertonte, die im Jahre darauf, gesungen von Ilona Durigo, in Zürich uraufgeführt wurden. Für ihn schrieb Hesse 1915 ein Opernlibretto »Romeo« in vier Akten nach Schlegels deutscher Übertragung von Shakespeares »Romeo und Julia«. Unveröffentlichtes Manuskript im Nachlaß Hesses.
4 Ilona Durigo (1881-1941), bekannte Altistin, verheiratet mit dem Komponisten

> **Passions-Gesänge.**
>
> Eine Auswahl von Chören, Chorälen und Arien mit verbindenden Recitativen
> aus der
>
> **Passions-Musik**
>
> nach dem
>
> **Evangelium Matthäi**
>
> komponiert 1728—1729 von
>
> **Johann Sebastian Bach.**
>
> Aufgeführt
> **am Charfreitag, den 4. April 1890, abends 6 Uhr**
> in der Stadtkirche zu Calw
> durch den
>
> **Kirchengesang-Verein**
>
> unter Leitung des Herrn F. **Gundert**,
> mit gütiger Uebernahme der Gesangssoli durch Frau Bauinspektor **Wundt-Lisco** aus Schorndorf,
> Herrn **Th. Isenberg**, Herrn **C. Isenberg**, st. phil. aus Tübingen,
> ferner
> der Violinenbegleitung durch Herrn Musikdirektor **Speidel** und Schülern
> und der Orgelbegleitung durch Herrn **Binçon**.

Programm des Karfreitagskirchenkonzerts 1890 mit den beiden Halbbrüdern H. Hesses: Theodor und Karl Isenberg als Solisten.

In einem Brief an Grete Braun vom 28.11.1961 schrieb Hesse über seine beiden Halbbrüder:
»Wir Hessekinder liebten und bewunderten unsere beiden älteren Stiefbrüder, Theo und Karl sehr. Theo war der Charmeur, der Herzliche und Heitere, immer enthusiastisch und optimistisch. Karl war stiller und nüchter-

---

Tibor Kasics, mit Hesse befreundet seit 1911, wo sie sich bei der italienischen Erstaufführung der Matthäus-Passion in Mailand kennenlernten. Sie hat auch die meisten von Schoeck komponierten Hesse-Lieder uraufgeführt.
5 Karl Erb (1877-1958), Opern- und Konzertsänger, später berühmt als Interpret der Evangelisten-Partien Bachscher Passionen; von Romain Rolland und Thomas Mann (vgl. »Betrachtungen eines Unpolitischen« und »Doktor Faustus«) gerühmt u. a. als Palestrina in Pfitzners gleichnamiger Oper.

ner, aber auch weit gründlicher, guter Philologe und guter Klavierspieler, seine Stimme war eher schöner als die von Theo, sein Vortrag aber zurückhaltender, bescheidener, Theo war ja auch beim Theater gewesen. Ich habe Aufführungen von Bach-Passionen gehört, bei denen Theo den Evangelisten, Karl den Christus sang, Dirigent war Onkel Friedrich Gundert. Alles in allem habe ich, je jünger ich noch war, desto mehr für Theo geschwärmt, mit den Jahren aber ist Karl mir immer lieber geworden, schon weil Karl immer sich entwickelte und weiter bildete, besonders in der Musik, während Theo sein Repertoire an wirksamen Liedern und Arien bis ins Alter ohne Zuwachs behielt.

Ich selber habe über die Lieder[1] kein Urteil, ich überlasse das den Fachleuten. Im ganzen habe ich, außer denen von Schoeck, eigentlich noch keine Kompositionen zu meinen Texten gesehen, die mir Freude gemacht hätten, ich bekomme eine Menge zugeschickt, im ganzen gibt es wohl viele hunderte.

(Brief, 12.12.1937, an Fanny Schiler)

Im Prozeß der »Vereinheitlichung« und zugleich Banalisierung der Sprache steht, glaube ich, der Dichter eindeutig auf Seite der erhaltenden retardierenden Partei, und sollte es daher möglichst auch in den formalen Fragen der Orthographie etc. tun. Wenn ein Autor einmal das Wort »anderer« geschrieben hat, darf ihn das nicht dazu verpflichten, auf der nächsten Seite auf das Wort »andrer« zu verzichten, bloß weil das »konsequent« ist. Zwischen beiden Wörtern ist ein rhythmischer Unterschied, und wenn auch der Autor die Motive, warum er das einemal so, das andremal so schreibt, nicht immer

[1] Hesse-Vertonungen von Prof. Richard Maux, Wien.

klarlegen kann, so tut er es eben doch aus einem künstlerischen, einem Bedürfnis nach Differenzierung im Ausdruck. Wenn in einem Quartett von Schubert die Coda eines Satzes die drittletzte Note punktiert, in einem andern Satz aber die sonst gleiche Endphrase der Coda ohne Punkt läßt, so weiß jeder Musikant, daß das auch einheitlich gemacht werden könnte, daß dies aber weit langweiliger wäre.
(Brief, 23.7.1938, an Herbert Steiner)

Die Musik ... bestand durch alle Jahrhunderte in erster Linie aus der Freude am Sinnlichen, am Ausströmen des Atems, am Schlagen des Taktes, an den Färbungen, Reibungen und Reizen, welche beim Mischen von Stimmen, beim Zusammenspiel von Instrumenten entstehen. Gewiß ist der Geist die Hauptsache, und gewiß ist die Erfindung neuer Instrumente und die Änderung alter, ist die Einführung neuer Tonarten und neuer konstruktiver und harmonischer Regeln oder Verbote immer nur eine Gebärde und Äußerlichkeit, so wie die Trachten und Moden der Völker eine Äußerlichkeit sind; aber man muß diese äußerlichen und sinnlichen Kennzeichen sinnlich und intensiv erfaßt und geschmeckt haben, um die Epochen und Stile aus ihnen heraus zu verstehen. Man macht Musik mit den Händen und Fingern, mit dem Munde, mit der Lunge, nicht mit dem Gehirn allein, und wer zwar Noten lesen, aber kein Instrument vollkommen spielen kann, der soll über Musik nicht mitreden. Und so ist auch die Geschichte der Musik keineswegs allein von einer abstrakten Stilgeschichte aus zu verstehen, und es würden zum Beispiel die Verfallszeiten der Musik ganz unverständlich bleiben, wenn wir in ihnen nicht jedesmal das Überwiegen des Sinnlichen und Quantitativen über das Geistige erkennen würden.
(Aus dem »Glasperlenspiel«)

Der Mensch lebt heute nicht, er vegetiert und atmet halb erstickt, und wenn er hie und da einen schönen Traum hat oder ihm aus der Kindheit her oder von Bach oder Mozart her ein Takt echter Musik ins Gedächtnis kommt, dann sind das seine guten Stunden. Der Mensch macht heute einen Versuch, sich in etwas andres zu verwandeln als was er 10000 Jahre war, und das macht nur den Jungen Spaß und denen, die dabei zu kommandieren haben.
Indessen ist die andere Welt vorhanden, die echte und helle, sie ist es nicht bloß im Gedenken an Mozart oder beim Lesen eines alten Buchs, sie lebt auch in uns, klein und schwach, und einen Funken von ihr weiterzugeben, ist die letzte unsrer Pflichten.

(Brief, 17.12.1938, an C. Clarus)

Es ist bei den Dichtern wie bei allen Künstlern: die erste Voraussetzung ist das Talent, also ein mehr als gewöhnliches Sprachvermögen und Sprachgefühl. Zum Talent muß aber der Charakter hinzukommen, das was Sie »Fleiß« nennen, ein sorgfältiges Durcharbeiten. Meistens wird der Vorgang beim Entstehen eines Gedichts so sein, daß es mit einer Inspiration beginnt, daß entweder ein Gedanke, ein inneres Bild, oder ein paar Worte zuerst da sind, sie sind der Einfall und das Wichtigste. Erst nachher, beim Ausarbeiten und Kontrollieren des Aufgezeichneten, wird dann bewußt und nach Regeln weiter gearbeitet. Bei Musikern kommt es z. B. oft vor, daß sie einen musikalischen Einfall haben, dessen Fixierung in Noten fast unmöglich scheint, und dem sie dann mit Hilfe der Regeln beikommen müssen.
Sie haben also ganz richtig gefühlt: mit dem Fleiß allein läßt sich kein Kunstwerk machen. Dagegen unterscheidet gerade das den Dilettanten vom Künstler, daß der Di-

lettant meistens mit dem ersten Einfall schon zufrieden ist, daß er das sprachliche und rhythmische Durcharbeiten scheut. Dem wirklichen Künstler dagegen macht es Freude, seine Arbeit möglichst vollkommen zur Ausführung zu bringen, auch wenn es viele Korrekturen fordert.

(Brief, ca. 1940, an Vroni Keller)

Flötenspiel

> Ein Haus bei Nacht durch Strauch und Baum
> Ein Fenster leise schimmern ließ,
> Und dort im unsichtbaren Raum
> Ein Flötenspieler stand und blies.
>
> Es war ein Lied so altbekannt,
> Es floß so gütig in die Nacht,
> Als wäre Heimat jedes Land,
> Als wäre jeder Weg vollbracht.
>
> Es war der Welt geheimer Sinn
> In seinem Atem offenbart,
> Und willig gab das Herz sich hin
> Und alle Zeit ward Gegenwart.

(entstanden im März/April 1940)

Die Schlußzeile des Gedichts[1] ist übrigens das Endergebnis vieljähriger Spekulationen über das Wesen der Musik. Sie ist, so scheint mir, philosophisch formuliert: ästhetisch wahrnehmbar gemachte Zeit. Und zwar Gegenwart. Und dabei wieder fällt einem die Identität von Augenblick und Ewigkeit ein.

(Brief, ca. April 1940, an Otto Korradi)

1 »Flötenspiel«

Ja, ich danke Ihnen auch noch für das, was Sie über das geänderte Gedicht sagen. Mit der Bemerkung über die Zeile vom roten Fenster oder leisen Schimmer haben Sie wahrscheinlich recht, wenigstens ist auch mir das leise Schimmern lieber und wird vermutlich wieder eingesetzt werden. Die Sache war die: daß das Gedicht aus dem Subjektiven und Erzählenden ins Allgemeine und rein Gleichnishafte übersetzt wurde, war ohne Zweifel richtig, schon darum, weil das Gedicht mit einer eigentlich rein geistigen Erkenntnis schließt, mit der Einsicht nämlich, daß das Wesen der Musik Zeit ist, und zwar reine Gegenwart, nichts andres: ich habe zu dieser Einsicht, obwohl ich seit den Kinderjahren ein Musikfreund war, gegen 60 Jahre gebraucht. Nun war aber mit der gestrichenen ersten Strophe auch die Zeile von der wolkigen Vorfrühlingsnacht weggefallen, die wärmste, sinnenhafteste, auch am stärksten die Raumtiefe andeutende Zeile des Ganzen, und dieser Verlust tat mir leid. Um ihn vielleicht zu ersetzen gab ich der Zeile vom Fenster das Rot und Glühen mit und werde so lang dabei bleiben, bis ich am Ende eben doch wieder das leise Schimmern einsetzte! So ist es mit uns Dichtern. Als Knabe las ich im Wartezimmer des Zahnarztes einmal in den Fliegenden Blättern einen Witz: ein Kommerzienrat begegnet einem Dichter und fragt, ob er denn heut auch schon etwas gearbeitet habe. Der Dichter sagt in tiefem Ernst: »O ja. Den ganzen Vormittag habe ich das gestern Geschriebene wieder durchgenommen und schließlich einen Satz gestrichen.« Der andre fragt: »Und am Nachmittag?« Der Dichter: »Ja, da habe ich das Ganze nochmals durchgeprüft und habe den Satz am Ende doch wieder stehen lassen.« Ich habe diese Lektüre bei einem Stuttgarter Zahnarzt, so etwa ums Jahr 1890, nie vergessen.
(Brief, 18.4.1940, an G. Stämpfli)

Inmitten unsrer zertrümmerten Welt werden ja die Berührungen mit dem Schönen noch intensiver und packender, ja zuweilen werden sie uns zu stark und werden kaum mehr ertragen. Ich vergesse es nie, wie ich einst, in den beiden letzten Jahren des Weltkrieges, keine Musik mehr ertragen konnte, wie damals ein paar Takte Bach, Mozart oder Schubert nur noch Tränen und Hoffnungslosigkeit weckten, als Erinnerung an eine herrliche Welt, die gestern noch unser war und nun zerstört schien.
(Brief, 30.12.1940, an Viktor Wittkowski)

Ich glaube, ich vergaß in meinem Briefchen zu sagen, wie ich mich über Ihre Liebe zu Lenau und Ihren Besuch an seinem Grab gefreut habe. Für mich gehört Lenau, namentlich während meiner Jünglingsjahre, neben Hölderlin, zu den geliebtesten Dichtern. Übrigens hat auch schon meine Mutter ihn geliebt und einiges aus seinem Savonarola auswendig gewußt.
Unter den Heutigen ist der Komponist Othmar Schoeck, der bedeutendste Liederkomponist dieser Zeit, Lenau sehr zugetan und hat viel von ihm vertont, namentlich in dem Zyklus »Elegie«, dessen Texte aus Eichendorff und Lenau zusammengestellt sind.
(Brief, 17.1.1941, an Alfred Biedermann)

Meine näheren Beziehungen zu Bern und damit zu Dir, begannen im Frühling 1908. Da war ich zum erstenmal einige Tage zu Gast bei dem mir von München her befreundeten Maler Albert Welti und bewohnte zum erstenmal das alte Haus am Melchenbühlweg im Schatten seiner riesigen Ulme. Als ich 4 Jahre später, nach Weltis Tod, in dieses Haus einzog, waren wir schon Freunde und sind es dann in meinen Berner Jahren vollends geworden. Natürlich stand diese Freundschaft im Zeichen der Musik, und Du warst der Gebende.[1] Auf meinem privaten Weg zum Verständnis der Musik ist Deine Kennerschaft, Dein Gespräch, Dein Dirigieren, Dein Klavierspiel und Dein Schaffen als Komponist mir in jenen Jahren Begleiter und Führer gewesen. Wir hatten gemeinsame Freunde, ich nenne nur Schoeck, Andreae, Schädelin[2], Schlenker[3], wir feierten manches Fest miteinander, wobei ich vor allem an die Weihnachtsabende bei Dir denke, und ich habe eine große Zahl herrlicher Aufführungen unter Deiner Leitung miterlebt.

(Brief, 27.4.1941, an den Dirigenten Fritz Brun)

Will Eisenmann[4] gehört zu den besten und erfreulichsten Begabungen in der neueren europäischen Musik; das ist auch von zahlreichen Führenden im Musikleben erkannt worden.
Was mir an Eisenmann besonders gefällt, ist seine Vielseitigkeit. Seinem starken, gesunden Instinkt und Lebensgefühl steht ein wohlausgebildeter Verstand, eine hohe geistige Bildung gegenüber. Vor allem schätze und billige ich seine Auffassungen und Glaubenssätze über das Wesen der Musik, und über den Rang, den die Musik in Leben, Erziehung und Kultur einnimmt, oder ein-

---

1 Fritz Brun (1878-1959), Dirigent und Komponist, leitete 38 Jahre lang das Berner Symphonieorchester. Im April/Mai 1911 hat er Hesse auf seiner Italienreise begleitet.
2 Walter Schädelin (1873-1953), Forstwissenschaftler, Prof. an der E.T.H. in Zürich. Hesse bezeichnete ihn als seinen »besten und treuesten Freund« während seiner Berner Jahre.
3 Durch Alfred Schlenker (1876-1950), Zahnarzt und Komponist in Konstanz, hatte Hesse in Gaienhofen Fritz Brun, Othmar Schoeck und Volkmar Andreae kennengelernt.
4 Will Eisenmann (*1906), Dramaturg am Staatstheater Wiesbaden und den Städt. Bühnen, Köln; Komponist und Pädagoge. Sein Werk umfaßt Symphonien, Opern, Vokal- und Instrumentalmusik sowie Stücke für Solosprecher, Sprechchor und Orchester.

nehmen sollte. In mehreren seiner Aufsätze fand ich Gedanken, die mich nah verwandt anmuteten. Denn Eisenmann ist nicht nur Musikant, Komponist und Musikpädagoge, er ist auch ein sehr achtenswerter Theoretiker und Kritiker. Seine Geistigkeit ist verwandt mit der jener literarischen Musiker der romantischen Zeit, der E.T.A. Hoffmann, Berlioz, Schumann.
(Gutachten über den Komponisten Will Eisenmann, Juli 1941)

Die Berichte über Schoecks Berliner Premiere[1] waren mir interessant. Vor 30 Jahren sagte ich Schoeck einmal: »Wenn es mir nicht eigentlich um Eichendorff leid täte, würde ich Dir das Schloß Dürande für eine Oper empfehlen.«

(Postkarte, 10.5.1943, an Wilhelm Grimm)

Es ist mir nahezu unmöglich, Dir Auskünfte über das Glasperlenspiel zu geben: . . . Ich halte nichts vom Erklären von Dichtungen, und wer nicht aus dem Buch selbst, wenn es einmal vorliegt, sich das ungefähre Bild des Glasperlenspiels erschaffen kann, den geht es auch nichts an.
Denke es Dir etwa so: Wie man aus Notenzeichen ein Musikstück, aus mathematischen Zeichen eine algebraische oder astronomische Formel ablesen kann, so haben die Glasperlenspieler sich in Jahrhunderten eine Zeichensprache aufgebaut, welche es ermöglicht, Gedanken, Formeln, Musik, Dichtung etc. etc. aller Zeiten in einer Art Notensprache wiederzugeben. Das Neue dabei ist lediglich, daß dieses Spiel für alle Disziplinen eine Art

---

[1] Uraufführung der Oper in 4 Akten »Schloß Dürande« am 1.4.1943 in der Staatsoper Berlin.

Generalnenner besitzt, also eine Anzahl von Koordinatenreihen zusammenfaßt und zu Einem macht.
Übrigens stehen im Text, den Du hast, da und dort Einzelheiten, z. B. in den »Studienjahren«, aber auch anderwärts.

(Brief, ca. Ende 1943, an Theo Baeschlin)

Sie haben recht mit dem, was Sie über Illustrationen sagen, es steht damit ebenso wie mit dem Komponieren von Gedichten. Neun Zehntel dieser Kompositionen sind unnötig, werden aber mitgetragen und mit gerechtfertigt durch das geglückte Zehntel, und wenn wir Schuberts Goethe- und Wolfs Mörikelieder nicht hätten, wäre es doch schade.

(Brief, April 1944, an eine Leserin)

Es ist gut, daß Du die Musik hast, die große Helferin, und ich kann mich gut hineindenken, wie auch die mechanischen Übungen, Tonleitern etc. ihre gute Wirkung tun; sie strömen Ordnung und Klarheit aus und schaffen einen Raum außerhalb oder oberhalb des Aktuellen.

(Brief, 4.3.1945, an Fanny Schiler)

Was nun Richard Strauss betrifft, so fürchte ich, Du wirst recht behalten mit Deiner Ahnung: Was Du auch tun magst, es wird Dich nachher irgendwie plagen! Das gehört zum Widerlichsten in unsrem jetzigen Zustand, daß alle Fronten einander überschneiden, daß man jeden Augenblick, nachdem man soeben das scheinbar Richtigste getan hat, sich fragen muß: war es nicht doch falsch? Mir geht es auch so.
Während ich in Baden war, war Strauss dort, und ich habe es sorgfältig vermieden, mit ihm bekannt zu wer-

den, obgleich der schöne alte Herr mir gut gefiel. Einmal, als ich mit Markwalders[1] mich für eine Abendstunde verabredet hatte, meldeten sie mir nachher: das treffe sich gut, Strauss komme zur selben Stunde auch zu ihnen und freue sich, mich kennen zu lernen. Ich zog mich zurück und sagte, ich wolle nicht mit Strauss bekannt werden. Es wurde ihm natürlich nicht in dieser Form mitgeteilt, sondern man entschuldigte mich eben irgendwie.

Daß Strauss jüdische Verwandte hat, ist natürlich keine Empfehlung und Entschuldigung für ihn, denn grade dieser Verwandtschaft wegen hätte er, der längst überreich Saturierte, darauf verzichten sollen, auch noch von den Nazis Vorteile und Huldigungen anzunehmen. Er war alt genug, um sich zurückzuziehen und fernhalten zu können. Daß er das nicht konnte, ist ja vermutlich nur die Folge seiner Vitalität. »Leben«, das hieß für ihn: Erfolge, Huldigungen, riesige Einnahmen, Bankette, Festaufführungen etc. etc. Ohne das wollte und konnte er nicht leben, und so hat er halt den Rank nicht gefunden, dem Teufel zu widerstehen. Wir haben kein Recht, ihm große Vorwürfe zu machen. Aber ich glaube, wir haben doch das Recht, uns von ihm zu distanzieren.

Mehr weiß ich dazu nicht zu sagen. Am Ende wird stets Strauss der Gewinnende sein, denn er wird sich nie Haare ausreißen und Gewissensnöte dulden. Er gehört ja, trotz seiner Anpassung an die Nazi, zu den ganz wenigen Deutschen, die sofort von den Herren Siegern die Ausreiseerlaubnis in die Schweiz bekamen. Andere[2], so

---

[1] Josef u. Franz Xaver Markwalder. Ihnen hat Hesse seinen »Kurgast« gewidmet. F. X. Markwalder war Inhaber des Badhotels »Verenahof« in Baden bei Zürich. Dort unterzog sich Hesse von 1923-1952 alljährlich vor Jahresende einige Wochen einer Kur.
[2] H. H. bemühte sich damals vergeblich um die Einreiseerlaubnis für Peter Suhrkamp, der 1945 mit schweren gesundheitlichen Schäden aus dem KZ Sachsenhausen entlassen worden war.

alt wie er, die unter Hitler gelitten haben und in Gefängnissen lagen, sind seit mehr als einem halben Jahr von der Schweiz zu Erholungsaufenthalten eingeladen, werden aber von den Siegern nicht herausgelassen. Man kriegt Magenbrennen, wenn man dran denkt.

(Brief, 1.2.1946, an Ernst Morgenthaler)

Mit dem greisen Herrn in Baden[1] hast Du gewiß recht gehabt. So unnötig es ist, einen alten Mann zurechtweisen zu wollen, so schadet es einem alten Routinier des Erfolgs doch nicht, wenn er auch einmal auf Hartes stößt statt auf Anken[2]. Und wichtiger ist, daß die kleinen Leute, die Menge, das Volk nicht Anlaß bekommen, ihre Urteile nach der falschen Seite hin zu korrigieren. Sie hätten, wenn sie das Bild dann einmal hätten ausgestellt gesehen, entweder gesagt: »Wenn Morgenthaler den Strauss gemalt hat, dann ist halt auch mit dem Morgenthaler nichts los«, oder aber: »Wenn Morgenthaler ihn gemalt hat, so wird er wissen, was er getan hat, und belehrt uns also darüber, daß Kunst wirklich nichts mit Politik zu tun habe.«

(Brief, 1946, an Ernst Morgenthaler)

Stellen Sie sich bitte einen Augenblick lang vor, Sie wären Korrektor nicht in einer Druckerei für Literatur, sondern in einer Notendruckerei für musikalische Werke. Als Vorlage für den Druck hätten Sie irgend eine Partitur, einen Klavierauszug oder sonst ein Werk, sei es in der Handschrift des Komponisten, sei es in einem älteren Druck. Als Mitarbeiter hätten Sie den Notenstecher, und mit ihm gemeinsam hätten Sie als Wegweiser und

---

1 Richard Strauss.
2 Berndeutsche Bezeichnung für Butter.

Richtschnur einen musikalischen Duden, das Buch eines musikalischen Schullehrers also, das über die Gesetze und Mittel des musikalischen Ausdrucks, soweit er sich in Notenbildern wiedergeben läßt, Bescheid gibt, dessen Autor ein guter Kenner der musikalischen Sprache, jedoch kein Schöpfer und vielleicht auch kein wirklicher Freund und Versteher der musikalischen Meister ist. Sein Buch hätte die Aufgabe, Leuten als Berater zu dienen, welche Musik schreiben wollen, ohne die Gesetze, Gewohnheiten und Handwerksregeln dieser Tätigkeit ganz zu beherrschen. Das Fatale an diesem wohlgemeinten und sehr nützlichen Buche wäre nur, daß es in einem an Gehorsam gewöhnten Volk durch staatliche Autorität als unbedingt maßgebend eingeführt wäre.
Mit Ihrem nach seinem Musik-Duden gedrillten Notenstecher würden Sie nun also den Druck eines Notenwerkes beginnen. Sie würden verfahren, wie Sie beim Korrigieren einer Roman-Korrektur zu verfahren gelernt haben. Sie würden also im großen ganzen auf treue Wiedergabe der Vorlage, zugleich aber doch auch auf eine gewisse Beaufsichtigung und Normierung der Notenschrift bedacht sein. Sie würden sich zum Beispiel niemals erlauben, einen ganzen Takt wegzulassen, wohl aber da und dort eine Viertel- oder Achtel- oder Sechzehntelnote, oder Sie würden wenigstens da und dort, wo der Komponist Ihnen zu willkürlich vom Schema abzuweichen scheint, aus zwei Achteln ein Viertel machen, ein passend scheinendes Accelerando-Zeichen einfügen, ein unpassend scheinendes weglassen. Es wären lauter winzig kleine, von Duden erlaubte, ja gebotene Eingriffe, aber sie würden das Musikstück ganz erheblich vergewaltigen. Und in zehn oder zwanzig Jahren würde ein anderer Notendrucker dieses Stück nach Ihrer Version wieder neu abdrucken, vom Setzer wieder mit neuen, winzigen Eingriffen nach einem neuesten, revidierten

Duden versehen. Dann würde eine dritte, vierte, zehnte Neuausgabe dieses Musikstückes ungefähr so aussehen, wie ein großer Teil der wohlfeilen Klassikerausgaben unsrer Dichter in der Zeit vor der Wiederentdeckung des Verleger- und Herausgeber-Gewissens ausgesehen hat.
(Brief, Oktober 1946, an einen Korrektor)

Den Gedankengang mit der Ungewißheit darüber, wieweit wir Musikalischen mit unsrem Geschmack recht haben, wieweit Lehár und Mozart vielleicht doch gleichwertig seien, hat, glaube ich, schon der Steppenwolf in Gesprächen mit Pablo abgewandelt . . .
Aber diese Gedankengänge, für die ich heut wenig mehr gebe, sind Psychologie, und führen nirgends hin. Wenn Lehár gleich Mozart ist, warum soll dann nicht Hitler gleich Jesus oder Sartre gleich Sokrates sein. Die Welt braucht, das haben wir erlebt, Moral nötiger als Gescheitheit, und Ordnung der Werte nötiger als Psychologie.
(Brief, 1. 2. 1947, an Erich Oppenheim)

Über seinen Besuch im Wagnermuseum von Tribschen (Luzern) am 23. 7. 1947 mit Thomas Mann schreibt Hesse am 29. 7. 1947 dem befreundeten Maler Gunter Böhmer:
Mit Thomas Mann war es recht schön, wir waren auch miteinander in Tribschen im Wagnermuseum, wo Sie eine kleine Zusammenstellung des denkbar Grausigsten an deutsch-romantischer Malerei vom Ende des 19. Jahrhunderts hätten sehen können.
Und an Richard Benz: Ich traf mich vor einigen Tagen in Luzern mit Thomas Mann. Da waren wir auch eine Stunde in Tribschen und im Wagnermuseum. Da war mit Ausnahme einiger Fotos und Briefen alles gesättigt

mit einem hautgout von schlechtestem 19. Jahrhundert, eine verschollene Theaterwelt, aber daneben in einem Kabinett fand ich unter Glas ein mir vorher nicht bekanntes Jugendbild von Nietzsche, als Pforta-Schüler, das könnte ebenso gut den Jean Paul der Flegeljahre darstellen, es wog den ganzen übrigen Zauber und Plunder auf.

Daß ich dennoch nach Jahren mir einmal wieder einen kleinen literarischen Spaß gegönnt habe, das Blatt über die Kadenz[1], wundert mich selber. Natürlich habe ich musiktechnisch darüber nichts Neues oder Eigenes zu sagen, sondern das Blatt ist der Versuch, in einem einzigen, übermütig langen und koloraturreichen Prosasatz die Kadenz nicht nur zu beschreiben, sondern gewissermaßen nachzuahmen.
(Brief, ca. Oktober 1947, an Fanny Schiler)

Das Problem beim Virtuosen ist dasselbe wie in Kastalien, die Persönlichkeit ist Voraussetzung, es geht nicht um sie, sondern um ihre Fähigkeit zum Einordnen in die Hierarchie.
(Brief, November 1947, an Kurt Lichdi)

Ihre Auffassung, daß der vortragende Künstler im Moment des Vortrags vom Kunstwerk gepackt und erschüttert sein müsse, teile ich durchaus nicht. Wäre es so, dann wäre in der Welt keine einzige Theater- oder Orchesteraufführung möglich. Nein, die Erschütterung muß vorangehen, in ihr erlebt der Sänger oder Sprecher das Werk des Schöpfers nach, aber wiedergeben muß er es können,

1 Vgl. S. 112.

ohne jedesmal diese Erschütterung erst in sich erneuern zu müssen. Die, die das nötig haben, sind jene Sänger, denen wie manchen Klavieren fast immer die Stimmung fehlt, und die von zehn Konzerten neun entweder verpatzen oder wieder absagen. Es sind Dilettanten, und auch dies kann ja etwas sehr Schönes sein, nur nicht ein Lebensberuf.
(Brief, Dezember 1947, an Hans Schreiber)

Mit den Lied-Kompositionen steht es ähnlich wie mit den Äußerungen der Leser und Kritiker: sie sind eine Reaktion, ein Echo auf den Text des Dichters und haben ihre eigenen Gesetze, der Textdichter hat über sie nicht zu urteilen. So habe ich es stets gehalten.
(Brief, 22.1.1948, an Hans Martin Breyer)

Ich für mich halte zwar Schiller als Dichter für unbedingt überschätzt, und die Wirkung seines rhetorischen Idealismus für durchaus ungut, sie hat die deutsche Selbstzufriedenheit und die deutsche Pathetik, die dann in Hitlers Liebling Richard Wagner gipfelte, kräftig unterstützt. Dagegen ist mir die Person Schillers, das Moralische an ihm, durchaus verehrungswürdig geblieben, die Dinge und Menschen haben ja nie bloß eine Seite.
(Brief, ca. 1948, an Edmund Natter)

[. . .] Dabei kommt mir eine Erinnerung aus früher Knabenzeit: Ich kannte von den großen Werken Bachs nur die Matthäus-Passion, die hatte ich ein- oder zweimal gehört, außerdem viele Proben. Da hörte ich einen sehr musikverständigen Mann sagen, ihm sei die Johan-

nes-Passion lieber, und als nun mein Onkel[1] mit seinem
Calwer Kirchenchörlein auch diese einstudierte und aufführte, war ich schwer enttäuscht, weil es da weniger
dramatisch zuging als in der andern. Es hat dann, viel
später, eine Zeit gegeben, wo auch mir die Johannes-Passion entschieden lieber war – heute aber ist mir längst
eine so lieb wie die andre, und dabei wird es wohl bleiben.

(Brief, 7.2.1949, an Elisabeth Feller)

Man muß Thomas Mann nehmen, wie er ist . . . Sein
Verhältnis zur Musik sehe ich etwa so: es ist ein romantisch-sentimentales, und er hat mit ungeheurem Fleiß ein
intellektuelles draus gemacht. Aber dies bitte ganz unter
uns! Diese Sachen gehören zu seinem ganz Äußerlichen,
und seit alle Welt es für Pflicht hält, über ihn zu schimpfen, muß man ihm auch dort die Stange halten, wo es um
Nebensachen geht.

(Brief, 18.8.1949, an Karl Dettinger)

Die Frage, ob es besser sei, Gedichte zu vertonen oder sie
unvertont zu lassen, ist wohl nicht richtig gestellt. Wenn
ein Gedicht das Vertonen nötig hat um zu wirken, dann
ist es wenig wert, kann aber einem begabten Musiker
dennoch Anlaß zu etwas Schönem werden, es gibt hundert Beispiele. Und wenn ein Gedicht für sich allein der
Wirkung fähig ist, dann wird es immer wieder Leser finden, und die Versuche der Komponisten können es nicht
kaputt machen. Im ganzen gilt wohl: je individueller und

---

[1] Friedrich Gundert (1847-1925) kaufmännischer Geschäftsführer des Calwer
Verlagsvereins und Leiter des etwa 50köpfigen Calwer Kirchenchores. Er gehörte
zu den frühesten Mitgliedern der Leipziger Bachgesellschaft, welche durch Subskription die Herausgabe der 46bändigen Bachausgabe (1855-1899) ermöglicht
hat. Vgl. S. 177, 179.

differenzierter ein Gedicht ist, desto mehr Widerstand
setzt es dem Komponisten entgegen. Und je einfacher,
allgemeiner, konventioneller es ist, desto leichter tut die
Musik.
(Brief, Ende der 40er Jahre, an Richard Menzel)

Adolf Busch[1] kenne ich seit etwa 1912 oder 1913, beim
ersten Zusammensein in Bern erzählte er mir, ähnlich
wie Edwin Fischer[2] und viele Musiker, als Schüler habe
er einst Verse von mir komponiert. Ich habe ihn seit damals
sehr viele Male gehört und manche Abende nach
Konzerten mit ihm zugebracht, bis er nach Amerika
ging. Als er die ersten Male wieder in die Schweiz kam,
ist es nicht mehr zu Zusammenkünften gekommen, da
ich nun schon manche Jahre meine Musik nur noch am
Radio höre, und Geselligkeit für mich nicht mehr in Betracht
kommt.
Buschs Freund und Begleiter und Schwiegersohn Serkin[3]
ist Jude, und eine Schwester von ihm war die einzige
schwäbische Pfarrfrau jüdischer Herkunft. Auch sie hat
mit ihrem Mann Deutschland 1933 verlassen.
(Brief, 19.12.1949, an Walter Bauer)

Es ist ein Sonntag, kurz vor Mittag, der Schnee liegt dick
ums Haus und fällt noch schwer und feucht weiter, und
meine Sinne und Gedanken, denen es an Schwung und
Frische meistens allzusehr fehlt, sind zu dieser Stunde

---

1 Adolf Busch (1891-1952), Kammermusiker und Violinist, weltberühmt als Beethoven- und Brahmsinterpret. 1919 gründete er das nach ihm benannte Quartett.
2 Edwin Fischer (1886-1960), Pianist, Komponist und Musikschriftsteller, vertonte u. a. die Elisabeth-Gedichte von Hesse. Vgl. S. 103 ff.
3 Rudolf Serkin (*1903), Pianist, Kompositionsschüler von A. Schönberg, emigrierte 1933 in die USA.

recht munter und tapfer, denn ich habe soeben am Radio zwei Brandenburgische Konzerte nacheinander gehört, und das hat mir Ohren und Herz sauber gefegt. Es war das fünfte dabei, dies unheimlich kühne, in dem Virtuosität und Einkehr, Schwermut und Tapferkeit so hold und so grimmig miteinander ringen und der große Musikant sich immer wieder zur Vereinsamung bis an die Grenze einer pessimistischen Existentialphilosophie hingezogen findet und immer wieder aus der schwermütigen Tiefe der Introversion in die kosmische und göttliche Ordnung sich zurückkämpft . . .

Ich habe, außer dem was ich von Elternhaus und Schulen an christlicher und humanistischer Erziehung mitbekommen habe, immer noch Hilfen und Tröstungen nötig. Zum Glück sind sie mir bekannt und erreichbar. Es sind die guten Gedanken der Weisheit, jener übernationalen und überreligiösen Summa an Einsichten über das Menschentum und seinen schwierigen Weg durch die Welt, die alle in dem Jahrtausend vor Christus gedacht und formuliert worden sind, es ist die Gemeinschaft der Unsterblichen von den Verfassern der Upanishaden bis zu den chinesischen Meistern, von den Griechen vor und um Sokrates bis zu Jesus. Und eigentlich ist es unbegreiflich, daß uns anspruchsvollen und leicht verzagten Menschen das alles noch nicht genügt, daß wir noch mehr ersehnen, aber herrlich ist es auch, daß dieses ersehnte Mehr an Licht, an Trost, an Seelenstärkung tatsächlich erfunden und geleistet worden ist. Es ist nicht nur den Weisen der alten Zeit ein so edler und so anmutiger Geist wie Spinoza gefolgt, sondern es hat sich unsre so wenig weise, so wenig geordnete und heile abendländische Seele auch noch diesen Inbegriff von Ordnung, dieses hohe Sinnbild alles Anbetungs- und Erstrebenswerten geschaffen: die Musik. Ob die Kunst und das Schöne den Menschen wirklich zu bessern und zu stärken vermögen,

sei dahingestellt, zum mindesten erinnern sie uns, gleich dem Sternhimmel, an das Licht, an die Idee der Ordnung, der Harmonie, des »Sinnes« im Chaos.
(Brief, 1950, an P. H.)

Den Liederkomponisten gegenüber habe ich es mir ziemlich leicht gemacht. Ich gebe von Zeit zu Zeit den angesammelten Stoß Lieder meinem Freund Bodmer[1], der Musik studiert hat, und dem ich es überlasse, ob er alles oder eine Auswahl in seinem geräumigen Haus aufbewahren will. Den Komponisten aber danke ich freundlich, verzichte als Nichtmusiker auf jedes Urteil und sende als Gegengabe, je nachdem, einen Privatdruck oder ein Buch.
(Brief, ca. 1950, an Albrecht Goes)

Es gibt an Vertonungen von meinen Gedichten wohl etwa zweitausend, vom Wandervogel-Dilettantenlied mit Gitarre bis zu pompösen Vertonungen mit Orchester, und ich habe mir nichts vorzuwerfen, wenn ich für alle diese Vertonungen, soweit sie mir zugesandt wurden, freundlich gedankt habe, aber jedes Urteil, jede persönliche Geschmacksäußerung vermieden habe. Es ist jeder dieser Komponisten überzeugt, daß einzig Er ins Schwarze getroffen hat. Ich gönne es jedem, wenn seine Lieder ihm Erfolg bringen. Aber jeder möchte außerdem der Einzige sein. Es gibt darauf keine Antwort.
(Brief, Ende Juni 1950, an Justus Hermann Wetzel)

---

[1] H. C. Bodmer (1891-1956), berühmter Beethovensammler, Freund und Mäzen Hesses, der ihm 1931 sein Haus in Montagnola erbaute und auf Lebzeiten zur Verfügung gestellt hat. s. S. 117.

Dr. Alfred Schlenker begegnete mir, kurz nachdem ich mich im Jahr 1904 in Gaienhofen am Untersee niedergelassen hatte. Er war Zahnarzt in Konstanz und gehörte zu einem intimen Kreise jugendlich-idealistischer, frei und hoch gesinnter, kunsthungriger Menschen in der sympathischen kleinen Stadt[1], vor allem zu den Liebhabern und Förderern der Musik. Zu den schönsten Stunden, die ich ihm verdanke, gehörte jene, in der er mir einst den damals etwa zwanzigjährigen Othmar Schoeck zuführte. Er war mit ihm, und bald auch mit anderen Schweizer Musikern unsrer Generation befreundet, besonders mit Fritz Brun und Volkmar Andreae.
Wir sahen uns nicht nur bei den Konstanzer musikalischen Veranstaltungen und nicht nur bei zahnärztlichen Sitzungen in seiner Praxis, wir waren häufig samt unsern Frauen gegenseitig beieinander zu Gast, und gelegentlich fuhren wir auch gemeinsam zu Konzerten nach Zürich.
Und eines Tages erzählte mir Freund Schlenker denn auch von seiner großen Liebe und Sehnsucht und spielte mir, am Klavier andeutend, musikalische Einfälle und Pläne vor. Die ersten Proben seiner schöpferischen Musikbegabung haben mich nicht nur auf dem Weg über den persönlichen Charme des Komponisten für sich gewonnen, sondern auch durch eine von keinerlei Eitelkeit oder Virtuosentum getrübten Reinheit und Konzeption und Struktur. Ich gewann bald so viel Vertrauen zu der Begabung meines Freundes, daß ich seinem Wunsch, ich möchte ihm den Text zu einer Oper schreiben, nicht lange Widerstand leistete. Obwohl ich auch damals schon wußte, daß ich keine dramatische Begabung habe, so hatte ich doch viel Vertrauen zur Macht der Musik, die auch die Mängel eines unzulänglichen Textes ausgleichen würde. Und so entstand der Operntext »Die Flüchtlin-

---

[1] Konstanz.

ge«[1], hingeworfen mit einer ahnungslosen Frechheit, wie man sie nur in der sorglosen Jugend und in der anregenden Luft einer lebhaften Freundschaft besitzt.
Aber die Musik war nicht etwa das einzige Thema unsrer Gespräche und Briefe, auch die Literatur und Philosophie hatten starken Anteil daran. Unter andrem erinnere ich mich der höchst anregenden Zeit, in der mein Freund mich in das von ihm geliebte System des Marburger Philosophen Hermann Cohen einführte.
Alfred Schlenker war mit seiner Herzenswärme und Begeisterungsfähigkeit ein Genie der Freundschaft, und zur Stunde werden viele mit mir seiner in Liebe und Dankbarkeit gedenken.

(Zum Tode Alfred Schlenkers, 1950)

Dein Brief neulich war mir eine Freude und nun haben wir am Samstag am Radio den »Besuch in Urach«[2] gehört, an jenem Abend war ich in Gedanken sehr bei Dir. Die Wiedergabe zwar gefiel mir nur halb; die Singstimme war immer ganz vorn, das Orchester weit hinten, und während das Orchester, das man sich viel näher wünschte, wunderbar musizierte, klang die Stimme zuweilen überanstrengt. Aber diese Musik! Du hast dem lieben Mörike damit eine Freundesgabe dargebracht, und wir Freunde Mörikes und Schoecks nehmen dankbar dran teil. Was für ein Gedicht! Ich glaube es gut zu kennen, aber es tat, wie bei jeder neuen Begegnung, wieder ganz neue Tiefen und Geheimnisse auf, Du bist diesem Zaubergesang bis in alle Verborgenheit nachgegangen.

(Brief, 13.1.1952, an Othmar Schoeck)

---

1 Hermann Hesse, »Die Flüchtlinge«, Lyrische Oper in drei Akten. In Hesses Nachlaß fand sich bisher nur eine (von Werner Kaegi, Hans Reinhart u. Meinrad Schütter) bearbeitete und gekürzte Fassung in Abschrift.
2 Aus dem Liederzyklus »Das holde Bescheiden« nach Gedichten von Eduard Mörike, 1951 in Bern uraufgeführt.

Sie fragen mich, welche Musik ich zur Zeit vorziehe. Obenan Bach, dann die italienische Streichermusik von Corelli bis Boccherini, vom 19. Jahrhundert Beethoven. In der Klaviermusik stand mir in der Jugend Chopin obenan, ich liebe ihn auch noch, aber Schumann ist mir heute eben lieber. Von der modernen Musik mache ich wenig Gebrauch, etwa bei Ravel und dann Bartók hört mein Interesse auf, doch höre ich am Radio manches Neue nicht ohne Teilnahme. Von den fast schon vergessenen Modernen liebe ich Busoni und Berg.
(Brief, 1952, an Willi Kehrwecker)

In meiner Kindheit und früheren Jugend habe ich, neben den Oratorien von Bach und Händel, kaum andere Musik gehört als Hausmusik, es wurde bei uns viel gesungen und Klavier gespielt, und beim Klavier waren meine großen Lieblinge Beethoven und Chopin, sie sind es auch geblieben. Nur hat sich mein inneres Leben dann mehr und mehr nach dem Osten hin orientiert, weg von unsrer Problematik, unsrer Pathetik, und da rückte denn nach Bach immer mehr Mozart für mich an die erste Stelle. Aber die Sonaten und die Symphonien von Beethoven sind mir auch heute noch teuer, vor wenigen Tagen noch habe ich am Radio die Vierte gehört.
(Brief, 19.3.1952, an Werner Bermig)

Andreae[1] und Schoeck sind meine Freunde, Sarasate[2] habe auch ich einst gehört, ebenso wie Joachim[3], Messhaert[4], und Hugo Wolf lernte ich so um 1894 herum

---

1 u. 2 siehe Anmerkungen S. 177 u. 131 ff.
3 Joseph Joachim (1831-1907), Violinvirtuose und Komponist, Direktor der Hochschule für Musik in Berlin und Weimar. Als Geiger verzichtete er auf äußerliches Virtuosentum, um seine hohe technische Meisterschaft ganz in den Dienst des Kunstwerks zu stellen. Vgl. auch S. 104, 136.
4 Johannes Martinus Messhaert (1857-1922), niederländischer Bariton, Konzert- und Oratoriensänger.

durch meinen Freund Faisst kennen, der auch in Calw einmal sang.
(Postkarte, Mai 1952, an Margarete Klinkerfuß)

Ich teile Ihre Meinung nicht, daß nur der Dichter kompetent sei über Zulässigkeit und Wert von Vertonungen seiner Texte zu entscheiden. Ich habe jedenfalls von dieser Kompetenz nie Gebrauch gemacht. Mir persönlich haben von den zahllosen Vertonungen meiner Verse nur ganz wenige etwas bedeutet; im übrigen bin ich froh, wenn ich unvertont bleibe. Aber das ist mein rein subjektiver Standpunkt. Mit der Veröffentlichung meiner Verse habe ich sie eben der »Öffentlichkeit« preisgegeben, es darf nicht nur jeder sie lesen, es darf auch jeder sie rezitieren, komponieren, jeder Radiomann darf sie in Programme aufnehmen, in denen sie sich höchst unwohl fühlen. Das mag mir peinlich sein, aber ich verhalte mich dazu völlig neutral.
Goethe hat außer dem musikalisch unbedeutenden Zelter und etwa noch Reichardt auf keinen seiner Vertoner reagiert. Wäre er etwas jünger und von differenzierterer musikalischer Bildung gewesen, so hätte er über Schuberts Lieder entzückt sein müssen. Er war aber eben nicht, wie Sie annehmen, der »einzig kompetente« Beurteiler, sondern war gleich mir zwar ein Musikfreund, doch kein Musikkritiker.
Kurz, ich meine, es habe jeder das Recht Texte zu komponieren, die ihn dazu reizen. Wenn er seine Vertonungen drucken und aufführen läßt, muß er den Dichter am materiellen Ertrag nach geltendem Brauch beteiligen, im übrigen hat der Autor dem Musiker nicht dreinzureden. Mancher Dichter unbedeutender Verse ist schon durch einen Komponisten von Rang berühmt geworden. Und umgekehrt: den guten Gedichten haben auf die Dauer

auch noch so schlechte Vertonungen nicht schaden können.

(Brief, 1.9.1952, an H. Schweikert)

Sehr recht hast du mit deiner Glosse über Gedicht-Kompositionen. Bei potenten Musikern schaut natürlich immer etwas dabei heraus (von meinen Komponisten rechne ich eigentlich nur Schoeck dazu), die Texte aber kommen zur Wirkung höchstens bei den paar Hörern, die sie nach dem Konzert im Programm nochmals nachlesen. Ich habe den Grundsatz, jedem Musiker das Komponieren zu erlauben, auf ein Urteil zu verzichten und mich weiter nicht drum zu kümmern.

(Brief, Ende September 1952, an Karl Dettinger)

Mit Nietzsche ging es mir etwa so: Als ich ihn, etwa 1896 oder 1897, entdeckt hatte, berauschte er mich vollkommen und zwar mit dem Zarathustra. Er berauschte mich ähnlich wie etwas früher Wagners Musik mich berauscht hatte. Beide Male folgte, um Jahre später, die Ernüchterung. Bei Wagner war sie vollkommen, ich konnte ihn nicht mehr ausstehen und sah auf meine kurzdauernde Begeisterung etwa so zurück, wie ein Student auf seine einstige Liebe zu Karl May. Bei Nietzsche war es freilich anders. Zwar ist der Zarathustra mir seit der ersten Ernüchterung nie wieder genießbar geworden, dafür lernte ich die nicht hymnischen seiner Schriften lieben, und als Ecce homo erschien, war es mir nochmals ein großes Erlebnis.

(Brief, im Juli 1953, an Paul Böckmann)

Die erste wertvolle Begegnung dieses Bergsommers[1] war eine menschliche und musikalische. Schon seit Jahren war in unsrem Hotel der Cellist Pierre Fournier[2] gleichzeitig mit uns Sommergast gewesen, nach dem Urteil vieler heute der Erste in seinem Fach, nach meinem Eindruck der gediegenste aller Cellisten, im Virtuosen seinem Vorgänger Casals[3] ebenbürtig, im Künstlerischen ihm eher überlegen in der Strenge und Herbheit des Spiels sowohl wie in der Reinheit und Konzessionslosigkeit seiner Programme. Nicht daß ich, was diese Programme betrifft, immer und überall mit Fournier übereinstimmen würde, er spielt manchen Komponisten mit Liebe, auf den ich ohne Schmerz verzichten könnte, etwa Brahms, aber auch diese Musik ist ja eine ernste und ernstzunehmende, während der berühmte Alte einst neben der ernsten und echten auch allerlei Prunk- und Mätzchenmusik gespielt hat. Also Fournier mit Frau und Sohn war uns nicht nur vom Hören, sondern seit Jahren auch vom Sehen wohlbekannt, doch hatten wir einander jahrelang in Ruhe gelassen, einander nur aus der Ferne zugenickt und einer den andern leise bedauert, wenn er ihn von Neugierigen belästigt sah. Diesmal aber, nach einem Konzert im Rathaus von Samaden, ergab es sich, daß wir näher miteinander bekannt wurden, und er bot mir freundlich an, einmal für mich privat zu spielen. Da er schon bald reisen mußte, mußte dies Zimmerkonzert gleich am nächsten Tage stattfinden, und es traf sich, daß dies ein Unglückstag war, ein Tag des Unwohlseins, des

---

1 Von 1949-1961 verbrachte Hesse die Sommermonate Juli-August in Sils Maria/Engadin, um der Hitze in Montagnola und dem Andrang der Urlauber zu entgehen, von denen viele einen Aufenthalt in Lugano mit einem Besuch bei Hesse zu verbinden hofften.
2 Pierre Fournier (*1906), französischer Cellist, konzertiert seit 1925 als Solist und Kammermusiker.
3 Pablo Casals (1876-1973), spanischer Violoncellist, Dirigent und Komponist, gründete 1919 das Orquestra Pan Casals. Er gilt als einer der größten Cellisten.

Ärgers, der Müdigkeit und Verstimmung, wie sie auch noch auf der Stufe der Alters-Scheinweisheit uns von unsrer Umgebung und von unbeherrschten Strebungen des eigenen Herzens beschert werden können. Beinahe mußte ich mich dazu zwingen, zur vereinbarten Stunde am Spätnachmittag das Zimmer des Künstlers aufzusuchen, mit meiner Verstimmung und Traurigkeit kam ich mir vor, als sollte ich mich ungewaschen mit an eine festliche Tafel setzen. Ich ging hin, trat ein, bekam einen Stuhl, der Meister setzte sich, stimmte, und statt der Luft von Müdigkeit, Enttäuschung, Unzufriedenheit mit mir und der Welt umgab mich alsbald die reine und strenge Luft Sebastian Bachs, es war, als sei ich aus unserm Hochtal, dessen Zauber sich heute an mir wenig bewährt hatte, plötzlich in eine noch viel höhere, klarere, kristallnere Bergwelt gehoben worden, die alle Sinne öffnete, anrief und schärfte. Was ich selber diesen Tag über nicht vermocht hatte: aus dem Alltag heraus den Schritt nach Kastalien[4] zu tun, das vollzog die Musik an mir in Augenblicken. Eine Stunde oder anderthalbe weilte ich hier, zwei Solo-Suiten von Bach anhörend, mit kurzen Pausen und wenig Gespräch dazwischen, und die kraftvoll, genau und herb gespielte Musik schmeckte mir wie einem Verschmachteten Brot und Wein, sie war Nahrung und Bad und half der Seele, wieder zu Mut und zu Atem zu kommen. Jene Provinz des Geistes, die ich mir einst, im Dreck der deutschen Schande und des Krieges erstickend, zur Rettung und Zuflucht erbaut hatte, tat mir ihre Tore wieder auf und empfing mich zu einer ernstheiteren, großen, im Konzertsaal nie ganz zu verwirklichenden Feier. Geheilt und dankbar ging ich davon und habe noch lange daran gezehrt.
In früheren Zeiten habe ich ein ähnliches ideales Musizieren oft erlebt, ich habe zu den Musikern immer ein nahes

[4] Die pädagogische Provinz des »Glasperlenspiels«.

und herzliches Verhältnis gehabt und habe viele Freunde unter ihnen gefunden. Seit ich zurückgezogen lebe und nicht mehr reisen kann, sind diese Glückstage natürlich selten geworden. Übrigens bin ich im Genießen und Beurteilen von Musik in mancher Hinsicht anspruchsvoll und rückständig. Ich bin nicht mit Virtuosen und in Konzertsälen aufgewachsen, sondern mit Hausmusik, und die schönste war immer die, bei der man selber mittätig sein konnte; mit der Geige und ein wenig Singen habe ich in den Knabenjahren die ersten Schritte ins Reich der Musik getan, die Schwestern[5] und namentlich Bruder Karl[6] spielten Klavier, Karl und Theo[7] waren beide Sänger, und wenn ich die Beethovensonaten oder die weniger bekannten Schubertlieder in der frühen Jugend von Liebhabern zu hören bekam, deren Leistung keine virtuose war, so war es doch auch nicht ohne Nutzen und Ergebnis, wenn ich etwa Karl lange Zeit im Nebenzimmer um eine Sonate werben und kämpfen hörte und schließlich, wenn er sie »hatte«, den Triumph und Gewinn dieses Kampfes mit erleben durfte. Ich bin später, in den ersten Konzerten berühmter Musikanten, die ich hörte, allerdings für eine Weile dem Zauber der Virtuosität manchmal wie einem Rausch erlegen, es war hinreißend, die großen Könner das Technische bewältigen zu hören mit dem Anschein lächelnder Mühelosigkeit gleich jener der Artisten auf dem Seil und am Trapez, und es schmeckte bis zum Wehtun süß, wenn sie an dankbaren Stellen einen kleinen Drücker und Hochglanz zugaben, ein schmachtendes Vibrato, ein wehmütig hinsterbendes Diminuendo, aber es dauerte doch nicht allzu lange mit diesem Bezaubertsein, ich war gesund genug,

---

5 Adele Gundert (1875-1949) und Marulla Hesse (1880-1953).
6 Karl Isenberg (1869-1937) der jüngere der beiden Halbbrüder Hesses aus der ersten Ehe seiner Mutter mit Charles Isenberg (1830-1870).
7 Theodor Isenberg (1866-1941), sein älterer Bruder.

um die Grenzen zu spüren und hinter dem sinnlichen Zauber eben doch das Werk und den Geist zu suchen, nicht den Geist des blendenden Dirigenten oder Solisten, sondern den der Meister. Und mit den Jahren wurde ich eher überempfindlich gegen den Zauber der Könner und jenes vielleicht winzige Zuviel an Kraft, Leidenschaft oder Süße, das sie einem Werk hinzufügten, ich liebte weder die geistreichen noch die traumwandlerischen Dirigenten und Virtuosen mehr und wurde ein Verehrer der Sachlichkeit, jedenfalls ertrage ich seit Jahrzehnten ein Übertreiben nach der asketischen Seite hin weit leichter als das Gegenteil. Dieser Einstellung und Vorliebe nun entsprach Freund Fournier vollkommen.
Ein andres Musikerlebnis, mit einer heiteren, ja lustigen Episode, erwartete mich bald darauf bei einem Konzert von Clara Haskil[8] in St. Moritz. Es war, von drei Scarlatti-Sonaten abgesehen, nicht ganz das Programm, das ich mir gewünscht hätte, das heißt: es war ein durchaus schönes und edles Programm, nur enthielt es, eben außer Scarlatti, keines meiner Lieblingsstücke. Ich hätte, wäre »der Wünsche Gewalt« mir gegeben gewesen, zwei andere Sonaten von Beethoven gewählt. Und dann versprach das Programm die »Bunten Blätter« von Schumann, und ich flüsterte Ninon noch grade vor dem Beginn des Konzertes zu, wie leid es mir tue, daß nicht statt der »Bunten Blätter« die »Waldszenen« uns erwarteten, sie seien schöner oder doch mir weit lieber, und mir läge so viel daran, das mir liebste kleinere Stück von Schumann, den »Vogel als Prophet«, noch einmal oder mehrere Male zu hören. Das Konzert war dann sehr schön, und ich vergaß meine allzu privaten Liebhabereien und Wünsche. Aber der Abend war noch darüber hinaus glückbringend. Die Künstlerin, die sehr gefeiert wurde,

---

8 Clara Haskil (1895-1960), rumänische Pianistin, weltberühmt als Mozart-Interpretin.

schenkte am Ende noch eine Zugabe, und siehe, es war nichts andres als mein lieber »Vogel als Prophet«! Und wie bei jedem Wiederhören dieses holden und geheimnisvollen Stückes erschien mir die Stunde wieder, in der ich es einst zum erstenmal gehört habe, erschien mir die Stube meiner Frau im Gaienhofener Haus mit dem Klavier, erschienen mir Gesicht und Hände des Spielers, eines lieben Gastes, ein großes bärtiges und bleiches Gesicht mit dunklen traurigen Augen, tief über die Tasten geneigt. Er hat sich, dieser liebe Freund und feinfühlige Musikant, bald danach das Leben genommen, eine Tochter von ihm schreibt mir noch heutzutage zuweilen und war froh, als ich ihr Liebes und Schönes von ihrem Vater erzählen konnte, den sie kaum mehr gekannt hat. So war auch dieser Abend, in einem Saal voll eher mondänen Publikums, für mich ein kleines Gedächtnisfest und voll von Anklängen intimer und teurer Art. Man trägt vieles durchs lange Leben in sich herum, das erst mit uns selbst erlöschen und verstummen wird. Der Musikant mit den traurigen Augen ist seit nahezu einem halben Jahrhundert tot, mir aber lebt er und ist mir zuzeiten nah, und das Stück vom Vogel aus den »Waldszenen« ist, wenn ich es nach Jahren wiederhöre, noch über seinen eigenen, Schumannischen Zauber hinaus stets ein Quell von Erinnerungen, von denen das Klavierzimmer in Gaienhofen samt dem Musikanten und seinem Schicksal nur Bruchstücke sind. Es klingen dabei noch viele andre Töne auf bis in die Knabenzeit zurück, wo ich vom Klavierspiel meiner ältern Geschwister her manches kleine Schumannstück im Kopf hatte. Und auch das erste Bildnis von Schumann, das mir noch in Kinderzeiten vor Augen gekommen ist, ist unvergessen geblieben. Es war farbig, ein heute wohl nicht mehr genießbarer Farbdruck der achtziger Jahre, und war ein Blatt in einem Kinder-Kartenspiel, einem Terzett mit Porträts von berühmten

Künstlern und Aufzählung ihrer Hauptwerke; auch Shakespeare, Raffael, Dickens, Walter Scott, Longfellow und andre haben für mich zeitlebens jenes kolorierte Kartengesicht behalten. Und jenes Terzettspiel mit seinem für die Jugend und einfache Leute eingerichteten Bildungs-Pantheon von Künstlern und Kunstwerken mag vielleicht die früheste Anregung zu jener Vorstellung einer alle Zeiten und Kulturen umfassenden Universitas litterarum et artium gewesen sein, die später die Namen Kastalien und Glasperlenspiel bekam.

(Aus »Engadiner Erlebnisse«, 1953)

Für mich gibt es in der modischen Kunst, namentlich in der Malerei, manches was mir Spaß macht und manches was ich ernst nehme. Auch Strawinsky höre ich gern, wenn er mit den alten Formen spielt. Aber meine Liebe und Ehrfurcht ist ganz wo anders. In der Musik fängt für mich das, was ich als Verfall empfinde, schon viel früher an, bei Wagner, und zuweilen ist mir schon Beethoven zu willkürlich, von der Neunten etwa ist mir der erste Teil weitaus der liebste.

Was Sie mir klagen, höre ich von vielen, in allen Künsten, klagen. Sie haben es sehr schwer, seit die künstlerischen Moden den Charakter von diktatorischen Ideologien angenommen haben. Aber gerade dies brutale Auftreten zeigt uns andern, wohin wir gehören.

(Brief, 31.12.1953, an Anton Würz)

An Ostern hörte ich am Radio auch dies Jahr wieder die Matthäus-Passion. Diese sakrale Feier erlebe ich jedesmal etwas anders, denn bis in meine Knabenjahre zurück, wo ich das von der Mutter mitgegebene Stückchen Schokolade längst vor dem Ende des ersten Teiles schon aufgegessen hatte und die vielen Wiederholungen in den Arien und Chören, zumal im Schlußchor, nur mit Ungeduld ertrug, da ich so langem passivem Stillsitzen noch nicht gewachsen war, hat dies Erlebnis so viele Vorgänger, daß die Erinnerungen in ganzen Schwärmen kommen und einander überschneiden. Doch sind die frühen unter ihnen stets die stärksten: jene technisch unvollkommenen, von Ausführenden und Hörern aber tief erlebten Passionen in der Calwer Kirche unter der Leitung meines Onkels Friedrich[1], der die schönen dunkeln Augen meiner Mutter hatte und in dessen Kirchenchor meine Schwestern und Basen mitsangen. Am genauesten hat mein Musikgedächtnis eine Aufführung bewahrt, bei der meine beiden älteren Stiefbrüder die Rollen des Evangelisten und des Christus sangen und bei der ich schon die Beklommenheit und Kinderungeduld jener frühesten Aufführung überwunden hatte. Es mochte bei den ungezählten späteren Passionen, die ich hörte, den Christus und den Evangelisten wer immer singen, gewisse Stellen hörte ich doch jedesmal mit den Stimmen und dem Ausdruck meiner Brüder wieder. Auch einige Aufführungen unter Freund Volkmar Andreae sind mit manchen Einzelheiten haften geblieben: die Erstaufführung der Matthäus-Passion in Italien, in Mailand, wo meine Bekanntschaft und langjährige Freundschaft mit Ilona Durigo ihren Anfang nahm; dann viel später jene andre, die Andreae tapfer durchführte, während seine auch uns Freunden teure Mutter auf dem Totenbett lag, und jene, bei der ich zum letztenmal die Stimme Ilonas hörte, nicht lang vor ihrem Tode.

Von allen christlichen Festen ist seit Jahrzehnten Ostern das einzige, das ich noch mit Gefühlen der Frömmigkeit und Ehrfurcht erlebe, es gehört zu diesem Fest die zage Süßigkeit des Frühlingsanfangs ebenso wie die Erinne-

1 Vgl. S. 194.

rung an die Eltern und an das Eiersuchen unter den Fliederbüschen im Gärtchen, die Musik Bachs nicht minder als die Stimmung um die Zeit meiner Konfirmation, den Streit zwischen der Ehrfurcht vor der Frömmigkeit meiner Eltern und ersten Mißgefühlen und Einwänden gegen den formulierten und kirchlich gebundenen Glauben. Dieses Hin und Wider zwischen Ehrfurcht und Revolte klingt, über so viele Jahrzehnte hinweg, auch bei jedem Wiederhören der Bachschen Passionen leise wieder in mir an, bald wehmütig, bald ironisch betont. Meine Ehrfurcht ist dann beim Leiden Jesu, bei seinem Ringen in Gethsemane, und meine Kritik wendet sich gegen einige Stellen des Textes und namentlich gegen die Jünger. Nicht nur, daß sie schliefen, während ihr Meister einsam den letzten Kampf kämpfte! Das Schlafen war am Ende verständlich, es war verzeihlich, es kam nicht nur aus Trägheit und aus Furcht vor dem schwer Ertragbaren, es hatte auch etwas Kindliches und Naturhaftes. Aber daß der eine Jünger seinen Meister verriet, der andre, der »Fels«, ihn verleugnete, und daß aus ihrem Kreise jene überhitzte, Zerwürfnis und Rangstreit nicht ausschließende Stimmung von Wundersucht, Legendenbildung und Kirchengründertum entstand, das hat mich zu gewissen Zeiten meines Lebens sehr gegen die Jünger eingenommen, und einige Male, es ist lange her, hat diese kritische Einstellung mir sogar die Feierstimmung beim Hören der Passion etwas beeinträchtigt. Als wären die Jünger in Bachs Passionen oder in den Kreuzigungsgruppen der Maler und Bildschnitzer wirklich dieselben wie die der protestantischen Dogmengeschichte und Bibelkritik! Als hätte ich nicht beim Hören des Berichtes über Petri Verleugnung dessen Angst, Verwirrung und seine furchtbare Scham und Reue noch weit besser nach- und mitempfinden können als das Leiden Jesu! Doch war jene Beeinträchtigung meiner Andacht durch das

Mitwirken kritischer Antriebe ja nichts anderes als das Zucken in einer Narbe, die einst eine Wunde gewesen war.

(Aus den »Notizblättern um Ostern«, 1954)

Das Radio nehme ich nicht viel in Anspruch, ein- bis zweimal in der Woche etwa, im Winter etwas häufiger, hier oben in den Bergen überhaupt nicht. Einige Wochen vor unsrer Ferienreise entdeckte Ninon im Programm etwas, was sie hören wollte, und da erlebte ich etwas ungewöhnlich Holdes und Wehmütiges. Es wurde eine Platte übertragen, Schumanns Zyklus »Frauenliebe und -leben«, gesungen von der jung gestorbenen Engländerin Kathleen Ferrier[1]. Was ich da gehört habe, geht mir noch heute in mancher wachen Nachtstunde nach, einzelne Verszeilen und Worte habe ich mit allen Schwingungen im Gedächtnis behalten. Das Erlebnis des Anhörens dieser mechanisch übertragenen Gesänge war eines der komplizierten, reich geschichteten, mit Erinnerungen und Assoziationen stark beladenen. Da war vor allem die Liederfolge selbst, dieser etwas altmodische und etwas sentimentale Zyklus, den ich seit Jahrzehnten nicht mehr gehört noch wiederzuhören begehrt, den ich aber in früher Jugend beinahe auswendig kannte, denn es gab damals keine singende junge Dame, die sich nicht dieser Lieder bemächtigt hätte; das Werk befand sich auch im Notenvorrat unsres Hauses, ich hatte die Texte oft gelesen und oft die Melodie eines der Lieder auf dem Klavier meiner Schwestern nachgetippt. So war es ein Erinnertwerden an die bewegte, problemreiche, schwierige und herrliche Zeit des beginnenden Jünglingsalters, was mich da anfaßte und bewegte, im allmählichen Wiedererken-

---

[1] Kathleen Ferrier (1912-1953), englische Sängerin, die als hervorragende Altistin vor allem in Konzerten und Oratorien auftrat.

nen der einzelnen Lieder tauchte unser Calwer Musikzimmer, in dem auch jedes Jahr der Christbaum stand, vor mir auf, und bei einigen Liedern erschienen auch die Gestalten der jungen Sängerinnen wieder, von denen ich sie einst hatte singen hören: Freundinnen meiner Schwestern, mit den Frisuren und Kleidern, den Verliebtheiten und den Spöttereien jener Zeit, eines andern Jahrhunderts. Damals, halb Knabe halb Jüngling, hatte ich die Texte der Schumannlieder (wie es ja auch eigentlich sein sollte) ebenso ernst genommen und geglaubt wie die schöne Musik, und was ich an Schüchternheit den Mädchen gegenüber und an romantisch-ritterlicher Frauenverehrung in mir hatte, war aus diesen Versen, in denen eine überwirklich edle, idealisierte Frau ihre Freuden und Leiden Gesang werden läßt, weiter gespeist und bestärkt worden. Es hatten auch zwei, drei der dilettantischen Sängerinnen von damals mir in der Tat diesen überaus schönen und rührenden, idealen Eindruck gemacht, während es allerdings unter jener Mädchenschar auch solche gab, die ich mit kaum ganz unterdrückter Lachlust als Affen zu erkennen glaubte. Was war das für eine bewegte, stürmische, bald verzweifelte, bald lustige Zeit gewesen! Sie sprach mich aus Schumanns edler Musik in ihrer idealen, aus den Liedertexten in ihrer fragwürdigen Gestalt an, es wurde mir die Zimmerpalme und die Calla meiner Mutter auf dem geflochtenen runden Blumentisch vor dem Fenster mit Abendsonne wieder sichtbar, und der Notenschrank mit den Beethoven- und Schubertbänden, den Silcherliedern und den Löweballaden, das Klavier, an dem Marulla übte oder Adele Karls Gesang begleitete – und auch mich hat sie oft begleitet, denn hell und frech und mit manchen rhythmischen Vergewaltigungen sang ich jene Lieder, die mir besonders gefielen und die ich auswendig konnte, gern und oft und war, ohne es zuzugeben, der Schwester für die Geduld und Schmiegsamkeit dankbar, mit der sie den Klavierpart meiner begeisterten Deklamation anzupassen verstand.

Dies etwa war es, was an wieder auferstehender Vergangenheit mich beim Anhören erfüllte, und hinzu kam nun die stillere und verständigere, urteilsfähigere Teilnahme am Dichterischen wie am Musikalischen dieser Darbietung, es stritten rührende Erinnerungen aus der Lebensfrühe mit kritischen Gedanken, und das Ganze dieser »Frauenliebe« war nicht mehr so ganz wie einst, es war von der Zeit angenagt, es hatte weder meinem eigenen Altwerden noch den Veränderungen der Welt in sechzig Jahren völlig standgehalten. Es waren in Schumanns Musik großartige und bezaubernde Einfälle, es gab auch in den Versen einige Zeilen, die noch heute Leben hatten, aber eigentlich wünschte ich weder der Musik noch der Dichtung wegen das Ganze jemals wiederzuhören. Es gab so viel Edleres, Vollkommeneres, Dauernderes.

Und dennoch hätte ich viel darum gegeben, hätte ich den Rundfunk dazu bringen können, diese Sendung alsbald zu wiederholen. Und in den seither vergangenen Wochen hat der Eindruck dieses Vortrags standgehalten, haben beinahe jeden Tag Stellen daraus mich verfolgt und hat die Erinnerung an die Art, wie diese jung gestorbene Engländerin die Lieder Schumanns sang, sich zu etwas Großem und Ewigem verdichtet, zu einem Beispiel und Vorbild echter Kunstübung. Denn nicht nur die singenden Jungfern, von denen ich in einer andern Welt und Zeit den Liederkreis hatte vortragen hören, wurden zu Nichts vor diesem Gesang, es verblaßten auch manche berühmte und verehrte Künstler und Kunstleistungen vor dieser über das Grab hinweg erhalten gebliebenen Reinheit und Vollkommenheit. Die Stimme kraftvoll, warm und vollkommen beherrscht, Sprache und Vortrag von einer beinah mathematisch anmutenden Treue,

Keuschheit und absoluten Genauigkeit, dennoch ohne jede Härte, denn die Stimme sowohl wie die menschliche Wärme und Reife dieser begnadeten Toten milderten die kristallene Klarheit ihres Gesangs oder gaben dieser beinah entstofflichten Klarheit etwas blumenhaft Holdes, das einem ganz zart und rührend das Herz bewegte. So wurde mir in den vielleicht zwanzig Minuten Radiohörens ein Erlebnis, das vom Persönlichsten und Privatesten bis in die Abstraktion und vom gemüthaft Warmen bis zur Andacht in der Verehrung des absolut Schönen reichte. Wir bedürfen dieser Andacht in unserer kranken und erschütterten Welt, sie ist das ewige Lämpchen, das wir nicht erlöschen lassen dürfen. Hier ist ein Hort und eine Zuflucht, ebenbürtig dem heiteren Tiefsinn des Ostens.

(Aus dem »Rundbrief aus Sils Maria«, August 1954)

Auch mir ist Furtwänglers Tod[1] nahe gegangen. Da Sie ihm näher standen, will ich Ihnen etwas mitteilen, was ich mit ihm erlebt habe, ich glaube, es war erst im letzten Winter oder Frühling. Da hatte Furtwängler ein Konzert in Lugano. Ich habe es gehört, aber zu Hause am Radio, da Lugano mir am Abend nicht mehr erreichbar ist. Nachher erfuhr ich dann, Furtwängler habe während des Konzerts sich erkundigt, ob ich im Saal sei. Man sagte ihm, nein, und da sagte er: Schade! Seinetwegen habe ich keinen Brahms aufs Programm gesetzt!

(Brief, 8.12.1954, an Eleonore Vondenhoff)

---

1 Wilhelm Furtwängler (1886-1954), Dirigent und Komponist, dirigierte u. a. die Berliner und Wiener Philharmoniker sowie das Philharmonia Orchestra, London. Am 12.9.1950 schrieb Furtwängler an Erich Weiss: »Hesses Bücher begleiten mich seit langem, als die eines der wenigen großen Schriftsteller dieses letzten Menschenalters.«

Mozart war äußerlich kein Neuerer, er hatte nicht den Ehrgeiz, neue Formen zu schaffen. Er übernahm die überlieferten Formen von Konzert, Divertimento usw., füllte sie aber mit ganz neuen Inhalten. Die heutigen durchschnittlichen Orchester-Musiker sind doppelt so virtuos und technisch geschult als damals, dagegen waren die früheren dreimal so musikalisch. Der Dirigent spielte früher keine so wichtige Rolle wie heute, er spielte meistens selber im Orchester mit. Konzerte ohne Chor usw. spielte das Orchester oft auch ohne Dirigent.
(Anfang Mai 1955, aus Bruno Hesse, »Vater im Gespräch«)

Ein Regensonntag, die nasse Kühle nach vielen Wochen großer Trockenheit angenehm ungewohnt, auch fürs Auge eine veränderte, umgekehrte Welt: vorher glasklare, genau gezeichnete Ferne und etwas staubige Nähe, jetzt aber eine feucht, grün und üppig wogende Nähe, die sich in konturlose wallende Hintergründe von Dampf und Wolken verliert. Bei wütenden Schmerzen keine Arbeits- oder Lesemöglichkeit. Dafür stand im Programm von Beromünster für den Vormittag etwas Lockendes: doppelchöriges Orchesterkonzert in C-dur von Händel und Concerto für Orchester 1944 von Bartók. Ein Programm, das Carlo Ferromonte[1] nicht gebilligt hätte und das auch mir etwas kraß zusammengestellt vorgekommen war, das sich aber beim Hören dann überraschend bewährte. Es waren zwei Welten und Zeiten da einander gegenübergestellt, zwei einander fremde, gegensätzliche Welten, Yin und Yang, Kosmos und Chaos, Ordnung und Zufall, jede von einem überlegenen, vollkräftigen Meister zur Darstellung gebracht. Händel – das war Symmetrie, Architektur, gebändigte Heiterkeit und

1 Vgl. S. 163.

gebändigte Klage, kristallen und logisch. Das war eine Welt, in der der Mensch als Gottes Ebenbild regierte, mit felsenfester Basis und genau bestimmter Mitte. Sie war schön, diese Welt, unsäglich schön, strahlend, gefüllt bis zum Rand mit freudiger Kraft, zentriert und geordnet wie ein farbig triumphierendes Rosettenfenster in einem Dom oder wie ein ins Rund der Lotosblüte eingebautes asiatisches Mandala. Und diese edle Welt wurde noch schöner, gewann noch an Wert und Beglückung, an kristallener Vorbildlichkeit dadurch, daß sie fern und vergangen, verlorengegangen und aus unserer anderen Zeit und Welt her mit der Sehnsucht beschworen war, die den verlorenen Paradiesen zukommt.
Dagegen diese andere Musik, die heutige, die von Bartók! Statt Kosmos Chaos, statt Ordnung Wirrnis, statt Klarheit und Kontur zerflatternde Wogen klanglicher Sensationen, statt Aufbau und beherrschtem Ablauf Zufälligkeit der Proportionen und Verzicht auf Architektur. Und doch auch sie meisterhaft. Auch sie schön, herzbewegend, großartig, herrlich begnadet! War Händel schön wie ein Stern oder eine Rosette, so war der andere schön wie die Silberschrift, mit der der Sommerwind ins Gras phantastische Partituren zeichnet, war schön wie Schneeflockengewimmel und wie kurzlebige dramatische Spiele des abendlichen Lichtes auf den Flächen von Wüstendünen, und schön wie verwehte Geräusche, von denen man nicht weiß, ob sie Lachen oder Schluchzen seien, Geräusche, die man etwa, halb erst wach, am ersten Morgen in fremder Stadt, in fremdem Zimmer und Bett auf einer Reise vernimmt, die zu deuten man Verlangen, aber keine Zeit hat, denn eins geht mit rastlos schnellem Geriesel ins andre über. So rieselt, lacht, schluchzt, hustet, stöhnt, zürnt und spielt diese sinnlich reiche, farbige, schmerzlich schöne Musik dahin, ohne Logik, ohne Statik, ganz Augenblick, ganz

schöne hinsterbende Vergänglichkeit. Und sie ist darum noch schöner und wird dadurch noch unwiderstehlicher, daß sie eben die Musik unserer Zeit ist, daß sie unser Empfinden, unser Lebensgefühl, unsere Schwächen und Stärken ausspricht. Sie spricht uns und unsre fragwürdigen Lebensformen aus, und damit bejaht sie uns, sie kennt wie wir die Schönheit der Dissonanz und des Schmerzes, die reichen Skalen gebrochener Töne, die Erschütterung und Relativierung der Denkformen und Moralen, und nicht minder die Sehnsucht nach den Paradiesen der Ordnung und Geborgenheit, der Logik und der Harmonie.

Tröstlich ist, daß allem Vermuten nach diese beiden Musikarten und Welten samt ihren Zwischenstufen in solchen Meisterwerken fortbestehen und immer wieder erinnerbar und beschwörbar bleiben werden und daß, sollte auch einer spätern Epoche der Schlüssel zu ihnen verlorengehen, dieser Schlüssel höchstwahrscheinlich wiedergefunden werden wird. Es werden noch viele Generationen sehnsuchtsvoll oder belustigt, bewundernd oder verwundert sich über die Brunnenschächte der Vergangenheit beugen und darüber staunen, daß alles Gewesene, wofern es von Meistern dargestellt worden ist, ewige Dauer hat.

(Tagebuchblatt vom 15.5.1955)

Der Komponist des Tiefland[1] war ein Genie von großer Dynamik, aber genau die Art von Genie, die von Kastalien abgelehnt wird. Ich bin ihm einige Male begegnet, konnte ihm auch einmal in einer Krise ein wenig beistehen, habe aber zu ihm und seiner Musik nie ein positives

---

1 Eugen d'Albert (1864-1932), Komponist und Pianist, Schüler von Franz Liszt, komponierte Lieder, Orchester- und Klavierwerke sowie 21 Opern, u. a. »Tiefland« (1903). D'Albert lebte zeitweise in Lugano.

Verhältnis gehabt, im Gegenteil. Ich sage Ihnen dies privat. Es auch öffentlich zu sagen, und gar bei Anlaß einer Neu-Aufführung, würde mir unerlaubt scheinen.

(Brief, September/Oktober 1955, an Martin Vogler)

Wir haben uns gefreut . . . über das, was Du über das zweite Brandenburgische Konzert sagst. Ich habe eine besondere Liebe für jene wunderbar in sich versunkene, mit wenigen Stimmen innig-zärtlich spielenden Bachstellen, z. B. auch in einigen Vorspielen der H-Moll-Messe . . .
In einer Privatklinik in Lugano ist zur Zeit mein lieber Edwin Fischer, der große Pianist. Ich liebe ihn seit seiner Jugend, er hat auch einige Male auf Konzertreisen mir einen halben Tag geschenkt und mir musiziert. Du wirst ihn kennen, zumindest vom Radio her. Er war ja ein Löwe an Kraft und Temperament. Und jetzt besuchte er uns dieser Tage, ein alter gebrochener Mann, schwerfällig, mühsam redend, er kann nicht mehr spielen. Ich hoffe ihn noch einige Male für eine Teestunde bei uns zu sehen.

(Brief, Februar 1956, an Hermann Gundert)

[. . .] Auch fehlt es wieder nicht an guter Musik, heut Abend z. B. werden wir in St. Moritz den von mir sehr geschätzten Dirigenten Fasano[1] aus Rom hören mit seinem kleinen Kammerorchester von lauter Virtuosen, es ist das vollkommenste Ensemble, das ich je angetroffen habe: etwa das, was Münchinger[2] anstrebt, ohne es zu erreichen. Das ganze Programm ist Vivaldi.

(Brief, 14.8.1956, an Otto Blümel)

---

1 Renato Fasano (* 1902), italienischer Dirigent. Direktor des Konservatoriums in Venedig, gründete 1947 das Collegium Musicum Italicum, Rom.
2 Karl Münchinger (* 1915), Gründer und Leiter des Stuttgarter Kammerorchesters.

Es ist, glaube ich, im Glasperlenspiel irgendwo von privaten Assoziationen die Rede, speziell von der Verknüpfung zwischen bestimmten Takten eines musikalischen Werkes mit ebenso genau bestimmten privaten Erlebnissen. Vor kurzem wurde ich in einer Ausruhstunde beim Radiohören daran erinnert. Ich hörte einen jungen Pianisten Chopin spielen und hörte ihm und Chopin so zu, wie man bei körperlicher Müdigkeit eben Musik anhört, mit halber Aufmerksamkeit, etwas zerstreut und passiv, mehr den klanglichen Reizen hingegeben als den Linien der Konstruktion folgend. Da wurde auch die bekannteste von Chopins Etüden gespielt, ein Stück, das ich weniger als die meisten andern dieses Meisters liebe, so daß meine Aufmerksamkeit noch mehr ermüdete und beinahe einschlief. Plötzlich aber schlug der Spieler den ersten Takt des Trauermarschs an, und ich erwachte jäh wie von einem unvermuteten Stoß, doch erwachte ich nicht nach außen und zu erneuter Hingabe an die Musik, sondern nach innen, ins Land der Erinnerungen. Denn Chopins Trauermarsch gehört für mich zu den Stücken, mit denen assoziativ ein Erlebnis verknüpft ist, das durch all die Jahrzehnte hin unfehlbar bei jedem Wiederhören aufersteht.

Wann ich den Marsch zum erstenmal gehört habe, darauf kann ich mich nicht besinnen, obwohl in jenen Jünglingsjahren Chopin mein Lieblingsmusiker gewesen ist. Bis zu meinem zwanzigsten Jahr habe ich, außer den Oratorien in der Kirche und einigen Liederkonzerten, nur Hausmusik gehört, und da gehörte Chopin nächst den Beethoven-Sonaten, Schumann und Schubert zu den bevorzugten Komponisten; die traurigsüßen Melodien einiger Walzer, Mazurken und Préludes kannte ich schon als Knabe auswendig.

(Aus dem Gedenkblatt »Der Trauermarsch«, 1956)

Außer den nicht immer verfügbaren metaphysischen Trostmitteln gegen Teufel und Krieg gibt es noch andre, vor allem das biblische der Nächstenliebe, deren Praxis etwa so lautet: Fühle mit allem Leid der Welt, aber richte Deine Kräfte nicht dorthin, wo du machtlos bist, sondern zum Nächsten, dem du helfen, den du lieben und erfreuen kannst.
Dies Heilmittel haben Sie, bewußt oder unbewußt, mit Ihrem schönen Geschenk angewandt. Wir haben Ihre altfranzösische Musik sofort angehört, und ihre strahlende Heiterkeit, ihr inniges Liebesfeuer hat uns eine Stunde der Freude und Besinnung geschenkt und uns gegen die aus Radio und Zeitung anströmende Traurigkeit gestärkt.

(Brief, 22.12.1956, an Karoline Kallenbach)

Brahms liebe ich nicht sehr, überhaupt die Musik seiner Epoche mit Ausnahme von Hugo Wolf nur wenig. Das Liebste in der Musik ist mir Bach und Mozart, dann Händel und Gluck, natürlich auch Haydn, namentlich dessen späte Symphonien. Von den »Romantikern« ist Schubert mir der liebste, doch habe ich auch Schumann gern, und in meiner Jünglingszeit war Chopin mein Liebling.

(Brief, 31.12.1956, an Rainer Döll)

Im Deutschen Museum (München) war ich auch einmal, als es noch ganz nagelneu war. Damals sah ich zum erstenmal die Chladnischen Klangfiguren[1], das war mein stärkster Eindruck.

(Brief, 1957, an seinen Sohn Heiner)

---

1 Nach dem deutschen Physiker E. F. Chladni (1756-1827) benannte Figuren, die sich bilden, wenn man akustische Schwingungen auf Metallplatten überträgt, die mit feinem Sand bestreut sind.

Im Gespräch mit Fanny Schiler (das hauptsächlich um Musik ging): Für den besten Pianisten, den er je gehört habe, halte er Lipatti[1]. Der sei etwas ganz besonderes gewesen: nicht als Virtuose meine er, sondern wie er auf dem Klavier habe Klänge hervorbringen können, die kaum mehr Klaviermusik zu sein schienen, etwas ganz anderes. Clara Haskil spiele mit mindestens ebensoviel, und vielleicht tieferem Gefühl, spiele mindestens ebenso intelligent, oder intelligenter, als Lipatti. Aber diese ganz besonderen Klänge habe außer Lipatti wohl noch keiner fertiggebracht . . .
Am Samstag, auf der Fahrt nach Bellinzona, sagte Vater zu Fanny: »Brahms hat einmal selber von sich gesagt, was ich schon immer gefunden hatte: ich kann als Musiker sehr viel mehr, als ich eigentlich zu sagen habe.« Vater habe diesen Ausspruch Brahms' früher nicht gekannt, erst später habe er ihn irgendwo in einer Brahms-Biographie gefunden.

(Mai 1957, aus Bruno Hesse, »Vater im Gespräch«)

Besonders freut es mich, daß Du Clara Haskil gehört hast. Wir sind mit ihr ein wenig befreundet, schon seit manchen Jahren, und treffen sie meistens im Sommer im Engadin, wo sie dann zwei Konzerte gibt. Manchmal hat sie mir den »Vogel als Prophet« gespielt. Schumann spielt heute niemand so wie sie. Ja, und dabei fällt R. Serkin mir ein. Der ist als Pianist jetzt ganz auf der Höhe, am Radio hörte ich ihn neulich Schubert, Bach und Beethoven spielen, und vier Mozartkonzerte hat er mir auf Platten geschenkt. Er hat jetzt eine Reife und Überlegenheit schönster Art. Ich hoffe ihn nächstens zu sehen,

---

[1] Dinu Lipatti (1917-1950), rumänischer Pianist und Komponist, seit 1944 hatte er eine Professur am Conservatoire von Genf und war berühmt als Bach- und Chopin-Interpret.

er kommt dieser Tage durch Lugano, und wir haben ihn zu uns zu Tisch gebeten.

(Brief, Mai 1957, an Grete Gundert)

Zu Richard Strauss habe ich nie ein starkes Verhältnis gehabt. Die meisten seiner Opern habe ich nie gehört. Eine Weile, so gegen die Mitte meines Lebens, machten mir Orchesterstücke wie Don Juan und Eulenspiegel Spaß. Dann schwand er immer mehr aus meinem Bereich, sein Gefeiertwerden unter Hitler und seine Huldigungen an ihn machten ihn mir vollends unlieb, und ich war sehr überrascht, als ich eines Tages den schon sehr Alten in einem Schweizer Hotel kennen lernte und er mir sagte, man habe ihm meine Gedichte zu lesen gegeben und er sei daran, einige zu komponieren. Die Lieder selbst muten mich an wie alle Strauss-Musik: virtuos, raffiniert, voll handwerklicher Schönheit, aber ohne Zentrum, nur Selbstzweck. Ich habe sie nur dreimal am Radio gehört.

(Brief, 23.6.1957, an Herbert Schulz)

Als wir anriefen, kamen wir grade von der Vorprobe eines wunderbaren Konzerts in der schönen kleinen Kirche von Silvaplana: das ganze Programm J. S. Bach, Flöte und Cembalo. Die wunderbare Flötistin Elaine Shaffer[1], die ich seit zwei Jahren kenne und bewundere, hatte uns dazu eingeladen. Eine Suite und zwei großartige Sonaten, überirdisch schön, im Vormittagslicht, das durch die Chorfenster schien.

(Brief, 1.8.1958, an Gunter Böhmer)

---

1 Elaine Shaffer (1926-1973), amerikanische Flötistin.

Wir hörten mit Vater am Radio das zweite Brandenburgische Konzert. Danach fragte Christini, welcher Komponist ihm am liebsten sei. Er antwortete: »Das ist schwer zu sagen, ich habe nicht eine ausgesprochene Vorliebe für einen bestimmten Komponisten. Zu verschiedenen Zeiten habe ich auch wieder andere Musiker besonders geschätzt. Aber es gibt Komponisten, die mir nie verleidet sind.« *Unter anderem sagte er dann:* »Die beiden Messen von Bach und seine Kunst der Fuge, das ist doch wohl das Höchste und Vollkommenste, was die abendländische Musik aller Zeiten hervorgebracht hat. Bach ist der Musiker, der am meisten durch alle seine Werke die gleiche hohe Qualität hält; man könnte auch von keinem seiner Werke, wüßte man es nicht sonst, sagen, ob er es jung oder in späteren Jahren geschrieben hat.« *Von Beethoven sagte er dann:* »Er hat viele, oft sehr simple und primitive, manchmal fast banale Melodien übernommen. Wo er souverän damit spielt, sie variiert und schließlich auflöst, ist er großartig. Wo er aber an ihnen hängenbleibt, gefällt er mir nicht sehr.« *Wir hörten ein Stück aus der 5. Symphonie. Vater sagte, diese sei ihm die liebste von Beethovens Symphonien. Die berühmte 9. möge er gar nicht so sehr. Das Gespräch kam auf Schubert. Ohne den wäre Beethoven lange nicht, was er ist. (18.10.1959, aus Bruno Hesse, »Vater im Gespräch«)*

Sie fragen, wie es mir gehe. Es geht mir wie allen Leuten, die etwas zu alt geworden sind, nicht entzückend also, aber auch nicht eigentlich schlecht, da ich noch an vielem Freude haben kann, besonders an Büchern und Musik. Dieser Tage z. B. hörte ich von Händel etwas, was mir noch unbekannt war, die Cantate Apollo und Daphne – wundervoll!

(Brief, 3.11.1960, an Anton Würz)

Mit Ihrem Brief haben Sie mich sehr erfreut, wir beide haben ihn mit hohem Interesse gelesen, und ich kann Ihren Gedanken nur zustimmen – d. h. ich kann auf musikanalytischem Gebiet nicht mitreden, aber Ihre Gedanken über gewisse formale Phänomene beim alten Beethoven und andern und ihre Vergleichbarkeit mit den zunächst unverständlichen, weil ungeheuer konzentrierten und mit Bedeutung überladenen Sprüchen des Bi Yän Lu – diese Ihre Gedanken anerkenne ich ohne weiteres als plausibel. Beide – die Chinesensprüche und die bis aufs Skelett reduzierten Figuren bei Beethoven – gehören in dieselbe Region wie die Formeln des Glasperlenspiels, dorthin also, wo Ratio und Magie Eins werden. Das ist vielleicht das Geheimnis aller höheren Kunst.

(Brief, 14.2.1961, an Joachim von Hecker)

Was Bach betrifft, da bin ich vollkommen unbelehrbar. Ich habe die Matthäus-Passion mit etwa elf Jahren zum erstenmal gehört und dann durch die Jahre und Jahrzehnte mit wenigen Ausnahmen jedes Jahr eine der beiden Passionen wiedergehört, und was ich daran habe und wie jedes Wiederhören und Wieder-Erleben alle früheren Male und alle Stationen meines Lebens in mir aufruft, das können Sie nicht nachfühlen.

(Brief, Anfang April 1961, an Kl. J. Schneider)

Daß die Heiterkeit und Unschuld Mozarts nicht die eines Kindes ist, sondern die eines zutiefst Wissenden, ist stets auch meine Überzeugung gewesen.

(Postkarte, 4.4.1961, an Erich Valentin)

Wenn ich an Ilona[1] denke, fallen mir unzählige Begegnungen und Erlebnisse ein: Liederabende in Zürich, in St. Gallen, Basel und Winterthur – auch Abende, an de-

1 Ilona Durigo. Vgl. S. 177 f.

nen wir gemeinsam auftraten, sie als Sängerin, ich als Vorleser – Aufführungen der Bachschen Passionen, Musizier- und Plauderstunden in meiner Berner Wohnung, bei Thomanns in St. Gallen und später bei Ilona und ihrer lieben kleinen Mutter in Zürich an der Klosbachstraße, und viele andre festliche oder private Erlebnisse, etwa am Beginn unsrer Freundschaft die Aufführung der Matthäus-Passion in Mailand, noch vor dem ersten Krieg, da waren Ilona und ihr Mann beide noch jung und strahlten Glück und Lebensfreude aus.

Von allen Erinnerungsbildern aber, die sich mir beim Denken an die Durigo aufdrängen, ist das stärkste und schönste dieses:

Wir sind zu dreien in Schoecks Junggesellenwohnung an der Bergstraße in Zürich, nach einem gemeinsamen Abendessen. Schoeck sitzt am Klavier, etwa fünfundzwanzig Jahre alt, funkelnd vor Lebens- und Musizierlust, die Zigarre im Mund, das Weinglas vor sich neben dem Notenpult. Die Durigo steht beim Flügel, etwas vorgebeugt, um die Noten mitlesen zu können. Schoeck zeigt uns neue Lieder, das neueste erst Tags zuvor aufgeschrieben. Er legt ein Blatt auf, spielt die ersten Takte, und Ilona singt leise, summend, vom Blatt entziffernd, eines der neuen Lieder, ohne Fehler und beinah ohne Stocken. Und nun wiederholt sie es, lauter und schon konzertgerecht, mit feuchten Augen, hingerissen und hinreißend, zugreifend und hingegeben.

Das Lied ist seit jenem Abend von ihr und von vielen anderen hundertmal gesungen worden, schöner und lebendiger aber nie als damals.

(Brief, April 1961, an einen unbekannten Empfänger)

In der Karwoche, Du weißt es längst, habe ich beinah in jedem Jahr meines Lebens eines der großen Oratorien gehört, einst in Kirchen oder Konzertsälen, jetzt am Radio oder von Platten. Auch diesmal konnte ich eine Aufführung der Matthäus-Passion hören. Es war schön und herzbewegend und brachte wie jedesmal eine Flut von Erinnerungen heran, bis in die Knabenzeit zurück. Stärker und intensiver nachwirkend aber war diesmal ein anderes Werk der alten Kirchenmusik, das ich nie gehört und von dessen Schöpfer ich nichts gewußt hatte. Es heißt »Auferstehungshistorie«, ist im Jahr 1621 vom Braunschweiger Kantor Siegfried Otto Harnisch[1] komponiert und bringt jene so eigen und erregend zwischen Bericht und Fabel schwebende Legende vom leeren Grab Christi und von seinen Erscheinungen vor den Frauen und den Emmaus-Jüngern zur Darstellung. Wie in andern ähnlichen Werken ist die Hauptrolle die des Evangelisten, und sie ist hier streng und sachlich die des Berichters, beinahe völlig frei von Ornament, Koloratur und Lyrik. Kein Orchester, keine Orgel, nicht einmal ein Cembalo. Schöne, kurze Chöre, herrliche zwei- und vierstimmige Arien. Und nun das Unerwartete und im ersten Augenblick Beklemmende, dann wunderbar Beglückende und als richtig Empfundene: alle Worte Christi werden nicht von einem Solisten gesungen, sondern sind zwei- bis vierstimmige Gebilde zartester Lyrik, tönen geisterhaft aus unirdischen Fernen her und beschwören in ihrem Gegensatz zum beinah nüchternen Erzähler die so seltsam und unheimlich widersprüchliche, überwirkliche Stimmung dieser Historie oder Legende mit unwiderstehlicher sanfter Gewalt. Es ist, als habe dieser Kantor, indem er die Jesusworte, statt von einem Jesus, von Frauen- und Jüngerstimmen singen läßt, geradezu der heimlichen Fragwürdigkeit dieser Geschichte zum

---

[1] S. O. Harnisch (1568-1623), Kantor in Braunschweig, Helmstedt, Wolfenbüttel u. Göttingen u. Kapellmeister am Hofe des Herzogs von Braunschweig und Lüneburg.

Ausdruck verholfen, als habe er das Phantom wissentlich als nur in den Seelen der Gläubigen existent darstellen wollen (was ich jedoch nicht behaupten möchte). Der Komponist, Zeitgenosse von Schütz und der großen Kirchenlieddichter, ist jung gestorben, viel mehr konnte ich mit meinen Hilfsmitteln nicht über ihn in Erfahrung bringen. Aber da war noch sein Name! Er war mir beim Lesen des Programms nicht weiter merkwürdig erschienen; erst als ich sein herrliches Werk angehört hatte, gewann auch er für mich Bedeutung. Harnisch hieß er, und ich mußte mich eine kleine Weile besinnen, ehe mir bewußt wurde, woher der Name mir teuer und wichtig war. Und jetzt sehe ich den Braunschweiger Kantor als Großvater oder eher Urgroßvater des Schultheißen Harnisch im Dorf Elterlein, dessen Söhne Walt und Vult[1] zu den geliebtesten Gestalten der deutschen Dichtung gehören ...

Jemand in New Delhi schickte mir als Dankeszeichen für eine Gefälligkeit eine Grammophonplatte mit indischer Musik. Das Stück, das der Hindukünstler spielte, heißt Rag Surmalahar und drückt die Freude über das Nahen des Regens aus. Vermutlich hat meine Mutter vor etwa hundert Jahren dieses selbe Stück spielen hören und sich mit dem Musikanten nach langer Dürre auf den ersten Regen gefreut. Man hatte dies Geschenk für mich gewählt, weil man meine lebenslangen liebevollen Beziehungen zu Indien und ebenso Josef Knechts urzeitlichem Beruf als Regenmacher kannte. In der Tat schien denn auch dieses gewiß uralte Regenlied nicht nur die Hoffnung auf Feuchte und die Freude über die Vorzeichen der kommenden Regenzeit auszudrücken, es schien auch eine magische, regenmacherische Beschwörung zu sein. Gespielt wurde es auf jene Weise, die den Reiz und Zauber aller primitiven Volksmusik ausmacht, kindlich

---

1 Erinnerung an die Lektüre von Jean Pauls »Flegeljahre«.

fromm nämlich und mit naiver Hingabe, dabei aber höchst genau und differenziert, mit virtuoser Technik. Über das Instrument, auf dem es geblasen wurde, war ich nicht recht im klaren. Ich neigte anfangs dazu, es für eine Nasenflöte zu halten, mußte aber beim zweiten Anhören unserm Gast, der Herrin des Hügels[1], recht geben, die es als eine Art Dudelsack erkannte. Es war zweistimmig und sehr in die Oktave verliebt. Der Klang war beim Anschwellen und Forte stark näselnd wie so viele Musik des Fernen Ostens, ich hatte malaiische und japanische Lieder so durch die Nase gesungen gehört; in den hohen Lagen aber und im Piano verlor der Klang diese Färbung und wurde zum zartesten Flöten- oder Fistelton. Das Stück begann mit der Anrufung des kommenden Regens durch das Blasinstrument allein, einem rein lyrischen Singsang. Aber es blieb nicht dabei, es wurde der ersehnte Regen nicht nur begrüßt und gepriesen, er wurde bald auch beschworen und herangezaubert, und zwar durch lockende Ahmung. So wie einst der Regenmacher durch Grünholzfeuer mit schwelendem Rauch den Himmel zur Bildung von Wolken angeregt und überredet hatte, so begann jetzt die Hindumusik dem Himmel zu zeigen, was Regen ist: leise erst und tröpfelnd setzte eine Trommel ein, eine Holz- oder Rindentrommel vermutlich, ahmte gefühlig das zarte Klopfen anhebenden Regens nach und begleitete von da an bis zum Schluß, angenehm abgestimmt, den auf und ab schwellenden Gesang des Dudelsacks. Und während ich aufmerksam und erfreut zuhörte, lief irgendwo in mir innen ein Band mit Bildern ab, meist lang vergessenen, von Flöte und Trommel wieder geweckten und belebten Bildern: meine Mutter an ihrem Nähtischchen sitzend und uns Kindern

[1] Elsy Bodmer (1893-1968), Gattin von Dr. H. C. Bodmer, der Hesse auf Lebzeiten das für ihn in Montagnola erbaute Haus auf der Collina d'oro zur Verfügung gestellt hatte.

von Indien erzählend, mein Großvater, bärtig und stark, im weißen Tropenkleid, im Ochsenwagen wochenlange Reisen durch indische Länder bestehend, mein Vater, krank auf der Veranda eines Bungalows liegend, mit dem kleinkarierten, großen schottischen Shawl bedeckt, den ich später erbte, kanaresische Vokabeln memorierend oder Notizen in Gabelsberger Stenographie in sein Merkbuch schreibend. Und weiter Bild an Bild, bis zu denen meiner eigenen Indienreise, mit badenden Elefanten, Höhlentempeln und gewaltigen Nachtgewittern.
(Aus »Brief im Mai«, 1962)

[. . .] Das Zitat aus Strawinsky[1], das Sie mir mitteilten, geht mir seither immer wieder durch den Kopf, so will ich Ihnen denn mitteilen, welche Gedanken es bei mir geweckt hat.
Die Gescheitheit und Beschlagenheit Strawinskys steht für mich außer Zweifel, er ist eine Autorität. Also wird er auch hier recht haben. Was mich betrifft, so ist mir jener Mangel bei Beethoven in so direkter Formulierung nie bewußt geworden. Dagegen sind zwei Merkmale in Beethovens Werk mir schon früh aufgefallen und tun es immer entschiedener, ein positives und ein negatives. Ich betone aber, daß das nicht wie bei Strawinsky Urteile sind und Anspruch auf Objektivität machen, sondern lediglich subjektive Wahrnehmungen und Geschmacks-Reaktionen, die sich allerdings mit den Jahren verstärkt haben.
Zuerst das Negative! Das einzige an Beethoven, was ich nicht mag, ist eine gewisse Banalität mancher melodi-

---

1 Eins der letzten Bücher, die H. H. las, war das Inselbändchen Strawinsky, Musikalische Poetik. Er hat diese Lektüre nicht mehr beenden können. Das Zitat: Beethoven habe sich zeitlebens nach der »Gabe der Melodie« gesehnt, »die ihm als einzige abging . . .«

scher Einfälle, und noch mehr die Zähigkeit, ja Verbissenheit, mit der er zuweilen auf einer solchen Melodie beharrt und sie zu Tode hetzt. Ich sage vielleicht eine Blasphemie, aber der ganze Schluß der Neunten, vom Auftauchen der Melodie zu Schillers Gedicht an ist zwar gewiß, was Dynamik betrifft, so meisterlich und virtuos wie alles bei Beethoven. Aber das Zu-Tode-Quälen der an sich schon etwas vulgären Melodie empfinde ich als barbarisch. –

Nun aber das Positive: mit dem Mangel an melodischer Potenz hängt vielleicht die unersättliche Freude Beethovens am Variieren fremder Melodien zusammen. Die diversen Variationen-Folgen gehören für mich zum Schönsten in Beethovens Werk, die auf Diabelli sind mir wohl die liebsten.

(Brief, Ende Juli 1962, an Gerta Grube)

Nachts im April notiert

O daß es Farben gibt:
Blau, Gelb, Weiß, Rot und Grün!

O daß es Töne gibt:
Sopran, Baß, Horn, Oboe!

O daß es Sprache gibt:
Vokabeln, Verse, Reime,
Zärtlichkeiten des Anklangs,
Marsch und Tänze der Syntax!

Wer ihre Spiele spielte,
Wer ihre Zauber schmeckte,
Ihm blüht die Welt,
Ihm lacht sie und weist ihm
Ihr Herz, ihren Sinn.

Was du liebtest und erstrebtest,
Was du träumtest und erlebtest,
Ist dir noch gewiß,
Ob es Wonne oder Leid war?
Gis und As, Es oder Dis –
Sind dem Ohr sie unterscheidbar?

Vertonungen von Hermann-Hesse-Gedichten in Auswahl

Abends muß ich auf der Brücke stehn
(Abends auf der Brücke)
    Buchner, Otto: op 50,1
    Schneider, Christian I.: op 24
    Zack, Oskar Viktor: Abends auf der Brücke

Abends gehn die Liebespaare
(Abends) Schoeck, Othmar: op 44,4

Alle meine Jugendzeit
(Beides gilt mir einerlei)
    Kraft, Walter: 10 Lieder f. gem. Chor (3)
    Müller von Kulm, Walter: 7 Lieder, op 9

An dem Gedanken bin ich oft erwacht
(In der Nacht) Brömel, Rudolf: H. H. Lieder

Auch zu mir kommst du einmal
(Bruder Tod)
    Broechin, Ernst: Der Wanderer an d. Tod
    Faber-Krause: 6 Lieder (3)
    Jesinghaus, Walter: op 24 a (1)
    Schneider, Christian I.: op 36

Auf dem Tisch ein kleiner Strauß
(Levekoyen und Reseden)
    Brömel, Rudolf: H. H. Lieder

Auf der Straße und in allen Fabriken
(Maschinenschlacht)
    Schoeck, Othmar: op 67 a

Bist allein im Leeren
(Blume, Baum, Vogel)

    Faber-Krause: 6 Lieder (5)
    Paulsen, Helmut: 7 besinnliche Lieder

Blätter wehen vom Baume
(Widmungsverse)
    Klaas, Julius: op 5,5

Bläulich dämmert am Hügel
(Februarabend)
    O'Swald, Ernst: Eine Novelle in Liedern

Bleich blickt die föhnige Nacht
(Wache Nacht)
    Einem, Gottfried von: op 43

Busch und Wiese, Feld und Baum
(Gang bei Nacht)
    Broechin, Ernst: op 25 a
    Kowalski, Max: op 14,4
    Märki, Ernst: op 5
    Nick, Edmund: 8 Lieder (6)

Darf ich dir sagen
(Elisabeth)
    Schütz, Ludwig: Stimmungslieder H. 3,7

Das Blau der Ferne klärt sich schon
(Höhe des Sommers)
    Klaas, Julius: op 5,2

Das Geld ist aus
(Handwerksburschenpenne)
    Brömel, Rudolf: 7 H. H. Lieder
    Brun, Fritz: Handwerksburschenpenne
    Ganz, Rudolf: op 11,3

Schmid-Kayser, Hans: Neue Weisen zur Laute 1,5
Stern, Alfred: Gedichte (2)

Das ist das Glück
(Feierabend)
Pestalozzi, Heinrich: op 42,1
Reuss, August: op 36,7

Das war des Sommers schönster Tag
(August)
Haas, Josef: op 54,4
Rüdinger, Gottfried: op 30,1

Daß du bei mir magst weilen
(Für Ninon)
Schoeck, Othmar: op 44,9

Deine hellen Augen sind zugetan
(Einem im Felde gefallenen Freunde)
Braunfels, Walter: op 26
Nick, Edmund: 5 Lieder (5)

Deinem Blick darf meiner nicht begegnen
(Marienlieder)
Anner, Emil: op 5,3
Schneider, Christian I.: op 11

Der Föhn schreit jede Nacht
(Vorfrühling)
Einem, Gottfried von: op 43
Franckenstein, Cl. v.: op 49,2
Klaar, Sally: Vorfrühling

Der Garten trauert
(September)
Strauss, Richard: Vier letzte Lieder

Der Herbst streut weiße Nebel aus
(Herbstbeginn)
    Brömel, Rudolf: H. H. Lieder
    Reuss, August: op 44,5

Der müde Sommer senkt das Haupt
(Jugendflucht)
    Anner, Emil: op 5,1
    Schneider, Christian I.: op 7
    Schütz, Ludwig: Stimmungslieder H. 3,1

Der Schäfer mit den Schafen
(Dorfabend)
    Dempfwolf, Herbert
    Fischer, Edwin
    Hübner, Otto R.: 3 Lieder (2)
    Müller von Kulm, Walter: 7 Lieder, op 9
    Schneider, Christian I.: op 7
    Schmid-Kayser, Hans: Neue Weisen zur Laute 1,6
    Wallnöfer, Adolf: op 96,5
    Zack, Oskar Viktor: Dorfabend

Der Tag tut frische Augen auf
(Weg zur Geliebten)
    Breisach, Paul: op 1,7
    Wetzel, Justus Hermann: op 11,8

Der Wind ruht in den Ästen
(Sommerruhe)
    Wallnöfer, Adolf: op 96,2

Der Wind weht über den Wald
(Zechen im Waldkeller)
    Siegl, Otto: Tessiner Weinkeller im Wald

Die Bäume tropfen
(Sommernacht)
   Schoeck, Othmar: op 44,8

Die dunklen Büsche duften schwer
(Das Fest)
   Onegin, Eugen: Lieder (4)

Die Frauen von Ravenna
(Ravenna)
   Maux, Richard: op 95,2

Die ganze Straße war in Ruh
(Der Toten)
   Bergh, Rudolf: op 44,5
   Wehrli, W.: op 23,3

Die ihr meine Brüder seid
(Einsame Nacht)
   Brodersen, Viggo: op 44,1
   Brömel, Rudolf: H. H. Lieder
   Klein, Walther: 12 Lieder (12)
   Lothar, Mark: Musik des Einsamen, op 67
   Maux, Richard: op 236
   Prümers, Adolf: op 61,2
   Schneider, Christian I.: op 36
   Urbach, O.: op 29,4
   Wallnöfer, Adolf: op 96,1

Die mir gestern noch glühten
(Traurigkeit)
   Einem, Gottfried von: op 43

Die Nacht fällt ein
(Vorwurf)

    Jemnitz, Alexander: op 15,2
    Onegin, Eugen: Lieder (5)

Die Nacht ist mir so nah bekannt
(Die Nacht)
    Kuppelwieser, Robert: Die Nacht

Die Stunden eilen
(Gebet der Schiffer)
    Andreae, Volkmar: op 23,2
    Kusche, Ludwig: op 6 (3)
    Gál, Hans: op 11,1
    Buschendorf, Otto: op 27
    Pestalozzi, Heinrich: op 46,1

Die warme Zeit ist wieder da
(Der alte Landstreicher)
    Klob, Otto: Der alte Landstreicher
    Niggli, Friedrich: op 8,8 a
    Stern, Alfred: Gedichte (3)

Die Zeit der vielen Falter ist gekommen
(Schmetterlinge im Spätsommer)
    Klaas, Julius: op 5,3

Drüben überm Berg
(Drüben)
    Kornauth, Egon: op 22,5

Du bist mein fernes Tal
(Die Kindheit)
    Schnell, Walther: Lieder (5)
    Schoeck, Othmar: op 31,2
    Wehrli, Werner: op 23,1
    Wetzel, Justus Hermann: op 11,12

Du lachst, weil ich gebetet habe
(In der Nachtherberge)
   Ganz, Rudolf: op 11,2

Du mit der Stirne voller Licht
(Lady Rosa)
   Bocquet, Roland: op 18,3
   Kühnel, Emil: op 20,2
   Thienemann, Herbert: Lieder der Sehnsucht (S. 6)

Du stehst von Sommerfreude trunken
(Enzianblüte)
   Kowalski, Max: op 14,5

Du weißer Schnee, du kühler Schnee
(Das Mädchen sitzt daheim und singt)
   Moldenhauer, Walther: Auf Heimaturlaub (4)

Durch viele Täler wandernd
(Alpenpaß)
   Wetzel, Justus Hermann: op 11,2

Eine Glocke läutet im Grund
(Aus zwei Tälern)
   Perleberg, Arthur: op 4,3
   Schneider, Christian I.: op 24
   Schoeck, Othmar: op 8,2
   Simon, James: Eine Glocke läutet im Grund

Eine rote Sonne liegt
(Sommerruhe)
   Brömel, Rudolf: H. H. Lieder
   Rüdinger, Gottfried: op 30,5
   Zack, Oskar Viktor

Eine schmale, weiße, sanfte, leise Wolke
(Die weiße Wolke)
    Haag, Fr.: 5 Lieder (3)
    Kornauth, Egon: op 22,6
    Rüdinger, Gottfried: op 30,6
    Schneider, Christian I.: op 24
    Thienemann, Herbert: Frühsommerblumen, S. 23
    Thienemann, Herbert: Rosen am Weg, S. 20

Eine Stimme singt in der Nacht
(Dreistimmige Musik)
    Beckerath, A. v.: Dreistimmige Musik

Ein Haus bei Nacht
(Flötenspiel)
    Klenk, Hans
    Lothar, Mark: Musik des Einsamen, op 67
    Schneider, Christian I.: op 33

Ein Hof liegt in der stillen Nacht
(Der stille Hof)
    Hofer, Heinrich: 5 Lieder (3)
    Siegl, Otto: op 67,1
    Thienemann, Herbert: Frühsommerblumen, S. 13
    Thienemann, Herbert: Sonne im Herbst, S. 105
    Zack, Oskar Viktor

Ein Wändeviereck blaß
(Kreuzgang von S. Stefano)
    Maux, Richard: op 162
    Schoeck, Othmar: op 31,3

Einsam steh ich, vom Wind gezerrt
(Der Einsame an Gott)
    Schick, Phillip: op 17

Erdbeern glühn im Garten
(Gute Stunde)
    Dempfwolf, Herbert
    Hundertmark, Lothar: op 2,3
    Wetzel, Justus Hermann: op 11,10

Es führen über die Erde
(Allein)
    Bein, Arthur: Lieder (3)
    Faber-Krause: 6 Lieder (6)
    Haas, Josef: op 65,4
    Kötschau, Joachim: op 15
    Micheelsen, Hans Fr.: Drei Lieder nach Gedichten von H. H., S. 6
    Müller von Kulm, Walter: Sieben Lieder op 9
    Reuss, August
    Schneider, Christian I.: op 12
    Siegl, Otto: op 76,3
    Thienemann, Herbert: Auf Gassen der Heimat II, S. 30

Es geht ein Wind von Westen
(Der Brief)
    Einem, Gottfried von: op 43
    Pászthory, C. v.: 6 Lieder nach Gedichten von H. H., S. 6
    Süßmuth, Hans: Der Brief

Es hält der blaue Tag
(Mittag im September)
    Schoeck, Othmar: op 44,5

Es ist kein Tag so streng und heiß
(Vergiß es nicht)
    Brömel, Rudolf: H. H. Lieder

    Dorfmüller, Walter: op 4,5
    Reuss, August
    Zingel, Rudolf E.: Vergiß es nicht

Es ist immer derselbe Traum
(Traum)
    Zack, Oskar Viktor: Traum

Es liegt die Welt in Scherben
(Leb wohl, Frau Welt)
    Einem, Gottfried von: op 43

Es schlug vom Turm die Mitternacht
(Nacht im Odenwald)
    Brömel, Rudolf: H. H. Lieder

Es singt ein Schnitter
(Sommerabend)
    Stern, Alfred: Gedichte (1)

Fast eine deutsche Stadt
(Padua)
    Kusche, Ludwig: op 6 (4)

Ferneher der Donner ruft
(Pilger)
    Wehrli, W.: op 23,4

Flügelt ein kleiner blauer Falter
(Blauer Schmetterling)
    Dempfwolf, Herbert
    Schoeck, Othmar: op 44,6
    Thienemann, Herbert, Goldduft, S. 23

Frühlinge und Sommer steigen
(Spielmann)
    Brömel, Rudolf: H. H. Lieder

Gib uns deine milde Hand
(An die Schönheit)
   Brömel, Rudolf: H. H. Lieder
   Eyken, Heinrich von: op 27,3
   Pestalozzi, Heinrich: op 45,3
   Wetzel, Justus Hermann: op 11,1

Gottes Atem hin und wieder
(Magie der Farben)
   Schoeck, Othmar: op 44,2

Hier will ich ruhn
(Der stille Hain)
   Ast, Max: 3 Lieder (2)

Hochmütig schön und rätselhaft
(Portrait)
   Ganz, Rudolf: op 17,3

Holder Schein, an deine Spiele
(Bekenntnis)
   Mattiesen, Emil: op 15,6

Ich bin auch in Ravenna gewesen
(Ravenna)
   Andreae, Volkmar: op 23,1
   Heuss, Alfred Val.: op 8,1
   Kopf, Othmar: Ravenna
   Kusche, Ludwig: op 6 (2)
   Maux, Richard: op 95,1
   Schoeck, Othmar: Lieder 4,9

Ich bin der Hirsch
(Liebeslied)
   Schneider, Christian I.: op 12
   Thienemann, Herbert: Sonne im Herbst, S. 26

Ich habe meine Kerze ausgelöscht
(Nacht)
    Dorfmüller, Walter: op 4,4
    Einem, Gottfried von: op 43
    Schneider, Christian I.: op 36
    Thienemann, Herbert: Wolken, Wind und Wälder, S. 23

Ich habe nichts mehr zu sagen
    Bergh, Rudolf: op 44,4

Ich hatte dir ein Lied gespielt
(Purpurrose)
    Jochum, O.: op 10,1

Ich hatte dir so viel zu sagen
(Meiner Mutter)
    Zack, Oskar Viktor: Meiner Mutter

Ich liebe Frauen
    Kötschau, Joachim: op 15

Ich sagte nicht, ich liebe dich
(Rücknahme)
    Ganz, Rudolf: op 11,1
    Jemnitz, Alexander: op 3,2

Ich singe von deinem seidenen Schuh
(Liebeslied)
    Niggli, Friedrich: op 15,3
    Schneider, Christian I.: op 12

Ich soll erzählen
(Elisabeth)
    Graener, Paul: op 46,2
    Kötschau, Joachim: op 15

Ich weiß, was du mir sagen möchtest
(Nicht heut)
    Hoppe, Jaroslav: op 4

Ich weiß: an irgendeinem fernen Tag
(Vollendung)
    Brömel, Rudolf: H. H. Lieder

Ich will nicht länger
(Entschluß)
    Haas, Josef: op 65,6

Im alten loderlohen Glanze
(Jahrestag)
    Schoeck, Othmar: op 8,4

Im Erlenbusch ist noch ein Vogel wach
(Nachtgang)
    Meyer, Max: op 8,1

Im Garten meiner Mutter steht
    Brömel, Rudolf: H. H. Lieder

Im Grase hingestreckt
    Kornauth, Egon: op 22,1

Im Kastanienbaum der Wind
(Frühlingsnacht)
    Brömel, Rudolf: H. H. Lieder
    Danicke, Ella: Lenz (S. 9)

Immer bin ich ohne Ziel gegangen
(Dem Ziel entgegen)
    Heuss, Alfred Val.: op 2,3
    Schoeck, Othmar: Lieder 4,8

Immer hin und wieder
(Der Blütenzweig)
    Kowalski, Max: op 14,2
    Sommen, O.: 2 Lieder (1)

Immer war ich auf der Fahrt
(Der Pilger)
    Baussnern, Waldemar v.: Der Pilger

Immer wieder wirst du Mensch geboren
(Der Heiland)
    Schneider, Christian I.: op 33

Im Walde blüht der Seidelbast
(Wanderschaft)
    Gerstberger, Karl: op 1,4
    Gound, Robert: op 36,3
    Löffler, Otto: op 69
    Martin, P.: Bodenseelieder (3)
    Reuss, August
    Ruch, Hannes: 12 neue Schelmenlieder
    Scheunemann, Max: op 15,2
    Stürmer, Bruno: Wanderschaft
    Süßmuth, Hans: op 26 b
    Watza, L.: op 46

In Welschland, wo die braunen Buben
(Auskunft)
    Schoeck, Othmar: op 8,3

In dämmrigen Grüften
(Frühling)
    Dempfwolf, Herbert
    Ebert, Hans: op 17,1
    Rüdinger, Gottfried: op 30,7
    Strauss, Richard: Vier letzte Lieder

In großen Takten singt das Meer
(Bei Spezia)
   Andreae, Volkmar: op 23,3

In ihrem schönsten Kleide
(Oktober)
   Kornauth, Egon: op 22,3
   Nick, Edmund: 5 Lieder (4)
   Thienemann, Herbert: Durch Jahr und Tag, S. 36

In Weihnachtszeiten reis ich gern
   Tenner, Kurt v.: 6 Lieder (4)

Jede Blüte will zur Frucht
(Welkes Blatt)
   Brömel, Rudolf: H. H. Lieder
   Klaas, Julius: op 5,4

Jeden Abend
(Beim Schlafengehen)
   Schneider, Christian I.: op 12
   Weber, Phillip: Abendfrieden

Jeder hat's gehabt
(Friede)
   Lubrich, Fritz jun.: op 60
   Mayerhoff, Franz: op 39,5
   Pfeifer, Johannes: op 59,4
   Wirtz, Franz: Friede

Jetzt kannst du's nimmer hören
(Der Toten)
   Wehrli, W.: op 23,5

Kennst du das auch
   Schneider, Christian I.: op 33

    Schoeck, Othmar: Lieder 4,4
    Wallnöfer, Adolf: op 96,4

Klavier und Geige
(Pfeifen)
    Schoeck, Othmar: op 44,7

Lang hab ich nun dem Regenlied
(Regenzeit)
    Maux, Richard: Regenzeit

Lange waren meine Augen müd
(Genesung)
    Wirthmann, Otto: op 24,3

Lauer Regen, Sommerregen
(Regen)
    Siegl, Otto: op 76,1

Laufeuchte Winde schweifen
(Zunachten)
    Rüdinger, Gottfried: op 30,2

Mein Heimweh und meine Liebe
(Dunkle Augen)
    Freytag, Kurt: 3 Gesänge (3)
    Hornhardt, Margarete: 10 kleine Lieder (8)
    Mündler-Haussmann, Martha: 8 Lieder
    Schneider, Christian J.: op 7

Mein Kissen schaut mich an
(Ohne dich)
    Wirthmann, Otto: op 24,2

Meine fröhliche Liebe
    Gál, Hans: op 12,1

Pászthory, C. v.: 6 Lieder nach Gedichten von H. H.
(S. 18)

Meine Jugend war ein Gartenland
(Jugendgarten) Jacot, A.: Jugendgarten

Meine Liebe ist ein stilles Boot
(Gleichnisse)
    Kaufmann, Marie: op 6,2

Meine Lieder stehn vor deiner Tür
(Im Scherz)
    Schneider, Christian I.: op 7
    Schwind, O.

Mir zittern die Saiten
(Con Sordino)
    Göttl, Ed.: op 41
    Marx, Josef: Lieder und Gesänge 3,12
    Mengelberg, Kurt: op 1,2
    Semmler, Rudolf: op 1,2
    Thienemann, Herbert: Sonne im Herbst, S. 49

Mit Dämmerung und Amselschlag
(Nacht)
    Schneider, Christian I.: op 36
    Süßmuth, Hans: op 32

Mitternacht schlägt eine Uhr im Tal
(Wanderer im Schnee)
    Fürchtenicht, Hermann: op 51,2

Möchten viele Seelen
(Verwelkende Rosen)
    Schoeck, Othmar: op 44,3

Nächtelang, die Stirn in heißer Hand
(Nächtelang)
   Brömel, Rudolf: H. H. Lieder

Nichts andres haben wir zu tun
(Assistono diversi santi)
   Kowalski, Max: op 14,1
   Pestalozzi, Heinrich: op 20,4
   Pestalozzi, Heinrich: op 48,3
   Wetzel, Justus Hermann: op 11,4

Nun bin ich lang gewesen
(Heimkehr)
   Schmid-Kayser, Hans: Neue Weisen zur Laute 1,7

Nun der Tag mich müd gemacht
(Beim Schlafengehen)
   Brömel, Rudolf: H. H. Lieder
   Lubrich, Fritz, jun.: op 28
   Mündler-Haussmann, Martha: Abend
   Petersen-Vietor, H. M.: op 14, S. 42
   Schneider, Christian I.: op 12
   Schulthess, Walter: op 4,4
   Strauss, Richard: Vier letzte Lieder
   Wetzel, Justus Hermann: op 11,3

Nun ist die Jugend schon verschäumt
(Wende)
   Jemnitz, Alexander: op 15,9
   Muther, Ludwig: Lieder aus der goldenen Wachau, 11

Nun sind wir still
(Böse Zeit)
   Kornauth, Egon: op 22,2

Niggli, Friedrich: op 15,1
Pfeifer, Johannes: op 59,2
Schneider, Christian I.: op 36
Wehle, Gerhard F.: op 2,1

O Abschiednehmen
(Bei einem Abschied)
 Siegl, Otto: op 76,4

O daß es Farben gibt
(Nachts im April notiert)
 Lothar, Mark: Musik des Einsamen, op 67

O reine, wundervolle Schau
(Spätblau)
 Pestalozzi, Heinrich: op 45,1
 Rüdinger, Gottfried: op 30,4

O schau, sie schweben wieder
(Weiße Wolken)
 Hagemeyer: Lieder mit Klavierbegleitung, H. 1,2
 Mattiesen, E.: op 11,1
 Nöthling, E.: op 9,3
 Rinaldini, Josef: 6 Lieder (5)
 Thienemann, Herbert: Lieder im Herbst, S. 19

O wie der Sturm
(Ähren im Sturm)
 Moos, Hermann: Naturlieder I
 Pestalozzi, Heinrich: op 45,3
 Rüdinger, Gottfried: op 30,3

Ob du tanzen gehst
(Die Flamme)
 Wetzel, Justus Hermann: op 11,13

Oft will das Leben nicht mehr weitergehn
(Wunder der Liebe)
    Frischenschlager, Friedrich: op 42,2
    Paulsen, Helmut: 6 Lieder (4)

Rotästige Föhren, Birken
(Spaziergang)
    Thienemann, Herbert: Frühsommerblumen, S. 14

    Thienemann, Herbert: Sonne im Herbst, S. 22

Rote Nelke blüht im Garten
(Nelke)
    Brömel, Rudolf: H. H. Lieder

Schilt nicht!
(Marienlieder)
    Klein, Walther: 12 Lieder (1)
    Mayer, Lise Maria: op 11,3
    Rinaldini, Josef: Marienlied
    Schneider, Christian I.: op 11

Schöne, Liebe, die du alle Klagen
(Huldigung)
    Harder, Knud: Huldigung
    Schütz, Ludwig: Stimmungslieder 2,1

Schöne Verse
(Der Dichter)
    Burchard, Max: 5 Lieder (4)
    Reuss, August: op 36,2
    Sachsse, H.: 15 Lieder (8)

Seele, banger Vogel du
(Keine Rast)

Schoeck, Othmar: Lieder 4,7
Wetzel, Justus Hermann: op 11,15

Sei du willkommen, frühe Nacht
(Tod im Felde)
    Niggli, Friedrich: op 15,4

Sei nicht traurig
(Auf Wanderung)
    Faber-Krause: 6 Lieder (1)
    Nick, Edmund: 5 Lieder (2)
    Pászthory, C. v.: 6 Lieder nach Gedichten von H. H., S. 4
    Schneider, Christian I.: op 12
    Tenner, Kurt v.: 6 Lieder (2)
    Thienemann, Herbert: Wolken, Wind und Wälder

Seltsam, im Nebel zu wandern
(Im Nebel)
    Aeschbacher, Walther: Im Nebel
    Dempfwolf, Herbert
    Drechsler, H.: op 55,2
    Einem, Gottfried von: op 43
    Haas, Josef: op 65,2
    Herrmann, Hugo: Weggesänge (3)
    Kornauth, Egon: op 22,4
    Merz, Viktor: 7 Lieder (2)
    Lewy, Leo: op 17,3
    Pászthory, C. v.: 6 Lieder nach Gedichten von H. H. (S. 16)
    Reuss, August: op 44,2
    Schneider, Christian I.: op 33
    Stubbe, Arthur
    Schlageter, Josy: Lieder (1)
    Venegoni, Amerigo Andreae: Lied für Männerchor

Seltsam schöne Hügelfluchten
(Schwarzwald)
    Brömel, Rudolf: H. H. Lieder

Silbern überflogen
(Die frühe Stunde)
    Steineck, Fritz: op 9 a
    Winterberg, Robert: 50 Lieder (S. 13)

Solang du nach dem Glücke jagst
(Glück)
    Brömel, Rudolf: H. H. Lieder

So mußt du allen Dingen
(Spruch)
    Faber-Krause: 6 Lieder (4)
    Paulsen, Helmut: 6 Lieder (6)
    Reuss, August: op 44,1
    Schneider, Christian I.: op 24
    Thienemann, Herbert: Waldmärchen (S. 30)

Sonne, leuchte mir ins Herz hinein
(Reiselied)
    Brauneis, Josef: Sonne leuchte (1)
    Haas, Josef: op 65,7
    Herrmann, Hugo: Weggesänge (2)
    Micheelsen, H. Fr.: 3 Lieder nach Gedichten von H. H. (S. 4)
    Noetel, Konrad Fr.: 5 Tageslieder (5)
    Schneider, Christian I.: op 12

Spät auf staubiger Straße
(Gang am Abend)
    Jesinghaus, Walter: op 24 a (2)
    Kötschau, Joachim: op 15
    Müller von Kulm, Walter: Sieben Lieder, op 9

Spiegellichter flackern
(Barcarole)
    Andreae, Volkmar: op 23,4
    Rinaldini, Josef: Barcarole

Tief mit blauer Nachtgewalt
(Nachtgefühl)
    Schoeck, Othmar: op 44,1
    Thienemann, Herbert: Frühsommerblumen, S. 2

Traurig lehnst du dein Gesicht
(Weiße Rose)
    Kowalski, Max: op 14,3
    Lothar, Mark: op 2,4

Über den Himmel Wolken ziehn
(Über die Felder)
    Brömel, Rudolf: H. H. Lieder
    Faber-Krause: 6 Lieder (2)
    Haas, Josef: op 65,1
    Herrmann, Hugo: Weggesänge (1)
    Hinze-Reinhold, Bruno: op 4,1
    Micheelsen, Hans Fr.: 3 Lieder nach Gedichten von H. H. (S. 2)
    Paumgartner, Bernhard: Über die Felder
    Pfeifer, Johannes: op 59,1
    Sachsse, H.: 15 Lieder (9)
    Schneider, Christian I.: op 12
    Zack, Oskar Viktor: Über die Felder

Über mir im Blauen
(Fiesole)
    Wetzel, Justus Hermann: op 11,14

Und weiter gehn die Tage
(Pilger)
    Unger, Hermann: op 57,3

Unruhvoll und reiselüstern
(Einst vor tausend Jahren)
    Lothar, Mark: Musik des Einsamen, op 67

Venezianische Gondelgespräche
    Maux, Richard: op 181, 11-16

Verblühte Malven stehen
(Abschied)
    Schnell, Walther: Lieder (10)

Verhangener Tag, im Wald noch Schnee
(Karfreitag)
    Klaas, Julius: op 5,1

Voll Blüten steht der Pfirsichbaum
    Brömel, Rudolf: H. H. Lieder
    Dempfwolf, Herbert
    Siegl, Otto: op 76,2

Vom Baum des Lebens
    (Vergänglichkeit)
    Schoeck, Othmar: op 44,10

Von der Tafel rinnt der Wein
(Nach dem Fest)
    Burger, Erich: 16 Lieder zur Laute (10)
    Schulthess, Walter: op 4,3

Vor mir hergetrieben weht
(Das treibende Blatt)

Merz, Viktor: 7 Lieder (3)
 Müller von Kulm, Walter: Sieben Lieder, op 9
 Thienemann, Herbert: Sonne im Herbst, S. 63

Wald läßt die Blätter sinken
(November 1914)
 Jöde, Fritz: Die bunten Lieder, S. 16

Wandern ohne Ziel
(Reisekunst)
 Haas, Josef: op 65,3

Warm in dunkler Gartenkühle
(Lampions)
 Ernst, M.: 2 Lieder (2)
 Lothar, Mark: Musik des Einsamen, op 67

Was blickst du träumend
(Abendgespräch)
 Bodart, Eugen: op 4,3
 Kappel, Karl: Lieder einer Sommerseele (2)
 Pfeifer, Johannes: op 59,3
 Schneider, Christian I.: op 12

Was lachst du so
 Schoeck, Othmar: Lieder 4,5

Weit aus allen dunklen Talen
(Eine Geige)
 Brömel, Rudolf: H. H. Lieder
 Lothar, Mark: Musik des Einsamen, op 67
 Wehrli, W.: op 23,2

Weites goldnes Ährenmeer
(Sommerwanderung)

Frischenschlager, Friedrich: op 47
Menzner, Heinrich: Lieder-Album (1)

Wenn alle Nachbarn schlafen
(Königskind)
Brömel, Rudolf: H. H. Lieder
Horst, Carita: 6 Lieder (3)

Wenn auch der Abend kalt
(Im vierten Kriegsjahr)
Kötschau, Joachim: op 15
Siegl, Otto: op 115,3

Wenn du die kleine Hand
(Bitte)
Ganz, Rudolf: op 17,1
Lindauer-Cattaneo, Johannes: 6 Lieder (5)
Marx, Josef: Lieder und Gesänge 2,1
Merz, Viktor: 7 Lieder (1)
Niggli, Friedrich: op 15,2
Pászthory, C. v.: 6 Lieder nach Gedichten von H. H. (S. 8)
Schick, Phillip: op 29,3
Perleberg, Arthur: op 4,2
Schlageter, Josy: Lieder (1)
Schütz, Ludwig: Stimmungslieder 2,2
Seidler-Winkler, Br.: Bitte
Thienemann, Herbert: Lieder der Sehnsucht
Waghalter, J.: op 16,2
Wetchy, O.: 6 Lieder (6)

Wenn ich Kinder spielen sehe
(Absterben)
Wetzel, Justus Hermann: op 11,9

Wenn mich der fernen Kindertage
(Zuweilen)
    Klein, Walther: 12 Lieder (2)
    Schneider, Christian J.: op 12

Wenn wir jetzt die Heimat
(Meinem Bruder)
    Wetzel, Justus Hermann: op 11,11

Wer den Weg nach innen fand
(Weg nach innen)
    Paulsen, Helmut: 7 besinnliche Lieder (4)

Wetterleuchten fiebert fern
(Wetterleuchten)
    Brömel, Rudolf: H. H. Lieder

Wie das so seltsam traurig macht
(Fremde Stadt)
    Pestalozzi, Heinrich: op 45,2
    Schneider, Christian I.: op 12

Wieder schreitet er
(Frühling)
    Brodersen, Viggo: op 44,2
    Holtzapfel, Otto B.: op 13
    Klenk, Hans
    Müller von Kulm, Walter: Sieben Lieder, op 9
    Nick, Edmund: 5 Lieder (1)
    Schoeck, Othmar: Lieder 4,6

Wie der stöhnende Wind
    Bodart, Eugen: op 6,5
    Brodersen, Viggo: op 47
    Mraczek, J. G.: Lieder (2)
    Wetzel, Justus Hermann: op 11,7

Wie eine weiße Wolke
(Elisabeth)
    Fischer, Edwin: op 1,1
    Hayn, Fritz: op 10,3
    Jürgens, Fritz: Nachgelassene Lieder (12)
    Klenk, Hans
    Schoeck, Othmar: op 8,1
    Thienemann, Herbert: Lieder der Sehnsucht (2)

Wie fremd und wunderlich das ist
(Landstreicherherberge)
    Dempfwolf, Herbert
    Müller-Pfaltz, J. K.: Lieder, Folge 2
    Pászthory, C. v.: 6 Lieder nach Gedichten von H. H. (S. 10)
    Schneider, Christian J.: op 24
    Stürmer, Bruno: op 55,2

Wie sind die Tage schwer
    Brodersen, Viggo: op 44,3
    Brömel, Rudolf: H. H. Lieder
    Hartmann, I.: 3 Gesänge (3)
    Wassermann, Alfred: op 3,4
    Wetzel, Justus Hermann: op 11,6
    Wirthmann, Otto: op 24,4

Wie über eines tiefen Brunnens Rand
(Ohne Liebe)
    Jemnitz, Alexander: op 3,8
    Schick, Phillip: op 29,1

Wind im Gesträuch
(Frühlingstag)
    Bleyle, Karl: op 29,3
    Graener, Paul: op 102,3

Lothar, Mark: op 2,3
Müller von Kulm, Walter: Sieben Lieder, op 9
Nick, Edmund: 5 Lieder (3)
Wetzel, Justus Hermann: op 11,5
Wirthmann, Otto: op 24,1

Wir sind in Zorn und Unverstand
(Schicksal)
    Thienemann, Herbert: Sonne im Herbst, S. 10

Wohin? Wohin?
(Nachtgang)
    Haas, Josef: op 65,5

Wolken, leise Schiffer
(Wolken)
    Thienemann, Herbert: Wolken, Wind und Wälder, S. 12

Wo nicht anders vermerkt, sind Liedanfang und Titel identisch.

    (Noten im Hermann-Hesse-Archiv des Deutschen Literaturarchivs, Marbach a. Neckar)

Nachbemerkung

Dieses Buch versucht erstmals, die wichtigsten Texte Hermann Hesses zusammenzufassen, die die Musik zum thematischen Gegenstand haben. Es besteht aus zwei Teilen: erstens einer Sammlung von autonomen Arbeiten, in denen Hesse musikalische Erlebnisse meist in der Form von Betrachtungen, Erinnerungen und Gedichten festgehalten hat, und zweitens einer chronologisch angeordneten Auswahl von Briefen, Buchbesprechungen und Studien, die seine lebenslange Beschäftigung mit der Musik anzureißen versucht.

Während nicht wenige Texte des ersten Teils unserer Edition in einem zeitlosen Raum angesiedelt zu sein scheinen, wird im folgenden, mehr autobiographischen Abschnitt am Beispiel der unmittelbaren Selbstzeugnisse erkennbar, von welchem aktuellen Hintergrund sie sich abheben. Denn bis auf wenige Ausnahmen hat es Hesse bewußt vermieden, die direkte und streitbare Auseinandersetzung mit aktuellen Eindrücken in seinen Dichtungen auszutragen. Dichtung, das war für ihn klärende Sublimierung des Gegenwärtigen, Synthese der scheinbaren Gegensätze; viele seiner Werke sind sowohl thematisch wie sprachrhythmisch in geradezu kontrapunktischer Dialektik und Musikalität ausgeführt. Der Weg dorthin aber, der Prozeß der Verarbeitung, scheint dem vorwiegend rationalen Leser übersprungen. Er kann ihn jedoch in Hesses kritischen Schriften, den Rezensionen, vor allem aber in seinen Briefen finden. – Obwohl unser aus solchen Elementen zusammengefügtes autobiographisches Mosaik mit dem Übertitel »Wo Ratio und Magie eins werden« leider nicht den Anspruch auf Vollständigkeit erheben kann, da uns ständig neue Briefe und neues, noch unpubliziertes Material zugänglich werden, glauben wir dennoch, schon aus den bisher aufgefunde-

nen Dokumenten Hesses Verhältnis zur Musik in seinen wichtigsten Umrissen abstecken zu können.
Musik – das war für Hesse »reine Gegenwart, ästhetisch wahrnehmbar gemachte Zeit«, Einklang des Augenblicks mit der Vergangenheit und Zukunft. Wie die kontrapunktische Musik des 18. Jahrhunderts, die er bevorzugt und immer wieder, gerade in schwierigen Zeiten, empfohlen hat, entwarf er auch seine eigenen Dichtungen als Alternativen und Möglichkeiten zu einer Regeneration, den entgegengesetzten Tendenzen seiner Zeit zum Trotz. Besonders während der Jahre des Nationalsozialismus erinnert er wiederholt an die altchinesische Erkenntnis des Lü Bu We: »Die vollkommene Musik hat ihre Ursache. Sie entsteht aus dem Gleichgewicht, das Gleichgewicht entsteht aus dem Rechten, das Rechte entsteht aus dem Sinn der Welt.« Für den vieldeutigen Begriff vom »Sinn der Welt« gibt es heute, zumal in der Biologie und Verhaltensforschung, präzisere Synonyme. Alarmiert durch die fortschreitende Zerstörung des ökologischen Gleichgewichts, rufen uns die Naturwissenschaftler immer nachdrücklicher das sinnvolle Aufeinanderbezogensein des organischen Lebens in Erinnerung und weisen auf die Verkümmerungen hin, die der Mensch sich selber und seiner Umwelt antut, wenn er glaubt, sich über die Strukturen, Muster und Proportionen hinwegsetzen zu können, denen er selber angehört.
In der Musik zum letztenmal verwirklicht sieht Hesse den Anspruch Lü Bu We's auf das »Gleichgewicht« in den Kompositionen des Barock, die in der ausgewogenen Ordnung ihrer Polyphonie ihm der psychischen Disposition des unverbildeten Menschen verwandt zu sein scheinen. Neuerdings werden dieselben musikalischen Kriterien auch von der Psychotherapie bestätigt, die besonders der kontrapunktischen Musik des Barock,

aber auch der unpathetischen Melodienfülle Mozarts ganz überraschende Heilerfolge verdankt.

Die chronologische Anordnung der Beiträge unseres Bandes (nur die Gedichte im ersten Teil, die vorwiegend nach Sinnzusammenhängen placiert wurden, bilden eine Ausnahme) ermöglicht es dem Leser, Hermann Hesses musikalische Entwicklung ziemlich genau zu verfolgen.

Sie setzt mit vorwiegend gefühlsbetonten, atmosphärischen Impressionen ein, um dann, mit zunehmendem Alter, dieselben Eindrücke immer bewußter und kausaler zu erfassen. »Damals war die Musik noch nicht die Kunst, von der ich mir meine Problematik bestätigen lassen wollte«, erinnert er sich rückblickend auf die Jahre vor dem Ersten Weltkrieg. Gegenüber den späteren Texten mit ihrer vertieften Psychologie fällt in den frühesten Betrachtungen (etwa in »Alte Musik« und »Musik«) die Technik auf, mit der es ihm gelingt, musikalische Eindrücke anschaulich in die Sprache zu übersetzen, indem er akustische Wahrnehmungen bevorzugt mit optischen Vergleichen darstellt. »Hesse ist vor allem ein Augenmensch«, notierte Romain Rolland nach seinem ersten Besuch am 21. 8. 1915 in sein Tagebuch, »beim Hören von Musik sieht er immer Bilder und Landschaften (bei einem bestimmten Präludium von César Franck, das er besonders liebt, sieht er hohe Berge)«. – Zu dieser, noch vorwiegend sinnlichen und wertfreien Hingabe an die benachbarte Disziplin gesellt sich im Alter ein zunehmend ethischer Anspruch. Immer weniger wird es ihm möglich, die sogenannte Kultur von der gesellschaftlichen und politischen Realität zu isolieren. Besonders beschäftigt ihn die zunehmende Aufwendigkeit der Orchestrierung. 1913, nach einer Züricher Aufführung von Gustav Mahlers Achter Symphonie (»Symphonie der Tausend«) schreibt er einem befreundeten Maler: »Mozart und Bach erreichten mit einem Viertel an Stimmen mehr.« Und noch 1957 verweist er auf einen Ausspruch von Johannes Brahms, der über sich selbst bemerkt haben soll, er könne als Musiker sehr viel mehr, als er eigentlich zu sagen habe. Das zunehmende Mißverhältnis zwischen Inhalt und Aufwand in der Musik hat Hesse mitunter sogar die Vermutung nahegelegt, im selben Maße wie die technische Perfektionierung zugenommen habe, könne eine Abnahme der eigentlichen Musikalität beobachtet werden.

Besonders der Rolle des Virtuosen und dem Personenkult, die sich in den letzten zweihundert Jahren immer stärker in den Vordergrund gedrängt haben, stand er skeptisch gegenüber. Doch nicht allein über den Starkult mancher Dirigenten (»Der genialste Dirigent wird zum Schädling, sobald er sich zu wichtig nimmt«) und die berechnende Magie gewisser Solisten, die es verstehen, »die Menschen genau an jener empfindlichen Stelle zwischen Tränendrüse und Geldbeutel zu kitzeln«, fand er unmißverständliche Worte. Sein Mißtrauen ging viel tiefer. Was früher noch auf eine gemeinsame, überindividuelle und übernationale Idee (des christlichen Weltverständnisses) zentriert war, sieht er spätestens seit Beethoven auseinanderbrechen und sich in zunehmender Eigengesetzlichkeit bis zur isolierten und schließlich sogar rauschhaften Selbstdarstellung entwickeln. Seine Kritik richtet sich vor allem gegen die zentrifugalen Tendenzen, die auch vor der Musik nicht haltgemacht haben. Hier nun gewinnt Hesses scheinbar so subjektive und puritanische Vorliebe einerseits für die exakten Kompositionsprinzipien der vorromantischen Musik, andererseits für die klare, periodische Symmetrie der schwerelos-lebensbejahenden und sich verschwenderisch verschenkenden Melodik Mozarts eine ganz andere, nämlich eine zeitkritsche Dimension. Es ist daher kein Zufall, daß er gerade 1934 in zahlreichen Briefen, aber auch im

Vorwort zu seinem großen zeitkritischen Gegenentwurf, dem Alterswerk »Das Glasperlenspiel«, wieder auf Lü Bu We hingewiesen hat und auf dessen Satz: »Je rauschender die Musik, desto melancholischer werden die Menschen, desto gefährlicher wird das Land, desto tiefer sinkt der Fürst ... Die Musik eines verfallenden Staates ist sentimental und traurig und seine Regierung gefährdet.« Hesses Einwände z. B. gegen Wagner und gegen die pathetische Sinnlichkeit einer allzu selbstherrlichen Musik zielen immer auf die Gefahren ihrer unberechenbaren Auswirkungen und deren Benutzbarkeit zur Manipulation des Publikums.

Selbstverständlich können dies nicht die Kriterien eines Musik-Schaffenden sein, dessen Werk ja gerade der Auseinandersetzung mit seiner Zeit entspringt und sie also notgedrungen widerspiegeln muß. Doch urteilt Hesse, wie er selbst immer wieder zu bedenken gibt, ja nicht als Musikwissenschaftler, sondern als »Laie und Moralist«. Gerade das verleiht seinen Beobachtungen den Reiz des Unprätentiösen und einer distanzierten Unbefangenheit.

Im Anhang dieses Bandes ist ein Teil der bisher bibliographisch erfaßten Vertonungen von Gedichten Hermann Hesses verzeichnet, um erstmals – wenigstens in knapper Auswahl – den Interessenten einen Überblick zu ermöglichen über den Anteil, den zeitgenössische Komponisten an Hesses Lyrik genommen haben.

Aus Umfangsgründen war es nicht möglich, Hesses unvollendet gebliebenen »Vierten Lebenslauf Josef Knechts« in diese Edition aufzunehmen. Diese zur Zeit des Pietismus und der großen europäischen Musikblüte des 18. Jahrhunderts spielende Erzählung ist in einer Einzelausgabe gleichfalls in der Bibliothek Suhrkamp erhältlich.

Frankfurt am Main, im April 1976   *Volker Michels*

Quellennachweise

Alte Musik
Entstanden 1913. Erstdruck in »Die Rheinlande«, Düsseldorf, 14, 1914.
Orgelspiel
Entstanden 1937. Erstdruck in »Corona«, München, Berlin, Zürich, 7, 1937.
Musik
Entstanden 1915. Erstdruck in »Die Schweiz«, Zürich, März 1915.
Konzert
Erstdruck in »Die Schweiz«, Zürich, 23, 1919.
Aus dem »Steppenwolf«
Entstanden 1925/26. Erstausgabe im S. Fischer Verlag, Berlin, 1927.
Die Zauberflöte am Sonntagnachmittag
Erstdruck in H. H., »Krisis«. Erstausgabe im S. Fischer Verlag, Berlin, 1928.
Virtuosen-Konzert
Erstdruck in »Kölnische Zeitung« vom 7. 6. 1928.
Neid
Erstdruck in »National-Zeitung«, Basel vom 3. 7. 1927.
Othmar Schoeck
Erstdruck in »Schweizerische Musikzeitung«, Zürich, 71, 1931.
Aus den Erinnerungen an Othmar Schoeck
Erstdruck in »Neue Rundschau«, Berlin, Dezember 1936.
Symphonie
Aufgenommen in den Sammelband »Musik des Einsamen«, Neue Gedichte von H. H., Eugen Salzer Verlag, Heilbronn, 1915.
Mozarts Opern
Erstdruck in den Programmblättern des Zürcher Stadttheaters, Spielzeit 1932/33, Nr. 8, S. 14.
Mit der Eintrittskarte zu Mozarts Zauberflöte
Entstanden im Dezember 1938. Erstdruck in »National-Zeitung«, Basel vom 11. 12. 1938.
Bei einer Musik von Schumann
Erstdruck in »Musikalische Notizen« in »Neue Schweizer Rundschau«, Zürich, Februar 1948.
Valse brillante
Entstanden zwischen 1899 und 1902. Aufgenommen in H. H., »Die Gedichte«, 1942.
Klassische Musik
Aus dem »Versuch einer allgemeinverständlichen Einführung in die

Geschichte des Glasperlenspiels«, geschrieben im Mai/Juni 1934. Erstabdruck im Dezember 1934 in der »Neuen Rundschau«, Berlin.
Das Glasperlenspiel (Gedicht)
Entstanden am 1. 8. 1933. Erstabdruck in »Neue Schweizer Rundschau«, Zürich, 45, 1934.
Vom Musizieren
Aus dem Glasperlenspiel-Kapitel »Die Berufung«. Erstdruck in »Corona«, München, Berlin, Zürich, 8, 1938.
Für Ilona Durigo
Unveröffentlichtes Gedicht.
Dreistimmige Musik
Erstdruck in »Neue Zürcher Zeitung« vom 21. 7. 1934.
Nicht abgesandter Brief an eine Sängerin
Erstdruck in »National-Zeitung«, Basel vom 16. 11. 1947.
Feierliche Abendmusik
Erstdruck in »Schwabenspiegel« (Wochenschrift der »Württembergischen Zeitung«, Stuttgart), 7, 1913/14.
Eine Konzertpause
Erstdruck in »Neue Zürcher Zeitung« vom 22. 11. 1947.
Ein Satz über die Kadenz
Erstdruck in »Basler Nachrichten« vom 23. 11. 1947.
An einen Musiker
Erstdruck in »Neue Zürcher Zeitung« vom 8. 4. 1960.
In Sand geschrieben
Aus »Die Gedichte«, 1942
Nachts im April notiert
Erstdruck in »Akzente«, München, Juni 1962.

*Register der in Vorwort, Hauptteil und Nachbemerkung erwähnten Personen**

d'Albert, Eugen 217 f
Andreae, Volkmar 115, 178, 185, 198, 200, 209
Anthes, Georg 136

Bach, Joh. Seb. 7, 10, 12, 14, 15, 18, 19, 27, 29, 41, 43, 50, 53, 54, 56, 74, 75, 79, 80, 104, 109, 111, 138, 141, 153 f, 155, 158, 159, 160, 162, 163, 169, 170, 171 f, 175, (177), 178, 179, 181, 184, 193, 194, 200, 204, (208 f), 210, 218, 220, 221, 222, 223, 224, 225, (226), Nachbemerkung
Baeschlin, Theo *187*
Ball-Hennings, Emmy *154*
Bartók 200, 215, 216 f
Basler, Otto *160, 168*
Bauer, Walter *195*
Beethoven 41, 42, 46, 54, 80, 104, 107, 117, 134, 135, 137, 138, 140, 153, 158, 159, 167, 195, 200, 205, 206, 208, 212, 219, 221, 223, 224, 229 f, Nachbemerkung
Benz, Richard *191*
Berg, Alban 200
Berlioz 42, 148 f, 186
Bermig, Werner 200
Bie, Oskar 142
Biedermann, Alfred *184*
Bizet (154)
Blümel, Otto 141, 218
Boccherini 158, 200
Bodmer, Elsy 228

Bodmer, H. C. 117, 197, 228
Böckmann, Paul *202*
Böhmer, Gunter *191, 222*
Brahms 15, 46, 47, 136, 195, 203, 214, 220, 221, Nachbemerkung
Braun, Grete *178*
Brentano, Clemens 77
Brentano (die Geschwister) 163
Breyer, Hans Martin *193*
Bruckner, Anton 153, 179
Brun, Fritz 64, 70, 116, *184 f*, 198
Bülow, Hans v. 174
Busch, Adolf 195
Busoni, Ferrucio 116, 150, 174, 200

Casals, Pablo 203
Cellini, Benvenuto 148
Chladni, E. F. 220
Chopin 46, 78, 104, 107, 108, 109, 117 f, 126, 128, 129, 130, 131, 134, 167, 200, 219, 220, 221
Clarus, C. *173, 181*
Cohen, Herman 199
Colloredo 176
Corelli 165, 200
Corrodi, Hans 156 f, 157
Cortot, Alfred 118
Couperin 79

Dettinger, Karl *194, 202*
Diabelli 230
Dickens 208
Döll, Rainer 220

---

* Indirekte Personenerwähnung ist durch ( ) gekennzeichnet. Briefempfänger sind mit kursiver Seitenzahl angegeben.

Donizetti 154
Durigo, Ilona 91, 116, 177 f, 209, 224 f
Dvořák 136

Eichendorff 70, 152, 184, 186
Eisenmann, Will 113, 185 f
Erb, Karl 177, 178

Faisst 201
Fasano, Renato 218
Feller, Elisabeth *194*
Ferrier, Kathleen 211, (213)
Finckh, Ludwig *159*
Fischer, Edwin 103 ff, 116, 118, 195, 218
Flury 61
Fou Tsong 117 ff
Fournier, Pierre 203 f, 206
France, Anatole 114
Franck, César Nachbemerkung
Furtwängler 116, 153, 214

Gide, André 118
Gluck 10, 220
Goes, Albrecht *197*
Goes, Eberhard *126*
Goethe 13, 19, 83, 92, 141, 147, (154), 158, 159, 187, 201
Grimm, Wilhelm *186*
Grube, Gerta *230*
Gundert, Adele, geb. Hesse Schwester von H. H. 10, 177, 205, 209, 211, 212
Gundert, Friedrich (Vetter von H. H. 177, 179, 194, 209
Gundert, Grete *222*
Gundert, Hermann (Großvater von H. H. 229
Gundert, Hermann (Vetter von H. H. 129, *218*

Haasis 123 f

Händel 10, 79, 115, 163, 164 f, 169, 200, 215 f, 220, 223
Harnisch, Otto 226 f
Haskil, Clara 206 f, 221
Hauptmann, Gerhart 126, 154
Haydn 10, 123, 136, 137, 158, 220
Hecker, Joachim v. *224*
Hegner, Otto 136
Heine, Heinrich 118
Herder 159
Hesse, Bruno (Sohn von H. H. *154*, 215, 221, 223
Hesse, Christine (verh. Widmer; Enkelin von H. H.) 223
Hesse, Heiner (Sohn von H. H. *220*
Hesse, Johannes (Vater von H.H.) 71, 72, 129, 229
Hesse, Johannes und Marie (Eltern von H. H.) *125*, *129*, *136*, 210
Hesse, Marie, verw. Isenberg, geb. Gundert (Mutter von H.H.) 205, 208, 209, 212, 227, 228 f
Hesse, Marulla (Schwester von H. H.) 205, 209, 211, 212
Hesse, Mia (1. Frau von H.H.) 62, 71, 104, 154, 207
Hesse, Ninon (3. Frau von H. H.) *153 f*, 154, *159*, *170*, 206, 211
Hiedler, Ida 136
Hitler 161, 189, 191, 193, 222
Hölderlin 163, 184
Hoffmann, E. T. A. 186
Holbein 137
Huber, Hans 116, 137

Isenberg, Carlo (Neffe von H. H.) *157*, *160*, *162 f*, 163, 167, 168, *172*, 177, (215)
Isenberg, Charles 205

Isenberg, Karl (Halbbruder von H. H.) *128*, *130*, 177, 178 f, 205, 209, 212
Isenberg, Theodor (Halbbruder von H. H.) (117), 178 f, 205, 209
Jahn, Otto 142
Jean Paul 9, 192, 227
Jesus 191, 196, 210
Joachim, Joseph 50, 105, 136, 200
Jung, C. G. *169*

Kaegi, Werner 199
Kallenbach, Karoline *220*
Kasack, Hermann 22
Kasics, Tibor 178, (225)
Kehrwecker, Willi *200*
Keller, Gottfr. 69
Keller, Vroni *182*
Klinkerfuß, Margarete *201*
Kolb, Annette 175 ff
Kolbenheyer 161
Konfuzius (Kung-Fu-Tse) 17
Korradi, Otto *182*
Koschalski, Raoul 117

Lang, Adelheid *168*
La Roche, Elisabeth 108, 154, 195
Lehár 191
Leitzmann, Albert 150
Lenau 61, 124, 152, 184
Lessing 159
Leuthold, Alice *158*, *171*
Lichdi, Kurt *192*
Lienert, Meinrad 66
Lipatti, Dinu 116, 118, 221
Liszt, Franz 104, 118, 217
Löwe 212
Longfellow 208
Lortzing 154
Lü Bu We 81, 167 f, 170, Nachbemerkung

Mahler, Gustav 117, 141, Nachbemerkung
Makart, Hans 148
Mann, Thomas 9, 16, *161*, 173 f, 178, 191, 194
Markwalder, Josef u. Franz Xaver 188
Maux, Richard 179
May, Karl 202
Mendelssohn-Bartholdy 130
Menzel, Richard *195*
Merimée 160
Messhaert, Johannes Martinus 200
Mörike 116, 142, 187, 199
Morgenthaler, Ernst *189*
Mozart, Konstanze, geb. Weber 143
Mozart, Leopold 143, 145, 146, 147, 176
Mozart, W. A. 10, 14, 15, 16, 18, 41, 43, 45 ff, (49), 56, 74 f, 79, 126, 141 ff, 145, 146 f, 150 f, 153, 154, 158, 159, 165, (167), 175 f, 181, 184, 191, 200, 206, 215, 220, 221, 224, Nachbemerkung
Münchinger, Karl 218

Nardini 27
Natter, Edmund *193*
Nietzsche 16, 129, 192, 202
Novalis 16, 163

Oppenheim, Erich *191*

Pachelbel 163
Paderewski 116, 117
Paganini 50
Pauer, Ernst 129 f, 131
Petrus 210
Pfitzner 178
Philippi, Maria 116

Popp, Hans *163, 170*

Raffael 208
Ravel 200
Reichardt, Johann F. 201
Reinhart, Hans 199
Renner, Ludwig *139*
Rolland, Romain 171, 178, Nachbemerkung
Rossini 62, 64, 154
Rubinstein, Anton 105
Rubinstein, Artur 118

Saint-Foix, G. von 143
Sarasate 50, 104 f, 116, 131, 132 ff, 136, 200
Sartre 191
Scarlatti 12, 206
Schädelin, Walter 185
Schaer, Alfred *141*
Schapitz 135
Schiedermair, L. 145, 146
Schiler, Fanny *160, 167, 177, 179, 187, 192,* 221
Schiller (154), 158, 159, 193, 230
Schlegel, August Wilh. 179
Schlenker, Alfred 61, 185, 198 f
Schnapp, Friedrich 174
Schneider, Kl. J. *224*
Schoeck, Othmar 59 ff, 116, 152, 156 ff, 160, 178, 179, 184, 185, 186, 198, *199*, 200, 202, 225
Schönberg, Arnold 195
Scholz, Hans 148, 149
Schott, Rolf 150
Schreiber, Hans *193*
Schubart 163
Schubert 43, 45, 61, 62, 92, 157, 167, 180, 184, 187, 201, 205, 212, 219, 220, 221, 223
Schütter, Meinrad 199
Schütz, Heinrich 163, 227
Schuh, Willy 174

Schulz, Herbert 222
Schumann 22, 77, 129, 130, 186, 200, 206, 207, 211 ff, 219, 220, 221
Schurig, Arthur 142 ff, 146
Schweikert, H. *202*
Scott, Walter 208
Serkin, Rudolf 195, 221 f
Shaffer, Elaine 222
Shakespeare (154), 175, 177, 208
Silcher, Friedrich 212
Sokrates 191, 196
Spinoza 196
Stämpfli, G. *183*
Steiner, Herbert *180*
Strauß, D. F. 116 f
Strauss, Richard 22, 116, 170, 187 ff, 222
Strauss-Schebest, Agnese 116
Strawinsky 158, 208, 229
Suhrkamp, Peter 188

Tartini 27, 50, 53 f
Thomann, Max 225
Tieck, Ludwig 9
Toscanini 116
Tschuang Tse 119

Valentin, Erich 114, 116, 117, *224*
Veracini 27
Verdi 64
Vincon 177
Vischer, Fr. Th. 117
Vivaldi 115, 218
Vogler, Martin *218*
Voigt-Diederichs, Helene *131, 134, 135, 136, 137*
Vondenhoff, Bruno 22
Vondenhoff, Eleonore *214*

Wagner, Cosima 104, 174
Wagner, Richard 15, 16, 46 f, 129, 134, (136), 147 f, 161,

168, 170, 173 f, 191, 193, 202, 208, Nachbemerkung
Weber (Fam. von Constanze Mozart) 176
Weiss, Erich 214
Welti, Albert 61, 184
Welti, Helene 167
Welti-Herzog 104
Wetzel, Justus Hermann *173, 197*

Widmann, Fritz 63
Wiegand, Heinrich *152, 153, 155*
Wittkowski, Viktor *184*
Wolf, Hugo 45, 62, 92, 153, 157, 187, 200, 220
Würz, Anton 208, *223*
Wyzewa, Th. v. 143, 144

Zweig, Stefan *171*

Bibliothek Suhrkamp

Verzeichnis der letzten Nummern

393 Wolfgang Koeppen, Tauben im Gras
394 Cesare Pavese, Das Handwerk des Lebens
395 Theodor W. Adorno, Noten zur Literatur IV
397 Ferruccio Busoni, Entwurf einer neuen Ästhetik der Tonkunst
398 Ernst Bloch, Zur Philosophie der Musik
399 Oscar Wilde, Die romantische Renaissance
400 Marcel Proust, Tage des Lesens
402 Paul Nizan, Das Leben des Antoine B.
403 Hermann Heimpel, Die halbe Violine
404 Octavio Paz, Das Labyrinth der Einsamkeit
405 Stanisław Lem, Das Hohe Schloß
406 André Breton, Nadja
407 Walter Benjamin, Denkbilder
408 Mircea Eliade, Die Sehnsucht nach dem Ursprung
409 Rainer Maria Rilke, Über Dichtung und Kunst
410 Ödön von Horváth, Italienische Nacht
411 Jorge Guillén, Ausgewählte Gedichte
412 Paul Celan, Gedichte I
413 Paul Celan, Gedichte II
414 Rainer Maria Rilke, Das Testament
415 Thomas Bernhard, Die Macht der Gewohnheit
416 Zbigniew Herbert, Herr Cogito
417 Wolfgang Hildesheimer, Hauskauf
418 James Joyce, Dubliner
419 Carl Einstein, Bebuquin
420 Georg Trakl, Gedichte
421 Günter Eich, Katharina
422 Alejo Carpentier, Das Reich von dieser Welt
423 Albert Camus, Jonas
424 Jesse Thoor, Gedichte
425 T. S. Eliot, Das wüste Land
426 Carlo Emilio Gadda, Die Erkenntnis des Schmerzes
427 Michel Leiris, Mannesalter
428 Hermann Lenz, Der Kutscher und der Wappenmaler
429 Mircea Eliade, Das Mädchen Maitreyi
430 Ramón del Valle-Inclán, Tyrann Banderas
431 Raymond Queneau, Zazie in der Metro
433 William Butler Yeats, Die geheime Rose
434 Juan Rulfo, Pedro Páramo
435 André Breton, L'Amour fou
436 Marie Luise Kaschnitz, Gedichte
437 Jerzy Szaniawski, Der weiße Rabe

438 Ludwig Hohl, Nuancen und Details
439 Mario Vargas Llosa, Die kleinen Hunde
440 Thomas Bernhard, Der Präsident
441 Hermann Hesse – Thomas Mann, Briefwechsel
442 Hugo Ball, Flametti
443 Adolfo Bioy Casares, Morels Erfindung
444 Hermann Hesse, Wanderung
445 Ödön von Horváth, Don Juan
446 Flann O'Brien, Der dritte Polizist
447 Giuseppe Tomasi di Lampedusa, Der Leopard
448 Robert Musil, Die Verwirrungen des Zöglings Törleß
449 Elias Canetti, Der Überlebende
450 Robert Walser, Geschwister Tanner
451 Alfred Döblin, Berlin Alexanderplatz
452 Gertrude Stein, Paris Frankreich
453 Johannes R. Becher, Gedichte
454 Federico García Lorca, Bluthochzeit/Yerma
455 Ilja Ehrenburg, Julio Jurenito
456 Boris Pasternak, Geschichte einer Kontra-Oktave
457 Juan Carlos Onetti, Die Werft
458 Anna Seghers, Die schönsten Sagen vom Räuber Woynok
459 Harry Levin, James Joyce
464 Franz Kafka, Der Heizer
465 Wolfgang Hildesheimer, Masante
466 Evelyn Waugh, Wiedersehen mit Brideshead
467 Gershom Scholem, Walter Benjamin
468 Rainer Maria Rilke, Duineser Elegien
469 Hugo von Hofmannsthal/Rainer Maria Rilke, Briefwechsel
470 Alain, Die Pflicht glücklich zu sein
471 Wolfgang Schadewaldt, Der Gott von Delphi
472 Hermann Hesse, Legenden
473 H. C. Artmann, Gedichte
474 Paul Valéry, Zur Theorie der Dichtkunst
476 Erhart Kästner, Aufstand der Dinge
477 Stanisław Lem, Der futurologische Kongreß
478 Theodor Haecker, Tag- und Nachtbücher
479 Peter Szondi, Satz und Gegensatz
480 Tania Blixen, Babettes Gastmahl
481 Friedo Lampe, Septembergewitter
482 Heinrich Zimmer, Kunstform und Yoga
483 Hermann Hesse, Musik
486 Marie Luise Kaschnitz, Orte
487 Hans-Georg Gadamer, Vernunft im Zeitalter der Wissenschaft
488 Yukio Mishima, Nach dem Bankett
489 Thomas Bernhard, Amras
490 Robert Walser, Der Gehülfe
491 Patricia Highsmith, Als die Flotte im Hafen lag

492 Julien Green, Der Geisterseher
493 Stefan Zweig, Die Monotonisierung der Welt
494 Samuel Beckett, That Time/Damals
495 Thomas Bernhard, Die Berühmten
496 Günter Eich, Marionettenspiele
497 August Strindberg, Am offenen Meer
498 Joseph Roth, Die Legende vom heiligen Trinker
499 Hermann Lenz, Dame und Scharfrichter
500 Wolfgang Koeppen, Jugend
501 Andrej Belyj, Petersburg
503 Cortázar, Geschichten der Cronopien und Famen
504 Juan Rulfo, Der Llano in Flammen
505 Carlos Fuentes, Zwei Novellen
506 Augusto Roa Bastos, Menschensohn
508 Alejo Carpentier, Barockkonzert
509 Elisabeth Borchers, Gedichte
510 Jurek Becker, Jakob der Lügner
512 James Joyce, Die Toten/The Dead
513 August Strindberg, Fräulein Julie
514 Sigmund Freud, Eine Kindheitserinnerung des Leonardo da Vinci
515 Robert Walser, Jakob von Gunten
519 Rainer Maria Rilke, Gedichte an die Nacht
520 Else Lasker-Schüler, Mein Herz
521 Marcel Schwob, Roman der 22 Lebensläufe
522 Mircea Eliade, Die Pelerine
523 Hans Erich Nossack, Der Untergang
524 Jerzy Andrzejewski, Jetzt kommt über dich das Ende
525 Günter Eich, Aus dem Chinesischen
526 Gustaf Gründgens, Wirklichkeit des Theaters
527 Martin Walser, Ehen in Philippsburg
528 René Schickele, Die Flaschenpost
529 Flann O'Brien, Das Barmen
533 Wolfgang Hildesheimer, Biosphärenklänge
534 Ingeborg Bachmann, Malina
535 Ludwig Wittgenstein, Vermischte Bemerkungen
536 Zbigniew Herbert, Ein Barbar in einem Garten
537 Rainer Maria Rilke, Ewald Tragy
538 Robert Walser, Die Rose
539 Malcolm Lowry, Die letzte Adresse
540 Boris Vian, Die Gischt der Tage
541 Hermann Hesse, Josef Knechts Lebensläufe
542 Hermann Hesse, Magie des Buches
543 Hermann Lenz, Spiegelhütte
544 Federico García Lorca, Gedichte
545 Ricarda Huch, Der letzte Sommer
546 Wilhelm Lehmann, Gedichte
547 Walter Benjamin, Deutsche Menschen

548 Bohumil Hrabal, Tanzstunden für Erwachsene und Fortgeschrittene
549 Nelly Sachs, Gedichte
550 Ernst Penzoldt, Kleiner Erdenwurm
551 Octavio Paz, Gedichte
552 Luigi Pirandello, Einer, Keiner, Hunderttausend
553 Strindberg, Traumspiel
554 Carl Seelig, Wanderungen mit Robert Walser
555 Gershom Scholem, Von Berlin nach Jerusalem
556 Thomas Bernhard, Immanuel Kant
557 Ludwig Hohl, Varia
559 Raymond Roussel, Locus Solus
560 Jean Gebser, Rilke und Spanien
561 Stanislaw Lem, Die Maske · Herr F.
562 Raymond Chandler, Straßenbekanntschaft Noon Street
563 Konstantin Paustowskij, Erzählungen vom Leben
564 Rudolf Kassner, Zahl und Gesicht
565 Hugo von Hofmannsthal, Das Salzburger große Welttheater
567 Siegfried Kracauer, Georg
568 Valery Larbaud, Glückliche Liebende ...
570 Graciliano Ramos, Angst
571 Karl Kraus, Über die Sprache
572 Rudolf Alexander Schröder, Ausgewählte Gedichte
573 Hans Carossa, Rumänisches Tagebuch
574 Marcel Proust, Combray
575 Theodor W. Adorno, Berg
576 Vladislav Vančura, Der Bäcker Jan Marhoul
577 Mircea Eliade, Die drei Grazien
578 Georg Kaiser, Villa Aurea
579 Gertrude Stein, Zarte Knöpfe
580 Elias Canetti, Aufzeichnungen 1942–1972
581 Max Frisch, Montauk
582 Samuel Beckett, Um abermals zu enden
583 Mao Tse-tung, 39 Gedichte
584 Ernst Kreuder, Die Gesellschaft vom Dachboden
585 Peter Weiss, Der Schatten des Körpers des Kutschers
586 Herman Bang, Das weiße Haus
587 Herman Bang, Das graue Haus
588 Hermann Broch, Menschenrecht und Demokratie
589 D. H. Lawrence, Auferstehungsgeschichte
590 Flann O'Brien, Zwei Vögel beim Schwimmen
591 André Gide, Die Rückkehr des verlorenen Sohnes
592 Jean Gebser, Lorca oder das Reich der Mütter
593 Robert Walser, Der Spaziergang
594 Natalia Ginzburg, Caro Michele
595 Raquel de Queiroz, Das Jahr 15
596 Hans Carossa, Ausgewählte Gedichte

597 Mircea Eliade, Der Hundertjährige
599 Hans Mayer, Doktor Faust und Don Juan
600 Thomas Bernhard, Ja
601 Marcel Proust, Der Gleichgültige
602 Hans Magnus Enzensberger, Mausoleum
603 Stanisław Lem, Golem XIV
604 Max Frisch, Der Traum des Apothekers von Locarno
505 Ludwig Hohl, Vom Arbeiten · Bild
606 Herman Bang, Exzentrische Existenzen
607 Guillaume Apollinaire, Bestiarium
608 Hermann Hesse, Klingsors letzter Sommer
609 René Schickele, Die Witwe Bosca
610 Machado de Assis, Der Irrenarzt
611 Wladimir Trendrjakow, Die Nacht nach der Entlassung
612 Peter Handke, Die Angst des Tormanns beim Elfmeter
613 André Gide, Die Aufzeichnungen und Gedichte des André Walter
614 Bernhard Guttmann, Das alte Ohr
616 Ludwig Wittgenstein, Bemerkungen über die Farben
617 Paul Nizon, Stolz
618 Alexander Lernet-Holenia, Die Auferstehung des Maltravers
619 Jean Tardieu, Mein imaginäres Museum
620 Arno Holz/Johannes Schlaf, Papa Hamlet
621 Hans Erich Nossack, Vier Etüden
622 Reinhold Schneider, Las Casas vor Karl V.
624 Ludwig Hohl, Bergfahrt
625 Hermann Lenz, Das doppelte Gesicht
627 Vladimir Nabokov, Lushins Verteidigung
628 Donald Barthelme, Komm wieder Dr. Caligari
629 Louis Aragon, Libertinage, die Ausschweifung
630 Ödön von Horváth, Sechsunddreißig Stunden
631 Bernard Shaw, Sozialismus für Millionäre
632 Meinrad Inglin, Werner Amberg. Die Geschichte seiner Kindheit
633 Lloyd deMause, Über die Geschichte der Kindheit
634 Rainer Maria Rilke, Die Sonette an Orpheus
635 Aldous Huxley, Das Lächeln der Gioconda
636 François Mauriac, Die Tat der Thérèse Desqueyroux
637 Wolf von Niebelschütz, Über Dichtung
638 Henry de Montherlant, Die kleine Infantin
639 Yasushi Inoue, Eroberungszüge
640 August Strindberg, Das rote Zimmer
641 Ernst Simon, Entscheidung zum Judentum
642 Albert Ehrenstein, Briefe an Gott
643 E. M. Cioran, Über das reaktionäre Denken
644 Julien Green, Jugend
645 Marie Luise Kaschnitz, Beschreibung eines Dorfes
646 Thomas Bernhard, Der Weltverbesserer
647 Wolfgang Hildesheimer, Exerzitien mit Papst Johannes

648 Volker Braun, Unvollendete Geschichte
649 Hans Carossa, Ein Tag im Spätsommer 1947
650 Jean-Paul Sartre, Die Wörter
651 Regina Ullmann, Ausgewählte Erzählungen
652 Stéphane Mallarmé, Eines Faunen Nachmittag
653 Flann O'Brien, Das harte Leben
654 Valery Larbaud, Fermina Márquez
655 Robert Walser, Geschichten
656 Max Kommerell, Der Lampenschirm aus den drei Taschentüchern
657 Samuel Beckett, Bruchstücke
658 Carl Spitteler, Imago
659 Wolfgang Koeppen, Das Treibhaus
660 Ernst Weiß, Franziska
661 Grigol Robakidse, Kaukasische Novellen
662 Muriel Spark, Die Ballade von Peckham Rye
663 Hans Erich Nossack, Der Neugierige
665 Mircea Eliade, Fräulein Christine
666 Yasushi Inoue, Die Berg-Azaleen auf dem Hira-Gipfel
667 Max Herrmann-Neiße, Der Todeskandidat
668 Ramón del Valle-Inclán, Frühlingssonate
669 Marguerite Duras, Ganze Tage in den Bäumen
670 Ding Ling, Das Tagebuch der Sophia
671 Yehudi Menuhin, Kunst und Wissenschaft als verwandte Begriffe
672 Karl Krolow, Gedichte
673 Giovanni Papini, Ein erledigter Mensch
674 Bernhard Kellermann, Der Tunnel
675 Ludwig Hohl, Das Wort faßt nicht jeden
678 Julien Green, Moira
679 Georges Simenon, Der Präsident
680 Rudolf Jakob Humm, Die Inseln
681 Misia Sert, Pariser Erinnerungen
682 Hans Henny Jahnn, Die Nacht aus Blei
683 Luigi Malerba, Geschichten vom Ufer des Tibers
684 Robert Walser, Kleine Dichtungen
685 Reinhold Schneider, Verhüllter Tag
686 Andrej Platonov, Dshan
688 Hans Carossa, Führung und Geleit
689 Ferdinand Ebner, Das Wort und die geistigen Realitäten
690 Hugo Ball, Zur Kritik der deutschen Intelligenz
693 Viktor Šklovskij, Zoo oder Briefe nicht über die Liebe
694 Yves Bonnefoy, Rue Traversière
696 Odysseas Elytis, Ausgewählte Gedichte
697 Wisława Szymborska, Deshalb leben wir
698 Otto Flake, Gedichte
700 Peter Weiss, Abschied von den Eltern
701 Wladimir Tendrjakow, Die Abrechnung
705 Ernesto Cardenal, Gedichte

Bibliothek Suhrkamp

Alphabetisches Verzeichnis

Adorno: Berg 575
- Literatur 1 47
- Literatur 2 71
- Literatur 3 146
- Literatur 4 395
- Mahler 61
- Minima Moralia 236
- Über Walter Benjamin 260
Aitmatow: Dshamilja 315
Alain: Die Pflicht glücklich zu sein 470
Alain-Fournier: Der große Meaulnes 142
- Jugendbildnis 23
Alberti: Zu Lande zu Wasser 60
Anderson: Winesburg, Ohio 44
Andrić: Hof 38
Andrzejewski: Appellation 325
- Jetzt kommt über dich das Ende 524
Apollinaire: Bestiarium 607
Aragon: Libertinage, die Ausschweifung 629
Arghezi: Kleine Prosa 156
Artmann: Gedichte 473
de Assis: Der Irrenarzt 610
Asturias: Legenden aus Guatemala 358
Bachmann: Malina 534
Ball: Flametti 442
- Hermann Hesse 34
- Zur Kritik der deutschen Intelligenz 690
Bang: Das weiße Haus 586
- Das graue Haus 587
- Exzentrische Existenzen 606
Barnes: Antiphon 241
- Nachtgewächs 293
Baroja: Shanti Andía, der Ruhelose 326
Barthelme: City Life 311
- Komm wieder Dr. Caligari 628

Barthes: Die Lust am Text 378
Baudelaire: Gedichte 257
Becher: Gedichte 453
Becker: Jakob der Lügner 510
Beckett: Bruchstücke 657
- Der Verwaiser 303
- Erste Liebe 277
- Erzählungen 82
- Glückliche Tage 98
- Mercier und Camier 327
- Residua 254
- That Time/Damals 494
- Um abermals zu enden 582
- Wie es ist 118
Belyj: Petersburg 501
Benjamin: Berliner Chronik 251
- Berliner Kindheit 2
- Denkbilder 407
- Deutsche Menschen 547
- Einbahnstraße 27
- Über Literatur 232
Benn: Weinhaus Wolf 202
Bernhard: Amras 489
- Der Präsident 440
- Der Weltverbesserer 646
- Die Berühmten 495
- Die Jagdgesellschaft 376
- Die Macht der Gewohnheit 415
- Der Ignorant und der Wahnsinnige 317
- Immanuel Kant 556
- Ja 600
- Midland in Stilfs 272
- Verstörung 229
Bioy-Casares: Morels Erfindung 443
Blixen: Babettes Gastmahl 480
Bloch: Erbschaft dieser Zeit 388
- Die Kunst, Schiller zu sprechen 234
- Spuren. Erweiterte Ausgabe 54
- Thomas Münzer 77

- Verfremdungen 1 85
- Verfremdungen 2 120
- Zur Philosophie der Musik 398

Block: Der Sturz des Zarenreiches 290

Bond: Lear 322

Bonnefoy: Rue Traversière 694

Borchers: Gedichte 509

Braun: Unvollendete Geschichte 648

Brecht: Die Bibel 256
- Flüchtlingsgespräche 63
- Gedichte und Lieder 33
- Geschichten 81
- Hauspostille 4
- Klassiker 287
- Dialoge aus dem Messingkauf 140
- Me-ti, Buch der Wendungen 228
- Politische Schriften 242
- Schriften zum Theater 41
- Svendborger Gedichte 335
- Turandot oder der Kongreß der Weißwäscher 206

Breton: L'Amour fou 435
- Nadja 406

Broch: Demeter 199
- Esch oder die Anarchie 157
- Gedanken zur Politik 245
- Hofmannsthal und seine Zeit 385
- Huguenau oder die Sachlichkeit 187
- James Joyce und die Gegenwart 306
- Die Erzählung der Magd Zerline 204
- Menschenrecht und Demokratie 588,
- Pasenow oder die Romantik 92

Brudziński: Die Rote Katz 266

Busoni: Entwurf einer neuen Ästhetik der Tonkunst 397

Camus: Der Fall 113
- Jonas 423
- Ziel eines Lebens 373

Canetti: Aufzeichnungen 1942–1972 580
- Der Überlebende 449

Capote: Die Grasharfe 62

Cardenal: Gedichte 705

Carossa: Gedichte 596
- Ein Tag im Spätsommer 1947 649
- Führung und Geleit 688
- Rumänisches Tagebuch 573

Carpentier: Barockkonzert 508
- Das Reich von dieser Welt 422

Celan: Ausgewählte Gedichte 264
- Gedichte I 412
- Gedichte II 413

Chandler: Straßenbekanntschaft Noon Street 562

Cioran: Über das reaktionäre Denken 643

Cortázar: Geschichten der Cronopien und Famen 503

Cocteau: Nacht 171

Conrad: Jugend 386

Curtius: Marcel Proust 28

Ding Ling: Das Tagebuch der Sophia 670

Döblin: Berlin Alexanderplatz 451

Duras: Ganze Tage in den Bäumen 669
- Herr Andesmas 109

Ebner: Das Wort und die geistigen Realitäten 689

Ehrenburg: Julio Jurenito 455

Ehrenstein: Briefe an Gott 642

Eich: Aus dem Chinesischen 525
- Gedichte 368
- In anderen Sprachen 135
- Katharina 421
- Marionettenspiele 496
- Maulwürfe 312
- Träume 16

Einstein: Bebuquin 419

Eliade: Das Mädchen Maitreyi 429
- Der Hundertjährige 597
- Die drei Grazien 577

- Die Sehnsucht nach dem
  Ursprung 408
- Die Pelerine 522
- Fräulein Christine 665
- Auf der Mântuleasa-Straße 328
Eliot: Das wüste Land 425
- Gedichte 130
- Old Possums Katzenbuch 10
Elytis: Ausgewählte Gedichte 696
Enzensberger: Mausoleum 602
Faulkner: Der Bär 56
- Wilde Palmen 80
Fitzgerald: Der letzte Taikun 91
Flake: Gedichte 698
Fleißer: Abenteuer aus dem
  Englischen Garten 223
- Ein Pfund Orangen 375
Freud: Briefe 307
- Der Mann Moses 131
- Leonardo da Vinci 514
Frisch: Andorra 101
- Bin 8
- Biografie: Ein Spiel 225
- Der Traum des Apothekers
  von Locarno 604
- Homo faber 87
- Montauk 581
- Tagebuch 1946-49 261
Fuentes: Zwei Novellen 505
Gadamer: Vernunft im Zeitalter
  der Wissenschaft 487
- Wer bin Ich und wer bist Du? 352
Gadda: Die Erkenntnis des
  Schmerzes 426
- Erzählungen 160
Gałczyński: Die Grüne Gans 204
Gebser: Lorca oder das Reich
  der Mütter 592
- Rilke und Spanien 560
Gide: Die Aufzeichnungen und
  Gedichte des André Walter 613
- Die Rückkehr des verlorenen
  Sohnes 591
Ginsburg: Caro Michele 594
Giraudoux: Juliette im Lande
  der Männer 308
Gorki: Zeitgenossen 89
Green: Der Geisterseher 492
- Der andere Schlaf 45
- Jugend 644
- Moira 678
Gründgens: Wirklichkeit des
  Theaters 526
Guillén: Ausgewählte Gedichte 411
Guttmann: Das alte Ohr 614
Habermas: Philosophisch-politische Profile 265
Haecker: Tag- und Nachtbücher 478
Hamsun: Hunger 143
- Mysterien 348
Handke: Die Angst des Tormanns beim Elfmeter 612
Hašek: Partei des maßvollen
  Fortschritts 283
Heimpel: Die halbe Violine 403
Hemingway· Der alte Mann und
  das Meer 214
Herbert: Ein Barbar in einem
  Garten 536
- Herr Cogito 416
- Im Vaterland der Mythen 339
- Inschrift 384
Hermlin: Der Leutnant York
  von Wartenburg 381
Herrmann-Neiße: Der Todeskandidat 667
Hesse: Briefwechsel mit Thomas
  Mann 441
- Demian 95
- Eigensinn 353
- Glaube 300
- Glück 344
- Iris 369
- Klingsors letzter Sommer 608
- Josef Knechts Lebensläufe 541
- Knulp 75
- Kurgast 329
- Legenden 472
- Magie des Buches 542
- Morgenlandfahrt 1

- Musik 483
- Narziß und Goldmund 65
- Politische Betrachtungen 244
- Siddhartha 227
- Steppenwolf 226
- Stufen 342
- Vierter Lebenslauf 181
- Wanderung 444
Highsmith: Als die Flotte im Hafen lag 491
Hildesheimer: Biosphärenklänge 533
- Cornwall 281
- Exerzitien mit Papst Johannes 647
- Hauskauf 417
- Lieblose Legenden 84
- Masante 465
- Tynset 365
Hofmannsthal: Briefwechsel 469
- Das Salzburger große Welttheater 565
- Gedichte und kleine Dramen 174
Hohl: Bergfahrt 624
- Das Wort faßt nicht jeden 275
- Nuancen und Details 438
- Varia 557
- Vom Arbeiten · Bild 605
- Vom Erreichbaren 323
- Weg 292
Holz/Schlaf: Papa Hamlet 620
Horkheimer: Die gesellschaftliche Funktion der Philosophie 391
Horváth: Don Juan 445
- Glaube Liebe Hoffnung 361
- Italienische Nacht 410
- Kasimir und Karoline 316
- Sechsunddreißig Stunden 630
- Von Spießern 285
- Geschichten aus dem Wiener Wald 247
Hrabal: Moritaten und Legenden 360
- Tanzstunden für Erwachsene und Fortgeschrittene 548
Huch: Der letzte Sommer 545

Huchel: Ausgewählte Gedichte 345
Hughes: Sturmwind auf Jamaika 363
- Walfischheim 14
Humm: Die Inseln 680
Huxley: Das Lächeln der Gioconda 635
Inglin: Werner Amberg. Die Geschichte seiner Kindheit 632
Inoue: Die Berg-Azaleen auf dem Hira-Gipfel 666
- Eroberungszüge 639
- Das Jagdgewehr 137
- Der Stierkampf 273
Jacob: Der Würfelbecher 220
Jahnn: Die Nacht aus Blei 682
James: Die Tortur 321
Jouve: Paulina 1880 271
Joyce: Anna Livia Plurabelle 253
- Briefe an Nora 280
- Dubliner 418
- Giacomo Joyce 240
- Kritische Schriften 313
- Porträt des Künstlers 350
- Stephen der Held 338
- Die Toten/The Dead 512
- Verbannte 217
Kafka: Der Heizer 464
- Die Verwandlung 351
- Er 97
Kaiser: Villa Aurea 578
Kasack: Die Stadt hinter dem Strom 296
Kasakow: Larifari 274
Kaschnitz: Beschreibung eines Dorfes 645
- Gedichte 436
- Orte 486
- Vogel Rock 231
Kassner: Zahl und Gesicht 564
Kästner: Aufstand der Dinge 476
- Zeltbuch von Tumilat 382
Kawabata: Träume im Kristall 383
Kawerin: Das Ende einer Bande 332
- Unbekannter Meister 74

Kellermann: Der Tunnel 674
Koeppen: Das Treibhaus 659
– Jugend 500
– Tauben im Gras 393
Kołakowski: Himmelsschlüssel 207
Kolář: Das sprechende Bild 288
Kommerell: Der Lampenschirm aus den drei Taschentüchern 656
Kracauer: Freundschaft 302
– Georg 567
– Ginster 107
Kraft: Franz Kafka 211
– Spiegelung der Jugend 356
Kraus: Nestroy und die Nachwelt 387
– Sprüche 141
– Über die Sprache 571
Kreuder: Die Gesellschaft vom Dachboden 584
Krolow: Alltägliche Gedichte 219
– Gedichte 672
– Nichts weiter als Leben 262
Kudszus: Jaworte Neinworte 252
Lampe: Septembergewitter 481
Landolfi: Erzählungen 185
Landsberg: Erfahrung des Todes 371
Larbaud: Fermina Márquez 654
– Glückliche Liebende ... 568
Lasker-Schüler: Mein Herz 520
Lawrence: Auferstehungsgeschichte 589
Lehmann: Gedichte 546
Leiris: Mannesalter 427
Lem: Das Hohe Schloß 405
– Der futurologische Kongreß 477
– Die Maske · Herr F. 561
– Golem XIV 603
– Robotermärchen 366
Lenz: Dame und Scharfrichter 499
– Das doppelte Gesicht 625
– Der Kutscher und der Wappenmaler 428
– Spiegelhütte 543

Lernet-Holenia: Die Auferstehung des Maltravers 618
Levin: James Joyce 459
Llosa: Die kleinen Hunde 439
Loerke: Anton Bruckner 39
– Gedichte 114
Lorca: Bluthochzeit/Yerma 454
– Gedichte 544
Lowry: Die letzte Adresse 539
Lucebert: Gedichte 259
Majakowskij: Ich 354
– Liebesbriefe an Lilja 238
– Politische Poesie 182
Malerba: Geschichten vom Ufer des Tibers 683
Mallarmé: Eines Faunen Nachmittag 652
Mann, Heinrich: Politische Essays 209
Mann, Thomas: Briefwechsel mit Hermann Hesse 441
– Leiden und Größe der Meister 389
– Schriften zur Politik 243
Mao Tse-tung: 39 Gedichte 583
Marcuse: Triebstruktur und Gesellschaft 158
Mauriac: Die Tat der Thérèse Desqueyroux 636
Maurois: Marcel Proust 286
deMause: Über die Geschichte der Kindheit 633
Mayer: Brecht in der Geschichte 284
– Doktor Faust und Don Juan 599
– Goethe 367
Mayoux: James Joyce 205
Menuhin: Kunst und Wissenschaft als verwandte Begriffe 671
Michaux: Turbulenz 298
Minder: Literatur 275
Mishima: Nach dem Bankett 488
Mitscherlich: Idee des Friedens 233
– Versuch, die Welt besser zu bestehen 246

Montherlant: Die kleine Infantin 638
Musil: Tagebücher 90
– Die Verwirrungen des Zöglings Törleß 448
Nabokov: Lushins Verteidigung 627
Neruda: Gedichte 99
Niebelschütz: Über Dichtung 637
Nizan: Das Leben des Antoine B. 402
Nizon: Stolz 617
Nossack: Beweisaufnahme 49
– Der Neugierige 663
– Der Untergang 523
– Interview mit dem Tode 117
– Nekyia 72
– Spätestens im November 331
– Dem unbekannten Sieger 270
– Vier Etüden 621
Nowaczyński: Schwarzer Kauz 310
O'Brien: Der dritte Polizist 446
– Das Barmen 529
– Das harte Leben 653
– Zwei Vögel beim Schwimmen 590
Olescha: Neid 127
Onetti: Die Werft 457
Palinurus: Das Grab der Leidenschaft 11
Papini: Ein erledigter Mensch 673
Pasternak: Initialen ohne Frieden 299
– Geschichte einer Kontra-Oktave 456
Paustowskij: Erzählungen vom Leben 563
Pavese: Das Handwerk des Lebens 394
– Mond 111
Paz: Das Labyrinth der Einsamkeit 404
– Gedichte 551
Penzoldt: Kleiner Erdenwurm 550
– Der dankbare Patient 25
– Squirrel 46
– Prosa eines Liebenden 78

Piaget: Weisheit und Illusionen der Philosophie 362
Pirandello: Einer, Keiner, Hunderttausend 552
Plath: Ariel 380
– Glasglocke 208
Platonov: Die Baugrube 282
– Dshan 686
Ponge: Im Namen der Dinge 336
Portmann: Vom Lebendigen 346
Pound: ABC des Lesens 40
– Wort und Weise 279
Proust: Briefwechsel mit der Mutter 239
– Combray 574
– Der Gleichgültige 601
– Swann 267
– Tage der Freuden 164
– Tage des Lesens 400
Queiroz: Das Jahr 15 595
Queneau: Stilübungen 148
– Zazie in der Metro 431
Radiguet: Der Ball 13
– Den Teufel im Leib 147
Ramos: Angst 570
Ramuz: Erinnerungen an Strawinsky 17
Rilke: Ausgewählte Gedichte 184
– Briefwechsel 469
– Das Testament 414
– Der Brief des jungen Arbeiters 372
– Die Sonette an Orpheus 634
– Duineser Elegien 468
– Ewald Tragy 537
– Gedichte an die Nacht 519
– Malte Laurids Brigge 343
– Über Dichtung und Kunst 409
Ritter: Subjektivität 379
Roa Bastos: Menschensohn 506
Robakidse: Kaukasische Novellen 661
Roditi: Dialoge über Kunst 357
Roth, Joseph: Beichte 79
– Die Legende vom heiligen Trinker 498
Roussell: Locus Solus 559

Rulfo: Der Llano in Flammen 504
- Pedro Páramo 434
Sachs, Nelly: Späte Gedichte 161
- Gedichte 549
- Verzauberung 276
Sarraute: Martereau 145
- Tropismen 341
Sartre: Die Wörter 650
- Die Kindheit eines Chefs 175
Schadewaldt: Der Gott von Delphi 471
Schickele: Die Flaschenpost 528
- Die Witwe Bosca 609
Schneider: Las Casas vor Karl V. 622
- Verhüllter Tag 685
Scholem: Judaica 1 106
- Judaica 2 263
- Judaica 3 333
- Von Berlin nach Jerusalem 555
- Walter Benjamin 467
Scholem-Alejchem: Tewje, der Milchmann 210
Schröder: Ausgewählte Gedichte 572
- Der Wanderer 3
Schulz: Die Zimtläden 377
Schwob: Roman der 22 Lebensläufe 521
Seelig: Wanderungen mit Robert Walser 554
Seghers: Aufstand der Fischer 20
- Die Sagen vom Räuber Woynok 458
- Sklaverei in Guadeloupe 186
Sender: König und Königin 305
- Requiem für einen spanischen Landsmann 133
Sert: Pariser Erinnerungen 681
Shaw: Handbuch des Revolutionärs 309
- Haus Herzenstod 108
- Die heilige Johanna 295
- Helden 42
- Der Kaiser von Amerika 359
- Mensch und Übermensch 129
- Pygmalion 66

- Selbstbiographische Skizzen 86
- Sozialismus für Millionäre 631
- Vorwort für Politiker 154
- Wagner-Brevier 337
Simenon: Der Präsident 679
Simon, Ernst: Entscheidung zum Judentum 641
Simon, Claude: Das Seil 134
Šklovskij: Sentimentale Reise 390
- Zoo oder Briefe nicht über die Liebe 693
Solschenizyn: Matrjonas Hof 324
Spark: Die Ballade von Peckham Rye 662
Spitteler: Imago 658
Stein: Zarte Knöpfe 579
- Erzählen 278
- Paris Frankreich 452
Strindberg: Am offenen Meer 497
- Das rote Zimmer 640
- Fräulein Julie 513
- Traumspiel 553
Suhrkamp: Briefe 100
- Der Leser 55
- Munderloh 37
Svevo: Ein Mann wird älter 301
- Vom alten Herrn 194
Szaniawski: Der weiße Rabe 437
Szondi: Celan-Studien 330
- Satz und Gegensatz 479
Szymborska: Deshalb leben wir 697
Tardieu: Mein imaginäres Museum 619
Tendrjakow: Die Abrechnung 701
- Die Nacht nach der Entlassung 611
Thoor: Gedichte 424
Tomasi di Lampedusa: Der Leopard 447
Trakl: Gedichte 420
Ullmann: Ausgewählte Erzählungen 651
Valéry: Die fixe Idee 155
- Eupalinos 370
- Herr Teste 162

- Über Kunst 53
- Windstriche 294
- Zur Theorie der Dichtkunst 474
Valle-Inclán: Frühlingssonate 668
- Tyrann Banderas 430
Vallejo: Gedichte 110
Vančura: Der Bäcker Jan Marhoul 576
Vian: Die Gischt der Tage 540
Vittorini: Die rote Nelke 136
Walser, Martin: Ehen in Philippsburg 527
Walser, Robert: Der Gehülfe 490
- Der Spaziergang 593
- Die Rose 538
- Geschichten 655
- Geschwister Tanner 450
- Jakob von Gunten 515
- Kleine Dichtungen 684
- Prosa 57
Waugh: Wiedersehen mit Brideshead 466

Weiss: Abschied von den Eltern 700
- Der Schatten des Körpers des Kutschers 585
- Hölderlin 297
- Trotzki im Exil 255
Weiß: Franziska 660
Wilde: Die romantische Renaissance 399
- Das Bildnis des Dorian Gray 314
Williams: Die Worte 76
Wittgenstein: Bemerkungen über die Farben 616
- Über Gewißheit 250
- Vermischte Bemerkungen 535
Yeats: Die geheime Rose 433
Zimmer: Kunstform und Yoga 482
Zweig: Die Monotonisierung der Welt 493